Het Laatste Testament van de Bijbel

James Frey

# *Het Laatste Testament van de Bijbel*

Vertaald door Mario Molegraaf

2011 Prometheus Amsterdam

*'Van daar zal hij komen'*
APOSTOLISCHE GELOOFSBELIJDENIS

Oorspronkelijke titel *The Final Testament of the Holy Bible*
© 2011 James Frey
© 2011 Nederlandse vertaling Uitgeverij Prometheus en Mario Molegraaf
Omslagontwerp BUROPONY
Foto auteur Antonio Olmos/eyevine
www.uitgeverijprometheus.nl
ISBN 978 90 446 1800 6

*Dit boek werd geschreven met medewerking van en na uitgebreide gesprekken met familie, vrienden en volgelingen van Ben Zion Avrohom, ook bekend als Ben Jones, ook bekend als de Profeet, ook bekend als de Zoon, ook bekend als de Messias, ook bekend als de Here God.*

# Mariaangeles

Er was niets bijzonders aan hem. Gewoon een blanke jongen. Een normale blanke jongen. Bruin haar, bruine ogen, gemiddelde lengte en gemiddeld gewicht. Net als tien, twintig, dertig miljoen andere blanke jongens in Amerika. Helemaal niets bijzonders.

De eerste keer dat ik hem zag, liep hij de gang door. Tegenover waar ik woonde in de gang had een flat een jaar leeggestaan. Gewoonlijk gaat het hard met de flats in ons complex. De overheid subsidieert ze, dus zijn ze goedkoop voor mensen die in deze wereld niets te makken hebben en die, ook al willen ze ons altijd iets anders wijsmaken, weten dat we nooit iets te makken zullen hebben. Er zijn lijsten voor hen. Lang en almaar langer. Maar daar wilde niemand wonen. De flat had een reputatie. De man die er voordien had gewoond was gek geworden. Hij was normaal geweest. Had souvenirs verkocht bij het Yankee Stadion, een vrouw gehad en twee jongetjes, heel schattige jongetjes. Toen begon hij stemmen en zo te horen, begon hij te oreren over duivels en demonen, dat alleen hij ons van het einde scheidde. Hij raakte zijn baan kwijt, begon zich helemaal in het wit te kleden en probeerde bij iedereen het hoofd aan te raken. Hij kreeg er een paar keer van langs en zijn kerk vroeg hem niet meer te komen. Hij schreeuwde tegen zijn gezin en speelde de hele nacht van die orgelmuziek. Vervloekte de demonen en smeekte de Heer. Jankte als een soort hond. Hij liet zijn gezin nooit het huis uit gaan. We hoorden de muziek niet meer, het begon te ruiken, mama belde de smerissen en ze vonden hem hangend aan de douche. Met een wit gewaad als een monnik. Dichtgebonden met elektriciteitsdraad. Ze vonden zijn vrouw en jongens met isolatietape om hun enkels en polsen en plastic tassen over hun hoofden. Er lag een briefje waarin stond we zijn naar een beter oord toe. Misschien kreeg de duivel hem te pakken of de demonen of liet zijn Heer hem in de steek. Of misschien werd hij gewoon moe. En misschien zijn ze naar een beter oord toe. Ik weet het niet en zal het waarschijnlijk nooit weten, omdat ik niet geloof wat ik geloof. En het deed er ook niet toe. Iedereen had erover gehoord en niemand wilde er wonen. Vóór Ben. Hij liep de gang door met een rugzak en een oude koffer, en betrok zonder meer de flat. Hij wist niet wat er voordien was gebeurd of maalde er niet om. Hij betrok verdorie zonder meer de flat.

Hij was de enige blanke jongen in het gebouw. Afgezien van de joden die eigenaar waren van de slijterijen en de kledingzaken was hij de enige blanke jongen in de buurt. Verder waren we allemaal Porto Ricanen. Een paar Dominicanen. Een paar gewone zwarte klootzakken van de oude stempel. Allemaal arm. Boos. Met de vraag hoe het beter kon en het besef dat er geen antwoord was. Het was wat het was, is wat het is. Een verknald getto in een Amerikaanse stad. Allemaal één pot nat. Ben leek het niet te merken. Maalde er niet om dat hij misplaatst was. Hij kwam en ging. Praatte met niemand. Droeg doordeweeks een soort uniform als een pseudosmeris waar iedereen om moest lachen. Bleef in het weekend meestal in zijn flat, behalve wanneer hij uit drinken ging. Dan zagen we hem bewusteloos op de bankjes voor het gebouw, vlak naast de speelplaats. Of in de gang met braaksel op zijn overhemd. Op een keer kwam hij op een zondagochtend naar huis gestommeld, zijn broek was doornat en hij probeerde uit volle borst een rapliedje van twintig jaar terug te zingen. Mijn broer en diens vrienden begonnen met hem mee te lopen, hielden hem voor de zot en zo, en hij was te dronken om het ook maar te merken. We begonnen te denken dat we wisten waarom hij in ons midden leefde. Waarom hij er niet om maalde dat hij hier misplaatst was, niet thuishoorde. We dachten dat hij waar hij vandaan kwam niet meer welkom zou zijn. Ze wilden hem niet in de buurt. En we hadden gelijk, hij was er verdorie uit getrapt door zijn verwanten, alleen in de redenen vergisten we ons.

De eerste keer dat ik met hem praatte, was in de gang. Het was waarschijnlijk een halfjaar nadat hij in zijn flat was getrokken en mijn dochter en ik kwamen onze flat uit gelopen, we wilden een luchtje scheppen voor het gebouw. Hij stond daar in zijn boxershort en een T-shirt met zijn deur open, hij hield zijn telefoon vast. Mijn dochter was ongeveer anderhalf. Leerde net wat woorden. Ze zei hallo en hij zei niets terug. Ze is net haar mama. Ik zeg iets tegen iemand en verwacht dat ze iets terugzeggen. Dat wil iedereen. Een minimum aan respect. Dat ze je als mens zien. Ze zei het dus nog eens en hij stond daar maar. Ik zei dus hallo klootzak, weet je niet dat je een fatsoenlijke klotebuurman moet zijn en iets terug moet zeggen. En hij maakte een zenuwachtige en een beetje een geschrokken indruk en zei *sorry*. En toen zei mijn meid nog eens hallo, en hij zei het ook tegen haar en ze glimlachte en omhelsde zijn benen en hij lachte en ik vroeg hem waarom hij daar zomaar in de gang stond in zijn onderbroek en met zijn deur open en de telefoon in zijn hand. Hij zei dat hij op een nieuwe tv wachtte, dat hij er eentje in de uitverkoop had aangeschaft en dat die zou worden bezorgd. Ik zei dat hij beter een godverdomd goed slot kon nemen, dat je hier klootzakken had die voor een goede tv een klootzak zouden vermoorden, eerlijk waar. Hij glimlachte alleen, leek nog steeds erg zenuwachtig en geschrokken, en zei *ja, ik geloof dat het slot goed is, ik zal het eens goed nakijken*. En dat was dat. We lieten hem daar staan. Op een tv wachten.

Ik weet dat die verdomde tv ook kwam, want we begonnen het te horen. Beng beng beng. Explosies. Rondvliegende helikopters en vliegtuigen. Hoorde hem roepen en schreeuwen, hij zei *ja ja ja, ik*

*heb je te pakken schoft, wat zeg je daarvan, klootzak, wat zeg je daar-
van.* Kon zijn voetstappen horen, hem horen rondlopen. Schrok
een beetje want hij klonk als de gek die zijn gezin vermoordde en ik
begon me af te vragen of er echt een vloek op dat huis rustte. Liet
mijn broer, die een klas voor mij de school opgaf en toen nog hier
was, aan de deur gaan luisteren. Mijn broer vatte het heel serieus op,
luisterde van heel dichtbij, draaide zich naar mij en zei dit zit fout,
Mariaangeles, helemaal fout, we hebben een bleekscheet tegenover
ons in de gang die videospelletjes doet, ik kan het beste een paar van
mijn maten optrommelen en dit zaakje regelen. Ik lachte, en wist
dat ik beter had moeten weten. Maar zo gaat het in dit leven, je
houdt van je eigen mensen, en mensen die anders zijn dan jij vertrouw je niet. Als ik naar een blanke buurt was verhuisd en een van
mijn buren schoten en geschreeuw was gaan horen, zou een heel
klotebataljon smerissen mijn deur in zijn komen trappen. Zo gaat
dat nu eenmaal.

Mijn broer hield van videospelletjes. Hij zat voortaan heel de tijd in
die flat bij Ben. Ze deden een honkbalgame en een racegame waarbij ze hoe meer mensen ze met hun auto overhoop reden des te meer
punten kregen. Ze begonnen naar wedstrijden van de New York
Knicks te kijken, samen bier te drinken en soms een jointje te roken.
Ik zei mijn broer dat hij op moest passen want blanke mensen konden voor problemen zorgen en je kon nooit weten waar ze op uit
waren. Ik vond dat alles wat in mijn leven verkeerd was gegaan aan
blanke mensen lag, en de meesten zagen er joods uit. Een paar stuurden mijn pa naar de gevangenis toen ik klein was. Mijn ma moest
het grootste deel van haar leven voor haar werk hun huizen schoonmaken. Mijn leraren, die allemaal deden of het hen erg aanging
maar die eigenlijk alleen bang voor ons waren en ons als beesten be-
handelden, waren blanken. Zij zijn de smerissen, de rechters, de
huisbazen, de burgemeesters, de mensen die alles bestieren en bezit-
ten. En ze doen van niets afstand, laten in niets delen. De rijken

zorgen voor de rijken en regelen dat ze rijk blijven, en ze praten over de armen helpen, maar als ze dat echt deden waren we niet met zo velen. En een blanke jongen aan de overkant van de gang hebben wonen, af en toe dag tegen hem zeggen, zien dat hij dronken werd of een of ander mal uniform droeg, was één ding, maar dat mijn broer de hele tijd bij hem zat, ging te ver. Volgens mij kon daar niets goeds van komen.

Mijn broer luisterde nooit naar me. Nooit. Had hij het maar gedaan, dan was hij misschien nog bij ons. Maar deze keer had hij gelijk en ik ongelijk. Ook voor hij het wist, voor hij werd wat hij werd, voor het werd geopenbaard, kon Ben ermee door. Niets meer, niets minder, kon ermee door. Daar kwam ik voor het eerst achter toen mijn broer me ernaartoe bracht. Hij was het beu dat ik hem de hele tijd vertelde dat de blanke jongen niet deugde, dus op een dag zegt hij je komt met me mee en ziet dat hij aardig is óf je houdt je rotkop dat ik daar zit. Ik ben niet iemand om mijn rotkop te houden, op een paar keer in heel m'n leven na, dus ging ik met hem mee. We keken of het met mama in orde was, gingen naar de overkant van de gang, klopten op de deur en hij deed open in zijn boxershort en T-shirt met overal tomatensaus en mijn broer begon te praten.

Alles goed, Ben?

Ben veegde wat vet van z'n gezicht en reageerde.

*Alles goed, Alberto?*

Dit zijn m'n zus Mariaangeles en haar dochter Mercedes.

*Ja, ik heb ze al een keer gezien.*

Ben keek naar me.

*Hoe gaat het?*

Ik wierp hem een vuile blik toe.

Mogen we niet naar binnen?

*O ja.*

Hij deed de deur open. Ging opzij. En we gingen naar binnen en ik begon rond te kijken. Grote tv in de woonkamer. Een smerige oude bank met sigarettengaatjes die eruitzag of hij van oud tapijt was gemaakt. Videogame-disks en controllers. Gore keuken. Pizzadozen. Lege soepblikjes en pasta met lepels en vorken er nog in. Volle vuilniszakken op de grond. Ik deed de koelkast open met het idee iets fris of zo te drinken en het enige wat erin zat was wat ketchup en daarmee uit. Het hele huis rook naar oud eten en verschaald bier. Ging naar de slaapkamer en daar lagen een matras en een kussen. Wat kleren op de vloer. In de kast hing zijn uniform, het was het enige wat een verzorgde indruk maakte. De badkamer, de badkamer waar die man had gehangen, was erger dan de keuken. Vlekken in het toilet en de wasbak. Doekjes puilden uit een vuilnisbakje. Geen wc-papier te bekennen en ik betwijfel of hij er ook maar één keer had schoongemaakt. Zelfs afgemeten aan wat wij gewoonlijk te zien kregen, was zijn huis bar. En nog eerder dan bar, goor of walgelijk, was het gewoon triest. Heel triest. Of hij niet beter wist. Of het volgens hem voor een volwassen man normaal was zo te leven. Daarom kreeg ik het idee dat er niemand in zijn leven was die om hem gaf. Of hij helemaal alleen was. Alleen in een omgeving waar hij niet thuishoorde omdat hij nergens anders heen kon, naar niemand anders toe kon. Die hadden iets ondernomen als ze in de buurt waren. Maar ze waren niet in de buurt. Hij was helemaal alleen. Ik ging de woonkamer weer in. Beng beng beng. Hij en Alberto schoten op nazi's, gooiden granaten naar hen. Mercedes zat op de vloer, ze kauwde op haar beertje en zag op tv mensen ontploffen. Te veel. Er is al genoeg narigheid op de wereld zonder er nog meer bij te fantaseren. Te veel, zei ik, en ik sloeg Alberto achter op zijn hoofd. Hij werd erg boos, zei je wist wat we hier deden, je hoefde niet te komen. Ik zei doe een andere game, doe een game waarbij je geen bloed alle kanten op hoeft te zien spuiten, en Ben zei *we zullen het NBA-game spelen* en wisselde de disc. Intussen vraag ik hem waar hij vandaan komt, en hij zegt *Brooklyn*, en ik vraag hem of hij daar familie heeft, en hij zegt *ja*. Ik vraag hem of hij ze wel eens ziet, hij zegt *nee*. Ik vraag hem waarom en hij zegt *daarom niet*. Ik vraag hem hoe lang al en hij zegt *een hele tijd*. Ik vraag hem hoe oud hij is en hij zegt *dertig*, ik vraag hem waar hij voordien heeft gewoond en hij zegt dat hij er niet over wil praten. Antwoorden waarvan ik treurig werd. Ik dacht altijd dat blanke mensen een goed leven hadden. Zelfs de slechtsten waren beter af dan ik en iedereen die ik kende. Dat geloofde ik gewoon. Maar deze jongen had het niet beter. Slechter. Alleen hij, zijn videogames en zijn rotflat waar verder niemand in wilde wonen. Ik had in elk geval mijn meisje en mijn familie. Hij had het stukken slechter.

Hun game begon weer en ik was daar niet graag, want het was treurig en deprimerend, dus pakte ik Mercedes op, we vertrokken en gingen terug naar ons huis. En dat was het dan. Een hele tijd. Zes, negen maanden of zoiets. Alberto speelde videogames met Ben. Ik zag hem wel eens. In zijn uniform als het licht was, dronken als het donker was, soms in de gang in zijn ondergoed terwijl hij op een pizza wachtte. Ik werd achttien. Ging uit met een paar vriendinnen van me uit de buurt van het complex en een paar vriendinnen van toen ik op school zat. Ze waren allemaal zo'n beetje van mijn leeftijd, bijna allemaal in een situatie die op de mijne leek: geen diploma, een of twee kinderen en een paar hadden er drie, vriendje nog in de buurt maar eigenlijk weg, geen kans eruit of omhoog te komen. Alleen dingen om de dag, de week, de maand door te komen. Een van de meisjes had mooie kleren en een mooi horloge en rook lekker naar dure parfum en ze begon te vertellen dat ze als danseres werkte en volop geld verdiende. Zei dat je achttien moest zijn, maar je drie-, vierhonderd, misschien vijfhonderd dollar per avond kon verdienen met dansen in clubs. We zeiden eerst dat ze een hoertje was maar ze zei nee, ze danste naakt op een podium en deed in een aparte ruimte lapdances voor mannen en die gaven haar geld. Dat het gemakkelijk was. Er kwamen mannen uit Manhattan, die zeiden tegen hun vrouw dat ze vergaderingen hadden of tot laat moesten werken, of ze kwamen na honkbalwedstrijden in het Yankee Stadion. Hun waren stom en je kon ze gemakkelijk wijsmaken dat er seks in zat en hoe beter je ze dat kon wijsmaken des te meer betaalden ze je. Ze zei dat het geen preuts baantje was, ze moest flink met haar kont en tieten tegen blanke mannen wrijven, maar we waren geen van alle preutse meisjes, en na een lekkere douche op het eind van de avond voelde ze zich oké, zeker omdat ze zoveel verdiende. Ze zei dat ze misschien uit de buurt weg zou gaan. Een huis zoeken waar haar kinderen naar een goede school zouden kunnen. Want ook al waren we bijna allemaal vroegtijdig van school gegaan, we wisten dat de enige echte manier om te ontsnappen een opleiding was. Alleen lukte niemand van ons dat.

De volgende dag belde ik het meisje op. Ze nam me mee naar de club. Ik sprak met de manager. Een dikke blanke vent uit Westchester. Ik moest me van hem uitkleden tot mijn onderbroek en bh en hem laten zien hoe ik danste. Ik moest met mijn kont over zijn kruis wrijven en met mijn tietjes over zijn borst en hem smerige dingen toefluisteren die zijn vrouw niet in zijn oor zou zeggen. Zijn handen begonnen te dwalen en ik vroeg hem wat hij deed en hij zei dat hij een proefrit maakte met alle meisjes voor hij ze de baan op liet. Ik werd er misselijk van. Maar we hadden het geld nodig. Mama werkte niet en God mocht weten wat Alberto deed. Ik werd er misselijk van. Maar ik liet hem begaan. Ik liet hem helemaal z'n gang gaan. Een proefrit. Ik werd er verdomd misselijk van.

Begon een paar dagen later met het werk. Het was niet moeilijk maar ik moest een stuk van mijn hart, een stuk van mijn ziel afsluiten. Ik was voordien met drie mannen geweest. Eentje op m'n twaalfde. Mercedes' vader, met hem was ik vanaf mijn veertiende tot hij op mijn zeventiende vertrok. De manager. Op die manager na, had ik gewacht. Geprobeerd te zorgen dat ze van me hielden. Ik wist dat ik van hen hield. Zou alles voor hen hebben gedaan. Voor hen hebben gemoord of voor hen zijn gestorven. Voor hen door het vuur zijn gegaan. Ik dacht dat ze hetzelfde voelden, hun liefde even groot was.

Maar liefde is voor iedereen anders. Voor sommigen is het haat, voor sommigen is het plezier, voor sommigen is het angst, voor sommigen is het jaloezie, voor sommigen is het een marteling, voor sommigen is het vrede. Voor sommigen is het alles. Voor mij. Alles. En om een man zo aan me te laten zitten, of om zo aan een man te zitten, moest ik altijd liefde voelen. Dus deed ik het dicht. Op slot. Begroef het ergens. En ik danste en ik zat aan hen en fluisterde en bezorgde hun een stijve en bracht hen zo ver als ik kon en pakte van hen zoveel als ik kon. Ze wisten het niet maar ze pakten meer van mij. Een douche op het eind van de avond was niet genoeg. Bij lange na niet. Maakte niets schoon.

Drie avonden per week werkte ik, soms vier. Begon te sparen. Kocht kleren voor Mercedes die niet eerder waren gedragen, eigen schoenen voor haar, gloednieuw. Een trui voor mijn ma, en elke week nieuwe tijdschriften. Zette niets van het geld op de bank want ik weet wat er gebeurt met blanke mensen en hun banken. Ik stopte het weg. Waar Alberto nooit zou kijken. Waar niemand zou kijken. Een paar maanden, nog een paar. Geld verdienen, maar het deed pijn. Ik veranderde. Ik sloot mezelf heel de tijd af en begon me af te reageren. Een van de meiden gaf me iets te roken en dat hielp. Ik deed het dus vaker. En het hielp. Meer dan een douche of wat dan ook. Maar nadien begon het meer pijn te doen, dus nam ik meer. Slapen, werken en high worden. Begon dingen te doen die ik vroeger nooit zou hebben gedaan omdat het me niet kon schelen, omdat ik zo veel pijn had dat meer pijn niets voorstelde. En het leverde meer geld op. Op een avond dat ik aan het werk was, kwam Ben binnen en een van de meiden glimlachte en zei kijk wie we daar hebben. En ik vroeg haar wat er met hem was en ze zei dat hij een willig slachtoffer was. Kwam binnen met zijn salaris, werd dronken en gaf de hele zooi weg. Ik vertelde haar dat hij in mijn complex woonde en dat hij voor mij was. Ze ruziede er even over met me tot ik haar zei hoe ver ik zou gaan. Ik gaf te veel geld uit en ik had meer nodig. Mama werd ziek en Mercedes werd ziek en ze moesten naar een dokter toe en ik was niet verzekerd. En ik had meer nodig.

Ik ging naar hem toe. Hij was al dronken. Hij glimlachte en zei *hai* en ik zei hallo, schat, leuk je hier te zien. En ik vroeg het hem niet eens. Pakte zijn hand. Leidde hem naar het vertrek waar we de dansen deden. En ik ging naar hem toe, gaf hem wat alle mannen wilden en fluisterde in zijn oor wat we thuis konden doen nu ik wist wat voor jongen hij was. Ik zei hem dat ik aan zijn lul wilde zuigen en dat ik wilde dat hij me neukte, dat ik de hele dag en de hele nacht zijn kont wilde naaien, dat ik helemaal nat werd van het idee. En ik bleef drankjes bestellen en hem voeren. Hield het aan de gang. En hij ging erop in. En wilde meer. En na een uur was hij weg. Zijn geest was weg en zijn geld was weg. En ik voelde me rot omdat ik wist wat hij was en ik wist dat hij geen rotzak was. Alleen treurig. En alleen. Een man zonder iets of iemand, alleen in die flat waar verder niemand wilde wonen, met zijn tv en zijn games en zijn pizzadozen en soepblikken en zijn afval en zijn treurige matras en zijn vieze badkamer. Meer was hij niet. Hij raakte bewusteloos. Gewoon in de stoel met mijn kont tussen zijn benen. De uitsmijters kwamen en brachten hem naar buiten. Hij had geen identiteitskaart of paspoort of creditcard. Niets met zijn naam of adres of wat dan ook erop. Ik vertelde hun dat het mijn buurman was en ik wist waar hij woonde. Hun zouden hem op straat gooien, in de goot. Zouden hem daar laten liggen. Zouden laten gebeuren wat er ook ging gebeuren. Hij was daar eerder geweest, dat weet ik. En hij had ellendige dingen meegemaakt, dat weet ik zeker. Ik vertelde hun dat ik hem op z'n minst terug kon brengen naar het complex. Ik had eenvoudig alles gepakt wat hij had en vond dat ik dit wel kon doen. We namen een taxi en legden hem slapend op de achterbank. Ik zat naast hem. Hij snurkte als een baby. En toen we bij het complex waren, hielp de chauffeur me hem de taxi uit te krijgen. En ik kreeg hem het gebouw in en de lift in. Kreeg hem de gang in voor zijn deur. En daar liet ik hem achter. En ik ging weer weg en werd high. Besteedde wat van zijn geld aan wat ik nodig had. En toen ik later thuiskwam was hij daar nog steeds.

De volgende keer dat ik hem zag was zo'n twee dagen later. Hij kwam thuis in zijn uniform en ik ging naar m'n werk. We zeiden niets tegen elkaar. Ik weet niet eens of hij het zich herinnerde. Hij maakte alleen net als altijd een treurige en zenuwachtige indruk. En de daaropvolgende keer dat ik hem zag was veel later. En hij was niet meer dezelfde. Hij was veranderd. Veranderd en iemand anders geworden. Hij was iets geworden wat ik niet eens kon geloven. En toen wel. Ik geloofde.

Ik geloofde.

## Charles

Ik had met hem te doen toen ik met hem sprak. Hij was komen solliciteren naar een baantje als beveiliger op mijn bouwterrein. We lieten twee mannen tegelijk werken, in diensten van twaalf uur. Er waren mannen voor doordeweeks en mannen voor het weekend. Ze kregen het minimumloon. Geen verzekering. Het was een rotbaantje. Je liep het terrein rond, stond uren achter elkaar op je benen. We hadden geen hokje voor de bewakers. Als je daaraan begint, komen ze er nooit meer uit. Ze kopen tv'tjes en drinken de hele dag koffie. Doen een dutje. Dit was een gevoelige bouwplaats. We kwamen met veertig verdiepingen in een buurt waar het hoogste gebouw er elf had. Er was verzet vanuit de gemeenschap geweest. Wat protestacties en een grote petitie. Ik had kerels nodig die de handen uit de mouwen wilden steken. Om te zorgen dat de bouwplaats veilig was. Ze zijn moeilijker te vinden dan je denkt. De meeste mensen willen iets voor niets. Ze willen dat alles makkelijk gaat. Wanneer een baan zwaar is, eisen ze meer geld, meer vrije tijd, ze klagen bij hun vakbondsvertegenwoordigers en proberen er nieuwe afspraken uit te slepen. Zo werkt het niet. Het leven is zwaar, leer ermee om te gaan. Werken is kut, leer ermee om te gaan. Ik zou graag thuiszitten en elke twee weken geld beuren om naar honkbalwedstrijden te kijken en bij mijn kinderen te zijn. Zo gaat het niet. Je moet voor alles in deze wereld werken. Grijpen en graaien en vechten voor elke kleinigheid. En het wordt nooit makkelijker. Nooit. En het houdt pas op bij je dood. En dan maakt het niet uit. Leer er-

mee om te gaan. Zo gaat het nu eenmaal. Je strijdt en vecht en werkt
je kapot en dan ga je dood. Leer ermee om te gaan.

Hij verscheen met een cv. Daarin stond dat hij Ben Jones heette, dat
hij dertig was. Hij droeg een ouderwets overhemd met het logo van
een school voor bewakingspersoneel erop. Mijn eerste indruk van
hem was dat hij heel gretig was, heel opgewonden en heel nerveus.
Zijn hand beefde toen ik die schudde. Zijn lippen trilden. Afgezien
van de elementaire biografische informatie en een cursus van acht
weken op de school voor bewakingspersoneel waardoor hij officieel
geschikt was voor de baan, was het cv leeg. Ik vroeg hem waar hij
vandaan kwam en hij zei *Brooklyn*. Ik vroeg hem of hij op de universiteit had gezeten, hij zei *nee*. Ik vroeg hem wanneer hij van huis was
weggegaan en hij zei *op m'n veertiende*. Ik zei hem dat dit jong leek
en hij haalde zijn schouders op en ik vroeg wat hij de afgelopen zestien jaar had gedaan en hij veranderde, een beetje maar, maar hij
veranderde, en uit zijn ogen kwam iets heel treurigs, heel eenzaams
en buitengewoon pijnlijks. Het was er maar heel even, en normaal
gesproken zou ik zoiets niet opmerken of er aandacht aan besteden
of er een reet om geven, maar het was heel opvallend, en hij keek een
seconde omlaag naar zijn voeten, keek toen op en zei *ik heb een
moeilijke tijd gehad en ik wil graag werken en ik beloof u dat ik de beste
werknemer zal zijn die u heeft, dat beloof ik.* En daar bleef het bij.
Verder zei hij niets en ik drong niet aan. Ik dacht alleen bij mezelf
zestien jaar verdomme, wat heeft deze vent uitgevreten. En ik denk
er nog steeds over na, heel de tijd, wat hij heeft uitgevreten. En ik
nam aan, neem nog steeds aan, vanwege de flits van groot verdriet
en eenzaamheid en pijn die ik te zien kreeg dat wat en waar het ook
was, het echt echt vreselijk was geweest.

Ik gaf hem dus de baan. Hij was erg opgewonden. Als een klein kind
met Kerstmis. Een grote glimlach, een enorme glimlach. Hij zei een
keer of vijftig *dank u wel.* En hij bleef mijn hand maar schudden.

Het was grappig en heel ontwapenend. Terwijl hij toch niet de klotelotto had gewonnen. Hij kreeg een minimumloonbaan, twaalf klote-uren per dag rond een bouwterrein lopen.

Ik zette hem in de vijf-dagen-per-weekploeg. Dacht dat dat het beste zou zijn. Dat hij trots zou zijn op die positie. En dat was hij. Dat zag je aan hoe hij zijn werk deed. Hij was altijd op tijd. Zijn uniform was altijd schoon. Hij probeerde nooit zijn pauzes of zijn lunch langer te maken. Hij klaagde nooit. Het leek hem te fascineren hoe het neerzetten van een gebouw gaat: de heipalen erin krijgen, de fundering storten, de constructie van het staalskelet. Hij stelde verschillende mensen vragen over wat ze deden of waarom ze iets op een bepaalde manier deden. Hij luisterde heel aandachtig naar hun antwoorden, of hij er examen in moest doen of zoiets. Hij was in het algemeen de gelukkigste bewaker die ik ooit had gezien of aan het werk had, en hij werd een soort mascotte van het bouwterrein. Iedereen vond hem aardig en vond het fijn dat hij er was. Hij kende iedereen bij naam, begroette iedereen 's ochtends en zei tot ziens aan het eind van de dag. Er waren maar twee dingen raar, en ik liet ze allebei lopen omdat hij zijn werk zo goed deed en zo gelukkig leek. Het eerste was meteen nadat hij zijn eerste salaris kreeg. Hij kwam het adres in onze dossiers omzetten naar een adres in de Bronx. Het vorige adres was in Queens geweest. Ik weet niet waarom maar ik was nieuwsgierig, dus zocht ik het adres in Queens op. Het was een overgangshuis van de overheid, een oord waar ze mensen heen sturen die uit een gevangenis komen, een afkickcentrum, een tehuis voor daklozen of een psychiatrische instelling. Ik overwoog het verder uit te zoeken, maar ik had andere dingen aan mijn hoofd en met Ben leek alles in orde. Het tweede gebeurde op een dag tijdens de lunch. Ik had een afspraak met een dokter en moest van het terrein af. Onderweg naar de metro zag ik een paar straten verderop Ben op een bankje zitten. Hij huilde. Het was midden op de dag, en toen ik hem eerder had gezien had hij volkomen normaal geleken. Ik keek nog eens omdat ik niet kon geloven dat hij het was. Maar het was hem. Hij zat op een bankje met zijn gezicht in zijn handen en hij snikte.

De dag van het ongeluk was een prachtige lentedag. Het was zonnig, onbewolkt, licht briesje, zo'n 24 graden. Een perfecte New Yorkse dag, geen dag waarvan ik dacht dat het zo'n klotezooi zou worden. Ik had nooit eerder een groot ongeluk op een van mijn bouwterreinen gehad, en daar was ik erg trots op. Ik geloofde dat er geen gebouw op aarde bestond dat het waard was een leven voor te offeren, en dat geloof ik nog steeds. Veiligheid weegt zwaarder dan snelheid. Veiligheid weegt zwaarder dan wat ook. Het was een van de redenen dat ik was aangetrokken. Omdat de bouw een gevoelig thema was in de gemeenschap, en zo veel mensen ertegen waren, kon de projectontwikkelaar het zich niet veroorloven dat er iets misging. Ongelukken zijn het beste wapen dat activisten uit de gemeenschap tegen projectontwikkelaars hebben. Het zou aardig zijn te denken dat projectontwikkelaars veiligheid belangrijk vinden, maar dat is niet zo. Net als bijna iedereen in Amerika, zijn projectontwikkelaars zo inhalig als de pest. Ze vinden geld belangrijk, en activisten met wapens kosten hun geld. Het was mijn taak het budget te handhaven, de planning te handhaven en die bouwplaats veilig te houden.

Het skelet was klaar. Veertig verdiepingen stalen geraamte staken omhoog. We waren de ramen erin aan het doen, spiegelbeeldige panelen van drie bij drie meter. We hadden de eerste tweeëndertig verdiepingen zonder enig probleem voltooid, en we waren op drieëndertig aan het installeren. We hesen zeven panelen tegelijk op. Ze samenbinden, ze vastzetten, ze aan een kabel takelen, ze met een kraan omhoogbrengen. Ik had het letterlijk duizenden keren gedaan op bouwterreinen, en ik had nooit één probleem gehad.

Ik weet niet wat er godverdomme misging. Nog steeds niet. Er kwamen specialisten van de stad, de staat en de verzekeringsmaatschappij naar de takel kijken, en niemand kon het achterhalen. Tot de dag van vandaag wordt in alle papieren als oorzaak onbekend vermeld. Ik kon ze opbellen en hun vertellen dat het niet uitmaakte wat we die dag deden, dat geen enkele takel dat glas had gehouden, dat er andere krachten in het spel waren die alle krachten die de stad, de staat of de verzekeringsmaatschappij konden vergaren verre te boven gingen, maar dan hadden ze me voor gek verklaard. En soms weet ik niet of ik niet gek ben. Maar dat hoort bij geloof. Geloven en weten ondanks wat andere mensen zeggen, en ondanks wat de wereld misschien van je overtuigingen vindt.

Ik stond op de grond. Naast onze trailer, die op de rand van het trottoir was neergezet. Ik hield een klembord vast en was wat budgetcijfers aan het doornemen met een van onze bouwadministrateurs. Er wordt getoeterd voor er een grote lading omhooggaat, en de toeter klonk. Ik keek naar boven en de panelen gingen langzaam omhoog. We leggen het verkeer stil wanneer we panelen ophijsen, en er reden geen auto's door de straat. De meeste arbeiders stonden te praten, dat deden ze wanneer het werk werd onderbroken. Ben stond aan de rand van het bouwterrein, keek de kant op van het stilgelegde verkeer, hij zou iedereen tegenhouden die een poging zou wagen om onze verkeersregelaar heen te komen. Normaal gesproken had ik me weer over het klembord gebogen. Maar ik voelde iets, iets onvermijdelijks. Als je op een of andere manier het lot, het beschikte, de macht van de toekomst kunt voelen, dan voelde ik die, heel letterlijk. En daarom keek ik. Ik werd erdoor gedwongen iets te doen wat ik normaal gesproken niet zou doen. Ik kon me niet afwenden. Ik kon niet níet naar die panelen kijken.

De panelen bleven omhooggaan, en ze dreven een metertje af, zoals ze altijd deden, zoals alles met dit gewicht dat werd opgehesen zou afdrijven. De kraan werkte perfect. De takel was perfect vastgemaakt. De panelen zaten in houten kratten die met spijkers van ijzer waren afgesloten. Op dat moment hadden we er honderden opgehesen en geïnstalleerd. Het was niets bijzonders. Hoorde gewoon bij onze routine. Niemand keek, en ik ben de enige die het heb gezien. Ik zag de spijkers uit het krat glijden. Ik zag de achterkant van het krat neerkomen. Ik zag de hoek van de kratten veranderen. Ik zag ze afdrijven. Ik zag het paneel eruit vallen. Een glaspaneel van drie bij drie. Woog waarschijnlijk een halve ton. Ik zag het neerkomen.

Het trof hem achter op zijn hoofd en spatte uiteen. Er klonk een enorme herrie, een glasexplosie. Hij werd geplet. Een totale instorting. Alles hield op, iedereen draaide zich om. Er was een ogenblik, een lang gruwelijk ogenblik van stilte, van een eindeloze godverdomde stilte. Toen begon het geschreeuw. Ik liet het klembord vallen en begon naar hem toe te rennen. Haalde mijn telefoon uit mijn zak en belde 911. Het was uitgesloten dat hij nog leefde. Ik zei tegen de telefoniste dat er op mijn bouwterrein zojuist een man was omgekomen en gaf haar het adres. Ik kon het bloed zien voor ik er was. Het was overal. En er was overal glas. Het enige wat ik kon horen was geschreeuw. Mensen stapten hun auto's uit, ze renden, belden 911. En boven me zag ik, heel even, hoe de rest van de panelen de drieëndertigste etage werd opgetrokken. Uitgesloten dat er eentje naar beneden was gekomen.

Toen ik bij hem kwam, wist ik zeker dat hij dood was. De achterkant van zijn hoofd was verpulverd. Er was bloed en iets anders, hersenvocht veronderstelde ik, dat eruit lekte. In zijn hele lichaam zat het vol glasscherven. Hij was letterlijk aan flarden gescheurd, er stroomde bloed uit zijn armen, benen, borst, buik, gezicht. Overal was verdomme bloed. Ik kon hem eigenlijk niet eens zien. Ik wist niet wat ik moest doen, of ik hem moest aanraken, verplaatsen, proberen het glas uit zijn lijf te halen. Uitgesloten dat je kon proberen het bloeden te stelpen met een tourniquet, of tien tourniquets, of vijftig tourniquets. En ik geloofde niet in God dus kon ik niet bidden. Ik wachtte alleen tot iemand me zou komen vertellen wat er moest gebeuren.

Er begon zich een menigte te verzamelen. De andere arbeiders probeerden hen tegen te houden. Sirenes in de verte. Een groep vrouwen die knielden in een gebedscirkel. Er schreeuwden nog steeds mensen. Als ze dichterbij kwamen en zagen wat ik zag, draaiden ze weg, bedekten ze hun ogen, een paar braakten. En het bloed bleef stromen. Ik knielde naast hem en het liep rond mijn benen, doordrenkte mijn broek. Ik hield twee van zijn vingers vast waar geen glas zat, en ik begon te proberen tegen hem te praten. Ik had geen idee of hij me kon horen. Ik dacht dat hij er misschien wat aan had als hij het kon horen, dat hij er misschien rustiger van werd, dat het hem enige troost zou bieden bij zijn sterven. Niemand wil alleen sterven, ook al gaat het met ons allemaal zo, ook al doen we of er een andere mogelijkheid bestaat. Ik dacht dat mijn stem het gemakkelijker zou maken. Hem zou kalmeren, minder bang zou maken. Ik kan me niet voorstellen hoe godsgruwelijk geschokt en bang hij moet zijn geweest, als hij zich ergens van bewust was. Ik zei hem dat er hulp onderweg was en dat het met hem in orde zou komen. Ik voelde me beroerd toen ik dat zei. Ik kon zijn hersenen door zijn vergruizelde schedel heen zien. Letterlijk zijn hersenen zien. Ik hield alleen die twee vingers vast, praatte tegen hem en keek hoe hij doodbloedde.

Er kwam een ambulance. De menigte week uiteen en twee broeders kwamen aanrennen met een brancard. Ik hoorde een van hen zeggen Jezus Christus nog aan toe, de andere zei die vent kán niet meer leven. Ze lieten hun tassen vallen en gingen aan het werk. Ze begonnen hem te onderzoeken, maar ze leken niet te weten waar ze moesten beginnen. Een van hen vroeg me wat er was gebeurd en ik zei dat er een glasplaat op hem was gevallen. Ze voelden zijn pols, bespraken hoe het verder moest, het glas in hem laten zitten, hem hier weg krijgen, de chirurgen het laten oplossen als hij tenminste nog leeft. Er was een pols, en ze leken allebei geschokt. Ze lieten de brancard neer, vroegen me plaats te maken. De een pakte zijn onderlichaam en de ander zijn bovenlichaam. Ze tilden hem op het schone, witte oppervlak. Het bloed liep van zijn lichaam af, bevlekte de brancard, druppelde op de grond. Ze begonnen naar de ambulance terug te lopen en ik volgde hen. Ze vroegen me hoe hij heette, ik zei het hun. Ze vroegen me waar hij vandaan kwam en ik zei dat hij in de Bronx woonde. Ze droegen hem de ambulance in. Ik vroeg of ik mee kon, zei hun dat ik zijn baas was, dat dit mijn bouwterrein was. Ze zeiden stap in, dat deed ik en ze deden de deuren dicht.

Ik zat op het bankje bij de deur. Een van hen reed. De ander hield zich met Ben bezig. Hij zette een hartmonitor aan, weefde de draden rond de glasscherven die uit Bens lichaam staken. Toen de monitor werkte, probeerde hij het bloeden te stoppen uit wonden waarin geen glas zat, maar er waren er zoveel dat het vrijwel geen nut had. De monitor stopte en de broeder reanimeerde Ben, en zijn hart begon weer. Geen idee hoe lang we in de ambulance zaten. Het leek tien seconden en het leek tien uur, en Bens hart hield er vier of vijf keer mee op. Hij overleed vier of vijf keer in die ambulance, en de broeder bracht hem iedere keer terug. Iets bracht hem iedere keer terug. Eén keer stopte de monitor en de broeder deed niets. Staarde alleen en schudde zijn hoofd. Ik nam het hem niet kwalijk. Het leek een verloren zaak. Er verstreken tien seconden, twintig misschien, het leek een eeuwigheid. Ik staarde maar naar Ben, of wat er van hem over was, en probeerde te bedenken wat er verdomme mis was gegaan, hoe dit had kunnen gebeuren. Ik begon te zeggen het spijt me, of je verontschuldigen tegenover een dode iets zou betekenen, hoewel het meestal zo lijkt te gaan; we zeggen de wezenlijke dingen pas tegen mensen wanneer het al te laat is. Voor de woorden uit mijn mond kwamen, begon de monitor weer een pols te registreren. Iets bracht hem iedere keer terug. Iets wilde hem niet laten gaan.

We reden het ziekenhuis in en ze brachten hem snel weg. Ik volgde hen naar de eerste hulp. Ik gaf de mensen van de administratie zo veel informatie als ik kon. Ik vulde alle formulieren zo goed in als ik kon. Ik belde naar het bouwterrein en vroeg om andere kleren omdat de kleren die ik droeg met bloed waren overdekt. Mannen van het bouwterrein begonnen te verschijnen. We waren allemaal erg geschrokken. We zaten maar en zeiden dat we niet konden geloven dat het was gebeurd, hoe verschrikkelijk het was. De media begonnen te verschijnen en probeerden mensen te interviewen. Niemand zei een woord. We wisten dat het niet uitmaakte of we wat zeiden, dat de media zouden schrijven wat ze wilden ongeacht hun zogenaamde ethiek en hun vermeende geloof in de waarheid. We zaten maar en wachtten op het bericht van Bens dood. We namen aan dat het zover was. Hoewel ik in de ambulance had gezien wat ik had gezien, geloofde ik destijds dat het niet meer dan toeval was.

Er arriveerden meer mensen van het bouwterrein. De kraandrijver en de mensen die de ramen installeerden kwamen binnen. Ze waren diep en zichtbaar geschokt. Ik ging bij hen zitten, vroeg wat er was gebeurd. Ze wisten het niet. Ze zeiden dat het krat intact was. Dat het glas er onmogelijk uit had hoeven te komen of uit had kunnen komen. Ik zei hun dat ik de spijkers zag neerkomen en de achterkant van het krat zag neerkomen. Ze zeiden dat het onmogelijk was. Dat het krat intact was. Er zat tape omheen, tape dat op de fabriek was aangebracht, en dat was onbeschadigd. Het krat was leeg. Ze konden dat uit het gewicht afleiden. Maar het krat was nooit geopend. Ik nam aan dat iemand zich probeerde in te dekken. Iemand had het verknold en wilde niet de verantwoordelijkheid dragen voor andermans dood. Uiteindelijk zou de verantwoordelijkheid op mij zijn neergekomen. Maar het bleek dat ze gelijk hadden. Het krat was ongeopend en leeg. De ongevalonderzoekers van de stad en de staat waren het daar allemaal over eens. Het krat was godverdomme ongeopend. Hoe het glas neerkwam is nooit duidelijk geworden. En Ben ging niet dood. Op een of andere manier overleefde hij. Meer dan dat. Zoveel meer. Iets bracht hem iedere keer terug. Iets wilde hem niet laten gaan. Iets, of iemand, of ik weet niet wat, wilde hem niet dood laten gaan.

# Alexis

Ik had pauze toen het telefoontje kwam en keek naar een honkbalwedstrijd met een paar van de mensen die in het cafetaria werken en
ook pauze hadden. Het was een wedstrijd van de Yankees, en ik hou
van de Yankees, en hoewel ik door mijn roosters meestal minder
wedstrijden kan bekijken dan ik zou willen, probeer ik er in het sei-
zoen twee of drie per week te zien, en ik kijk altijd als ik pauze heb.
Ik hou van het systematische en regelmatige van honkbal, en ik vind
het oorzaak-en-gevolgkarakter van het spel erg leuk. Als chirurg is
mijn hele leven gebaseerd op het systematische van het menselijk lichaam, het systematische van het ziekenhuis en een operatieteam,
de regelmaat of regelmatigheden waarmee dingen verlopen, en het
oorzaak-en-gevolgkarakter van letsel, verwondingen, en de chirurgische pogingen ze te verhelpen. Hoewel het vaak chaotisch, anar-
chistisch en impulsief over komt, is het hele leven een systeem, regelmaat, oorzaak en gevolg. Je kunt proberen wat je wilt, het is
onmogelijk eraan te ontsnappen. Ik gaf het op vrij jonge leeftijd op
en besloot mijn leven in dienst van deze dingen te stellen.

Het slachtoffer was een blanke man, achter in de twintig of voor in
de dertig, zwaar letsel, zware hoofdwonden, zwaar bloedverlies, en
dan het ongebruikelijke, het eerste van een heleboel ongebruikelijke
verschijnselen met Ben en zijn geval, honderden glasscherven in zijn
lichaam. Ik ben fanatiek in mijn werk, en na al die jaren – ik was
eenenveertig toen het geval begon – raak ik nog steeds opgewonden

wanneer er een geval binnenkomt dat om een of andere reden anders of uitdagend lijkt. Destijds dacht ik niet eens aan de menselijke kant, dat iemand zojuist iets verschrikkelijks was overkomen en gevoelens en emoties had die alles wat onder mijn praktijkervaring valt vér te boven gingen. Ik dacht alleen aan de mogelijke medische en technische problemen die om de hoek kwamen kijken en hoe ik die moest oplossen. Door Ben veranderde ik in dit opzicht. Tegenwoordig valt veel van wat ik denk onder de menselijke kant van de chirurgische praktijk, wat de patiënt voelt, wat de mensen die van de patiënt houden voelen, en hoe ik ook iets aan deze dingen kan doen. Ik begrijp dat heel ons leven draait om wat we op een gegeven moment voelen. Er is niets menselijker dan emotie.

Ik kwam overeind, nam afscheid van mijn mede-Yankeefans en ging snel naar de operatiekamer. Iedereen was zich aan het klaarmaken, de verpleegsters, de assistenten, de dokters in opleiding, en ik verscheen als laatste. In die tijd, en ook dit was voor mijn ervaring met Ben me veranderde, sprak ik, omdat mijn rol als hoofd chirurgie gezag vergt, meestal niet met een van de mensen met wie ik samenwerkte tenzij ik iets van hen moest hebben of een bepaald aspect van de aanstaande operatie met hen moest bespreken, en beide gevallen kwamen niet vaak voor. Ik zweeg terwijl ik mijn operatiekleren aantrok en mezelf voorbereidde op wat het ook was dat zou komen.

De ogenblikken dat een team op een patiënt wacht, kunnen heel gespannen zijn. Je staat klaar. Je hebt een algemeen beeld van de situatie, maar weet vaak niet wat de specifieke medische problemen zijn, en je hebt geen idee of je tien minuten of tien uur bezig zult zijn, hoewel het er zelden tussenin zit. De ene chirurg behandelt het anders dan de andere. Ik zie mezelf als een *batter* in een honkbalwedstrijd, om precies te zijn in de zevende wedstrijd van de World Series, alle honken bezet, een grand slam homerun in de maak, op het eind van de negende inning. Ik heb één bal waarmee ik kan slagen of mislukken en de uitslag hangt helemaal af van wat ik doe en hoe ik presteer. Maar anders dan bij honkbal kan ik geen single, double of triple slaan. Ik sla een homerun óf ik word uitgegooid, en de patiënt leeft óf sterft.

Zoals ik aangaf, was ik geboeid en opgewonden vanwege het telefoontje, en had geen idee hoe een patiënt vol glasscherven in zijn lichaam eruit zou zien of wat ik zou moeten doen om de patiënt te laten overleven. Wanneer ambulancepersoneel het ziekenhuis in komt met een kritisch geval worden ze opgewacht door eerstehulpartsen en leden van het chirurgisch team, en er wordt informatie over de patiënt uitgewisseld: de achtergronden van het trauma, eventuele incidenten tijdens het transport, zo mogelijk een eerste diagnose. Na het uitwisselen van de informatie wordt de patiënt naar de operatiekamer gebracht waar ik en de rest van het team aan het werk gaan. Het is gewoonlijk een tamelijk naadloos gebeuren, en iets wat met grote regelmaat wordt herhaald.

Bij Ben ging het anders. Het ambulancepersoneel was met bloed overdekt, net als de brancard. Ze begonnen het geval te beschrijven, een van hen bleef iets herhalen dat ik later zelf vele keren heb gezegd, namelijk dat het onmogelijk was dat de patiënt kon leven, en dat hij geen idee had wat er met hem aan de hand was. De dokters en verpleegsters, die ongelooflijk ervaren en door de wol geverfd waren, en de meest bloederige taferelen hadden gezien na zo veel jaar in een openbare eerstehulpafdeling en trauma-unit in New York, waren bijna verlamd van schrik en een van de verpleegsters braakte. Ze keken allemaal naar elkaar om raad, wat niet al te vreemd is. In het leven kijken we vaak naar anderen voor eenvoudige, maar lastige antwoorden, hoewel we zelf over deze antwoorden beschikken. Ze moesten hem naar de operatiekamer brengen, en dat moesten ze zo snel mogelijk doen.

Een van hen nam het initiatief en zette de anderen tot actie aan, en ze begonnen de kant van mij en mijn team op te komen. We kunnen ze altijd horen als ze de patiënt naar de operatiekamer brengen, horen de wielen van de brancard, de diverse knarsgeluiden daarvan, horen de verpleegsters met elkaar praten, soms schreeuwen de patienten, roepen het uit of kreunen. Als ze dichterbij komen, word ik meestal kalmer, geconcentreerder, alerter en de tijd vertraagt op een manier waardoor deze luttele korte ogenblikken ongelooflijk lang en vredig lijken. Soms zou ik voor altijd in die toestand willen leven, en geloof ik dat mensen die verlichting vinden, mensen zoals Ben, ook al ontdekte hij zoveel meer dan dit, hun hele bestaan zo leven.

De deuren gingen open en hij werd de operatiekamer binnengebracht, en voor de eerste keer in mijn vijftienjarige loopbaan hóórde ik bij alle aanwezigen de adem stokken. Het was een surreëel, ongelooflijk gezicht, net iets uit een Hollywoodhorrorfilm, iets wat onmogelijk zou moeten zijn en onmogelijk is, maar toch pal voor mijn ogen gebeurde. Er was overal bloed. Er waren overal grote, diepe rijtwonden. Toen ik over glasscherven hoorde, verwachtte ik kleine stukjes glas, hooguit misschien een paar centimeter lang. Wat hij in zijn lichaam had, waren geen scherven, maar echt stukken glas, soms van wel vijfentwintig centimeter lang, soms wel dertig centimeter breed, en wij kregen alleen te zien wat boven het niveau van zijn huid zichtbaar was. De achterkant van zijn schedel was verpulverd, en er leken stukjes van te ontbreken. Zijn gezicht konden we absoluut niet zien omdat het helemaal met bloed was bedekt. Alles was helemaal met bloed bedekt.

De eerste behandelingsfase bij trauma is altijd het stabiliseren van de patiënt. Overlijden door bloedverlies was duidelijk het eerste probleem. Als patiënten meer dan 40 procent van hun bloedvolume verliezen, is het waarschijnlijk dat ze in een gedecompenseerde hypovolemische shock verkeren, wat gewoonlijk tot meervoudig orgaanfalen leidt. Terwijl we zijn bloeddruk controleerden die 40/20 was, het laagste wat ik ooit bij een levende patiënt had gemeten, en zijn pols, die 30 was, ook een absurd laag getal, gaven we hem injecties met epinefrine en atropine om zijn hart op gang te houden en zijn bloeddruk en pols omhoog te krijgen. Tegelijk probeerden we monitoren voor hartslag en bloeddruk bij hem aan te sluiten, maar het was ongelooflijk moeilijk omdat we de draden rond glasscherven met heel scherpe randen aan het weven waren. We brachten een centrale veneuze lijn aan en voorzagen hem van 0-negatieve ongekruiste rode bloedlichaampjes. Op een gegeven moment wilden we wel het glas uit hem halen, maar eerst moesten we hem stabiel krijgen, en we moesten bedenken welke stukken er het eerst uit moesten, en in welke volgorde de overige eruit zouden komen.

Ik raakte hem drie keer kwijt tijdens de behandeling, hij kreeg dan een volledige hartstilstand. We defibrilleerden hem, wat moeilijk was vanwege het glas, en van één keer weet ik heel zeker dat het defibrilleren lukte, maar de andere twee keren leek zijn hart weer op eigen kracht te gaan werken, wat verrassend en verwarrend was. We bleven hem bloed geven en hij bleef bloeden en we bleven het hem geven. De precieze hoeveelheid ken ik niet, maar het werd een soort spelletje, een spelletje waarbij het om het leven van een mens leek te gaan, een spelletje waaraan ik en de andere mensen in het vertrek met ongelooflijke drang en vastberadenheid deelnamen, een spelletje waarbij we zorgden dat hij meer bloed kreeg dan hij kwijtraakte, een spelletje waarvan we wisten dat het dodelijk zou aflopen als we faalden. Wat we van zijn huid konden zien was wit, en ik bedoel niet het Kaukasische blank, ik bedoel echt wit, albastwit, of hij van marmer was gemaakt. En ongeacht hoeveel bloed we gaven, zijn huid veranderde niet, en zijn lichaam gaf geen aanwijzingen dat het bloed werkelijk werd vastgehouden.

Toen we hem aan het stabiliseren waren, moest ik ook zijn hoofd afdekken en beschermen. Hij had een verbrijzelde schedelbreuk opgelopen, wat inhoudt dat de schedel in een groot aantal kleine stukjes was gebroken, waardoorheen ik duidelijk zijn hersenen kon zien. Ik veronderstelde dat er intercraniële bloedingen waren, waarschijnlijk subduraal, epiduraal of intraparenchymaal, en zelfs als ik hem in leven kon houden, zou hij er een zware hersenbeschadiging aan overhouden. We brachten compressieverband aan, waarvoor we steriele chirurgische bandages gebruikten, gaas en chirurgische tape, en verplaatsten zijn hoofd zo min mogelijk. We vonden stukjes van zijn schedel zo groot als een stuiver en stopten die in een zakje om ze eventueel later te kunnen gebruiken.

Twee extreem lange en veeleisende uren nadat hij in het ziekenhuis was aangekomen, waren zijn hartslag en bloeddruk stabiel, of in elk geval stabiel genoeg om te proberen de stukjes glas uit zijn lichaam te gaan verwijderen. Ik deed een stap naar achteren, haalde diep adem en keek naar wat me te doen stond. Er waren drie iv-lijnen waarmee zijn lichaam bloed kreeg toegediend. We brachten overal waar we konden drukverbanden aan, maar het bloed stroomde nog steeds in een nogal schrikbarende hoeveelheid uit hem weg. We hadden hem kunnen schoonmaken en zijn kleren kunnen verwijderen, en zijn huid was nog steeds doodsbleek. Er stak glas uit zijn benen, zijn armen, zijn onderbuik en borst, er zaten kleinere stukjes in zijn gezicht, en er was een aantal grote stukken diep in zijn rug gekomen toen hij tegen de grond sloeg.

Ik probeerde stukjes glas te vinden die belangrijke aders of slagaders hadden geraakt, doorboord, gesneden of mogelijk hadden afgebroken: de vena jugularis, de arteria carotides, de vena subclavia, die door de nek lopen, en de arteria femoralis, die door de benen lopen. Ik vroeg me af, dingen die ik niet kon zien, wat de schade zou zijn aan de aorta, de vena cava inferior, of de pulmonale vasculatuur, die dieper in de borst en de torso zitten, en buiten mijn gezichtsveld vielen. Met het boerenverstand van een niet-medicus zou je zeggen dat je het best de stukjes glas uit die aders of slagaders kon verwijderen, maar het was heel wel mogelijk dat ze verdere bloedingen tamponeerden en stukken hadden afgesloten die beschadigd of verwoest waren. Dit deel van Bens behandeling zou voor een deel geluk en voor een deel strategie zijn, en bij welslagen voor een deel een wonder.

Ik had er een vaatchirurg en diens collega bij geroepen en om hun mening gevraagd. Volgens mij zouden ze mij en Ben op een of andere manier hulp kunnen bieden. Geen van ons had enig idee waar we moesten beginnen, wat we moesten doen, welke richting we moesten volgen of wat ons te wachten zou staan wanneer we daadwerkelijk begonnen de stukjes te verwijderen. Ik begon dus maar gewoon. Er waren drie artsen in opleiding bij me, en ik had twee van hen voorzien van hechtdraad voor als er moest worden gehecht, en ik had de ander voorzien van een bipolaire 'Bovie', dat is een instrument voor elektrocauterisatie. We hadden twee operatiezusters voor het afzuigen en eentje met een infuus voor antistollingsmiddel. Verder hielden verpleegsters zijn vitale functies in de gaten en bleven hem bloed toedienen.

Toen we eenmaal begonnen, handelden we heel snel, want iedere beweging, vooral het verwijderen van de grootste stukken, leidde tot bloedverlies, soms nogal aanzienlijk bloedverlies. Als we niet snel hadden gehandeld, zou Ben beslist zijn overleden. Er was een aantal angstige momenten, een aantal keren gingen zijn vitale functies enorm achteruit, en een aantal keren konden we het bloeden niet stoppen binnen wat ik een redelijke termijn vond. Maar Ben ging niet dood, en inmiddels, nu we zover zijn en alles achter de rug is, geloof ik dat wat we die dag deden waarschijnlijk weinig uitmaakte. Ben zou niet doodgaan.

Negen uur nadat we waren begonnen, sloten we de laatste hechting. Hij had in totaal 745 hechtingen, zowel inwendig als uitwendig, en ook nog eens 115 externe krammetjes. We hadden 40 zakken bloed gebruikt, ongeveer de dubbele hoeveelheid die een mens op een bepaald moment in z'n lichaam heeft. We gaven hem ook een aantal zakjes bloedplaatjes en vers ingevroren plasma. En voor hem was de dag nog lang niet voorbij. Er stond een team cranofaciale chirurgen en neurochirurgen klaar om naar zijn schedel en hersenletsel te kijken. Toen ik wegliep van de operatietafel zag ik een van zijn handen bewegen, wat ik als een goed teken opvatte; ik ging erheen en pakte de hand, in de hoop dat het hem ergens, op enig niveau, troost zou bieden. Tot mijn grote schrik was zijn greep heel krachtig, heel stevig, en ik voelde onmiddellijk net zoiets, maar dieper en diepgaander, als wat ik in die ogenblikken net voor een operatie voel, een intense kalmte en een gevoel van vrede en tevredenheid. Het was onwerkelijk en uiteraard onverwacht, en op den duur veranderde het mijn leven op allerlei manieren. Ik wilde niet loslaten. Ik wilde dat moment niet laten ophouden en ik wilde niet dat dit gevoel me ooit verliet. Maar alles verlaat ons, alle mensen, alle gevoelens, ongeacht hoe graag we willen dat ze blijven, ongeacht hoe stevig we ze vasthouden. Op een gegeven moment verliezen we alles in ons leven. Ik raakte dat ogenblik kwijt zodra ik zijn hand losliet.

Nadat hij hemodynamisch stabiel was, moest er een CT-scan van zijn hoofd worden gemaakt om de intracraniële schade te bepalen. Een zo kritische patiënt als hij was gaan verplaatsen kan heel moeilijk zijn, heel gecompliceerd, en heel langzaam gaan, dus ik wist dat ik tijd had om een pauze te nemen, en die had ik nodig. Ik ging naar onze rustkamer, nam een douche en probeerde een dutje te doen maar ik kon niet in slaap komen. Ik was heel erg wakker, was opgewonden. Ik stel me voor dat ik me voelde zoals mensen zich voelen wanneer ze cocaïne nemen of ecstasy, al heb ik die nooit gebruikt en ook geen andere verboden drugs. Ik kleedde me aan en zag Ben terug in de operatiekamer, waar de chirurgen inmiddels bezig waren met zijn hersenen, ik deed operatiekleding aan zodat ik kon kijken. Ze waren vrijwel klaar met wat al een craniotomie was en verwijderden epidurale en subdurale hematomen. Ik zag de chirurgen wat schedel-reconstructie doen waarbij ze een pantsering van titanium gebruikten, maar ze leken grote delen van zijn schedel met rust te laten, met het oog op hersenoedeem, een zwelling die tot een hersenherniatie en de dood kan leiden. Vier uur nadat ze waren begonnen, werd Ben naar de afdeling postanesthesie gebracht.

Hij werd later naar de chirurgische intensive care gebracht, en hoewel hij stabiel was, werd hij op allerlei manieren ondersteund: hij werd beademd, hij kreeg intraveneus vocht, voedsel en medicijnen toegediend, en hij had een urinekatheter. Hij werd met propofol in coma gehouden zodat we het opzwellen en de werking van zijn hersenen in de gaten konden houden. De intensive care nam zijn gewone verzorging over, maar ik bleef hem behandelen, net als de cranofaciale chirurgen en de neurochirurgen. Toen ik wegging uit het ziekenhuis had ik, de extreme ernst van de situatie en het letsel in aanmerking genomen, een heel goed gevoel over de zorg die we hadden geboden en over Bens vooruitzichten op enige vorm van herstel. Het was erg vroeg voor een geval als dit, en normaal gesproken hebben we een flinke poos nodig eer we echt weten of en hoe een patiënt al dan niet gaat herstellen. Ik nam aan dat als ik de volgende dag terug zou komen alles min of meer hetzelfde zou zijn. Ik had beter moeten weten.

Toen ik verscheen, waren er geen dringende gevallen, dus ging ik naar de intensive care om naar Ben te kijken en te zien of er nieuwe ontwikkelingen waren. Ik pakte zijn dossier op en merkte meteen dat zijn naam van Ben Jones in Pietje Puk was veranderd en dat zijn geboortedatum in onbekend was veranderd. Ik zette het dossier terug in de muurhouder en ging naar de administratie van de inten-

sive care, waar ik de dienstdoende intensivist zag staan met twee ge-
uniformeerde politiemensen en nog een man die ook bij de politie
bleek te werken maar een pak droeg. De intensivist stelde me voor
aan de mannen en vertelde hun dat ik Pietje Puk had behandeld
toen hij net binnenkwam en de eerste ingrepen had gedaan. Ik vroeg
hem waarom hij als Pietje Puk werd gezien, en ze vertelden me vervolgens dat zijn naam nep was, dat zijn rijbewijs nep was, dat zijn
vingerafdrukken niet voorkwamen in enige database van de stad, de
provincie, de staat of het land, en dat ze geen gegevens konden vinden over een man met de naam Ben Jones met de geboortedatum
die op zijn rijbewijs stond in enige database van de stad, de staat, het
land of justitie die tot hun beschikking stond. Het hoeft geen betoog dat ik verbaasd was. Ik zei de politiemensen dat ik niets meer
wist dan wat er in zijn dossier stond en mijn ervaringen met hem tijdens de operatie, en dat ik geen idee had wie hij was of waar hij vandaan kwam. Ik opperde ook dat ze moesten gaan praten met de
mannen die zich in de wachtkamer hadden verzameld, die hadden
gezegd dat ze met de patiënt op een bouwterrein hadden gewerkt.
Ze zeiden dat ze met deze mannen hadden gesproken, en dat ze hem
allemaal kenden als Ben Jones. Ook hadden ze alle papieren bekeken die de opzichter van het bouwterrein beschikbaar had, en overal
stonden dezelfde gegevens op als op het nagemaakte rijbewijs. Ik zei
hun nogmaals dat ik niets wist. Ze vroegen of iemand anders naar
de patiënt had gevraagd, of dat er anderszins inlichtingen over hem
waren ingewonnen. Ik zei voor zover ik weet niet, maar dat ik hem
bijna vierentwintig uur had behandeld of toegekeken hoe hij werd
behandeld, en dat ik normaal gesproken niet dat soort contact had
met personen die informatie over patiënten wilden. Ze zeiden dank
u en vertrokken.

Ik ging terug naar Bens kamer met de intensivist die dienst had en we
begonnen over zijn geval te praten, zijn prognose, en we begonnen
van gedachten te wisselen over de behandeling. Hij had een elektro-

encefalogram gevraagd om de hersenfuncties te testen en hoopte een kwantitatief elektro-encefalogram te krijgen voor een volledig beeld van Bens hersenen, om te zien welke gebieden waren beschadigd en hoe ernstig. Toen hij wegging, was ik even alleen met Ben, en ik pakte zijn hand, dezelfde hand als ik eerder had vastgehouden, maar er was geen reactie. De hand was slap en koud en voelde als de hand van een lijk.

Ik bleef het geval ook de week erna volgen. Er was heel wat aandacht in de pers voor het ongeluk – het ging om een omstreden gebouw van een vooraanstaande projectontwikkelaar – dat de kranten en de blogs een paar dagen prikkelende koppen bezorgde. We hadden gehoopt dat de berichtgeving zou helpen bij de identificatie, maar er meldde zich niemand. Ik werd belaagd door een stel journalisten die voor de ingang van mijn appartementencomplex wachtten en bandrecorders in mijn gezicht duwden, in de hoop me iets te laten zeggen waarover ze konden schrijven, maar ik wist dat ik moest zwijgen, en dat ondanks de bandrecorders de journalisten zouden schrijven wat ze wilden en de kranten zouden afdrukken waar ze zin in hadden. Mijn waarheid ligt bij het leven en de dood die ik dagelijks in het ziekenhuis zie. Uiteindelijk zijn leven en dood de enige vormen van volmaakte waarheid die in de wereld bestaan. Verder is alles subjectief en afhankelijk van iemands perspectief. Ik zoek niet naar waarheid in de media.

Afgezien van het mysterie rond zijn identiteit werd Ben een medisch mysterie. Zijn wonden genazen in ongewoon, ongehoord korte tijd; na een week konden we alle hechtingen verwijderen, alle krammen, zijn wonden waren dicht en er vormde zich littekenweefsel. De beademing werd verminderd, en we bleven hem intraveneus voeden. De resultaten van het elektro-encefalogram waren grillig en onverklaarbaar. Op bepaalde momenten leek hij hersendood te zijn, dan wordt geen enkele vorm van activiteit op de EEG-monitoren gemeten. Op andere momenten leek hij in een blijvende vegetatieve staat te verkeren, dan waren slaapcycli en enig elementair bewustzijn herkenbaar, maar geen besef. Een paar keer per dag raakte hij in een staat van extreme hersenactiviteit, die zich concentreerde in twee hersengebieden, de mediale orbitofrontale cortex, een van de centra van onze emoties, en de rechtse mediotemporale cortex, die vaak in verband wordt gebracht met auditief-verbale hallucinaties. De activiteit was dermate extreem dat die haast niet te meten viel, en de neurologen die zich met zijn geval bezighielden hadden nooit zoiets gezien, al helemaal niet bij iemand met zulk ernstig hersenletsel. De aanvankelijke zorgen over zwellingen in de hersenen, bloedingen en intercraniële druk verdwenen, omdat zijn hersenen zichzelf even snel, en wonderbaarlijk, leken te genezen als zijn lichaam. Op bepaalde momenten beefde en schudde hij, had hij stuiptrekkingen, bracht hij keelklanken voort, wat onmogelijk had moeten zijn met het niveau van medicatie dat werd gebruikt om hem in coma te houden. Aan het eind van zijn eerste week bij ons onderging hij een tweede grote cranofaciale operatie, daarbij werden titanium plaatjes gebruikt om de open delen van zijn schedel helemaal dicht te maken. De operatie verliep goed en hij werd naar de intensive care teruggebracht. Twee weken later kwamen we achter zijn echte naam, of kwamen we liever gezegd achter de naam die hij bij zijn geboorte had gekregen. Hij verkeerde nog steeds in coma, zij het niet langer medisch opgewekt. Enige tijd nadien, waarschijnlijk een jaar of zo nadien, kwam ik erachter wie hij was en dat zijn naam, enige naam die enige mens hem had kunnen geven, zinloos was. Hij was, en dat is belangrijk. Hij was en zal altijd zijn.

## Esther

Mijn broer Jacob liet de Grote Media ons huis niet besmetten, zoals hij het noemde. Er waren geen kranten, er was geen televisie, tenzij het christelijke televisie was. We konden alleen naar christelijke radiozenders luisteren, en op onze computers zaten filters waardoor niemand toegang kon krijgen tot GM-websites. Hij geloofde, en gelooft nog steeds, dat de Grote Media antichristelijk en antigezin zijn, en liberale homoseksuele standpunten propageren die regelrecht in strijd zijn met de leer van de Heer en Heiland Jezus Christus en God Almachtig.

Jacob was het hoofd van ons gezin. Mijn vader was overleden toen ik zes was en Jacob zestien, en hij had de rol van mijn vader overgenomen. Een paar maanden na de dood van mijn vader werd Jacob wedergeboren in het Koninkrijk van de Christelijke God. Korte tijd later werd ook mijn moeder wedergeboren en op mijn achtste ik ook. Het leven veranderde enorm en heel heel snel. We waren orthodoxe joden geweest. Mijn vader had altijd gezegd dat we tot een oude familie behoorden, dat we davidisch waren, wat inhield dat we rechtstreekse afstammelingen waren van Koning David, dat we in zekere zin joodse royalty waren. Het leven met hem was lastig, en hij had – ik begreep pas later waarom – geen goede relatie met mijn moeder. Ze hadden voortdurend ruzie, of mijn vader sprak niet tegen haar. Ik begreep niet waarom of wat zij deed, zo ging het gewoon. En wanneer mijn vader niet aan het werk was – hij was een koosjere slager – dronk hij, las hij de Thora aan de keukentafel of zat hij in onze woonkamer met onze rabbijn en later met Jacob. Wanneer de rabbijn er was, moesten alle kinderen naar hun kamers en daar blijven tot de rabbijn vertrok. In de synagoge was de rabbijn altijd vrolijk, aardig en erg hartelijk. Wanneer hij bij onze vader was, was hij heel ernstig en een en al aandacht.

Ik zag Ben op de voorpagina van een krant. Ik liep naar de kerk voor Bijbelstudie en liep langs een kruidenier. Wonder Man vermeldde de kop en er was een foto waarop hij op de grond lag met een man met een helm op die zijn hand vasthield. Er stak glas uit zijn hoofd en zijn hoofd bloedde. Er was overal bloed. Je zou zeggen dat iemand de foto met een mobieltje had gemaakt. Ik stopte en keek naar de krant om zeker te weten of ik het goed zag. Ik had in zestien jaar Ben niet gezien, met hem gesproken of van hem gehoord, omdat mijn broer hem had gezegd dat hij weg moest. Het was moeilijk om precies vast te stellen, dus ging ik naar binnen om de krant te kopen. Ik voelde me niet op m'n gemak. Normaal gesproken kwam ik niet in dergelijke zaken, al helemaal niet wanneer ze naast kranten nog andere media verkochten, met name tijdschriften, naar Jacob vaak zei de boeken van de duivel. De man achter de toonbank vroeg me of ik het stuk had gelezen en ik zei nee. Hij zei dat het echt ongelooflijk was, dat de man was getroffen door een glasplaat die van dertig verdiepingen naar beneden kwam en toch nog leefde. Het was een moslim. Ik heb geleerd moslims te haten, dat ze slecht zijn. Ik gaf hem vijftig dollarcent, zorgde ervoor hem niet aan te raken en vertrok.

Buiten las ik het artikel, en er stond in dat de man Ben Jones heette, en dat hij in de Bronx woonde. Toen wist ik dat het Ben was, onze Ben, onze vermiste Ben, onze verbannen Ben. Er stond in dat hij in een ziekenhuis in Manhattan lag op de afdeling intensive care. Het was maar een paar kilometer verderop. Ik kon niet geloven dat hij na al die tijd maar een paar kilometer verderop was. Jacob had jarenlang geprobeerd hem te vinden. Hij zei nooit waarom hij hem had weggestuurd of waarom hij hem terug wilde, maar hij wilde hem vreselijk graag terug. Hij sprak met de ouderlingen van onze kerk, en ze namen een privédetective die een jaar naar hem zocht. Ze vonden niets, nergens ook maar een spoor, terwijl ze in heel Amerika zochten, in heel Canada, en zelfs op een paar plekken in Europa. Jacob bad dus en wachtte op tekenen. Hij hoopte en geloofde dat Ben op een dag terug zou keren.

Ik wist niet wat ik moest doen, of ik het Jacob moest vertellen, zelf Ben moest opzoeken, of hem met rust laten. Ergens wilde ik mijn broer gehoorzamen en respecteren als hoofd van ons huis en voorganger bij onze kerk. Ergens dacht ik: als Ben terug wilde komen zou hij terugkomen, en als de Heer en Heiland de tijd rijp achtte, zou het gebeuren. Ergens was ik alleen bang, heel bang, en ik wist niet waarom, en normaal gesproken zou ik er de hand van Satan in hebben gezien – dat zou Jacob geloven en dat zouden ze me in de kerk hebben voorgehouden – maar om een of andere reden zag het daar deze keer niet naar uit. Ik deed de krant in een vuilnisemmer, en na de Bijbelstudie bleef ik in de kerk en bad tot Jezus om leiding. Ik bleef de hele dag, en ik bad de hele dag. Normaal gesproken zou Jacob boos op me worden als ik van huis wegbleef en me voorhouden dat mijn plaats thuis was, om moeder te helpen met koken en schoonmaken. De uitzondering was als ik in de kerk zat, vooral als ik aan het bidden was. Jacob geloofde dat je met bidden alles kon bereiken, en indertijd geloofde ik dat ook. Ik bad die dag heel intens. Ik bleef Jezus vragen me de weg te wijzen.

Ik zag geen tekenen of had geen openbaringen, dus besloot ik in dezelfde trant door te gaan. Ik kocht elke dag een krant en las hoe het er met Ben voor stond, en het grootste deel van de dag ging ik naar de kerk om te bidden. Het was vervelend voor moeder omdat ze eraan gewend was dat ik hielp in de flat. En Jacob was heel nieuwsgierig waarom ik zo intens bad. Ik zei hem dat ik het gevoel had raad nodig te hebben van de Heer nu ik volwassen aan het worden was en daar op mijn knieën om vroeg. Ze waren het er allebei mee eens en ze lieten me ermee doorgaan. Ik zag het in de krant toen ze erachter kwamen dat Ben Jones niet Bens echte naam was. Ik las hoe ze probeerden iemand te vinden die hem kende. Ik zag hem toen ze de foto op zijn rijbewijs vertoonden en ik wist het zeker. Hij zag er precies zo uit als toen hij vertrok, alleen was hij ouder, en ik staarde heel heel lang naar de foto. Ben en ik waren altijd heel close geweest toen ik klein was. Mijn vader en Jacob mochten Ben helemaal niet, en ze deden altijd naar tegen hem. Ik heb nooit geweten of begrepen waarom, maar ze gaven hem de schuld van alles wat verkeerd ging en schreeuwden de hele tijd tegen hem. Soms sloeg mijn vader hem, en soms, wanneer alleen de kinderen er waren, sloeg Jacob Ben. Toen hij ouder werd, sloegen ze hem vaker en sloegen ze hem harder. Ik kon hem in zijn kamer horen huilen, ik ging dan naar binnen, knuffelde hem en zei hem dat ik van hem hield. Hij zei altijd dat ik de enige in het gezin was die van hem hield, en hij vertelde me dan dat ik het beste zusje ter wereld was. Mijn vader en Jacob negeerden mij meestal, en mijn moeder zat altijd over mijn vader in, en Ben had de meeste aandacht voor me, dus hield ik het meest van hem en had met hem de beste band.

Elke dag waren er aanvullingen en nieuwe verhalen. Ben herstelde sneller dan de dokters ooit hadden gezien. Hij onderging nog een hersenoperatie. Hij was stabiel, maar verkeerde nog steeds in coma. Er waren protesten op het bouwterrein en mensen hadden het over rechtszaken, en de projectontwikkelaar beweerde dat het niet zijn fout was. Ik kon niet geloven hoeveel aandacht het trok. Ik dacht dat wel iemand die ons gezin had gekend toen we joods waren, voor we Jezus Christus aanvaardden als onze Heer en Heiland, zou melden dat hij hem herkende, maar er meldde zich niemand. De kranten bleven hem eenvoudig de Wonder Man noemen. Het was eigenlijk de eerste keer in mijn leven dat ik kranten las, en het was duidelijk waarom mensen er zo'n hekel aan hadden. Maar ze leken niet gevaarlijk, alleen nogal dwaas.

Ik hield hetzelfde schema aan en wachtte tot de aandacht verflauwde. Ik maakte me zorgen dat als ik hem ging opzoeken voor de journalisten vertrokken iemand zou achterhalen wie hij was en ik problemen zou krijgen met Jacob en de kerk. Ik wachtte ook op een soort teken van de Heer. Ik geloofde, destijds, dat de Heer mensen die naar zijn woord leefden altijd van tekenen zou voorzien die hun aangaven welke weg ze in het leven moesten volgen. Op een middag hoorde ik een van de vrouwen in het kerkkoor vertellen dat ze zojuist een brief had gekregen van haar broer met wie ze niet meer omging omdat hij dronk en met andere vrouwen dan zijn echtgenote sliep. Haar broer had Christus gevonden, was wedergeboren, had al zijn slechte gewoonten opgegeven en wilde haar spreken. Ze stond onder een kruis terwijl ze sprak en ze hield een bijbel vast, en door een raam stroomde licht over haar gezicht. Ik wist zeker dat het een boodschap van boven was. Inmiddels begrijp ik dat zoiets niet bestaat, dat er geen boven is en dat niemand ons bovennatuurlijke berichten stuurt. We hebben alleen het toeval of onze persoonlijke interpretaties van wat we om ons heen zien, en als we iets zien dan is dat per ongeluk en betekent het niets. Dat is voorwaar het woord van God.

Maar destijds was ik van het tegendeel overtuigd, en ik besloot te gaan, te proberen Ben te zien. Ik ging zelden naar Manhattan. Als ik het deed, waren Jacob en mijn moeder erbij, en gewoonlijk andere leden van onze kerk. Onze belangrijkste voorganger predikte dat Manhattan bij het Rijk van Satan hoorde. Een eiland vol zonde en in het teken van hebzucht, waar homo's en viespeuken vrijelijk hun gang mochten gaan, en waar het woord van de Heer werd belasterd en bespot. Ik was er bang voor. Ik maakte me zorgen dat als ik alleen ging ik zou worden verkracht of op een of andere manier tot zonde zou worden gedwongen. Er waren overal verleidingen, in iedere straat en in

44

elk gebouw, bars en restaurants en banken die in handen waren van vrijmetselaars, winkels die onzedelijke kleding verkochten, hele buurten die aan homoseksuele seks waren gewijd. Satans greep was sterk. Ik weet inmiddels dat het een belachelijke manier van denken is, maar toen wist ik dat niet. Ik bad dus om kracht, ik bad lang en intens, en toen ik me sterk genoeg voelde, glipte ik de kerk uit en nam de metro onder de rivier door. Ik volgde de aanwijzingen die ik van een kerkcomputer had gehaald, stapte de metro uit en liep regelrecht naar het ziekenhuis. Eenmaal binnen vroeg ik naar de intensive care en nam een lift naar de juiste etage. Ik was heel bang. Ik beefde toen ik uit de lift stapte en begon de gang door te lopen. Ik hield een exemplaar van de Bijbel vast, in Israël gedrukt en gezegend door de leider van onze kerk. Ik droeg een kruis dat Jacob me had gegeven toen ik zeventien werd en dat me volgens hem altijd zou beschermen. Ik bleef even in de wachtkamer om te bidden. En toen ik de Heilige Geest sterk in me voelde, ging ik naar de intensive care en belandde bij Bens kamer. Ik ging bij de deur staan en keek naar binnen. Er was een vrouw, een als arts geklede vrouw, die naast zijn bed op een klembord met papier erop zat te lezen. Ze stak haar hand uit en hield die van hem even vast, en ik was bang, omdat ik geloofde dat vrouwen die geen familie van een man waren of niet met hem waren getrouwd hem nooit mochten aanraken. Maar ik kon niets ondernemen om het te laten ophouden. Ik stond maar bij de deur en keek naar hem. Hij lag op een bed en hij werd van alle kanten omringd door apparaten en er kwamen slangetjes uit zijn borst en er zaten draden vast aan zijn borst en zijn hoofd, waar ook een verband omheen zat. Ik stond daar maar en zei zijn naam, de naam die hij bij zijn geboorte had gekregen: Ben Zion Avrohom, Ben Zion Avrohom, Ben Zion Avrohom.

De vrouw keek op, ze zag me en begon overeind te komen. Ik wilde niet met haar praten dus ik vertrok zo snel als ik kon en ging regelrecht terug naar Queens. Ik ging naar de kerk en bad tot de Here Jezus om vergeving van mijn zonden, want ik had echt gelogen tegen mijn broer Jacob, en ik bad tot de Heer en dankte voor zijn bescherming toen ik in Manhattan was, en ik bad tot de Heer en vroeg hem mijn andere broer, Ben Zion, te helpen herstellen van zijn verwondingen.

In de loop van de volgende twee weken wist ik Ben Zion vrijwel iedere dag te zien te krijgen. Onze kerk hield de tweejaarlijkse inzamelingsactie, en van leden van de jeugdafdeling werd verwacht dat ze eropuit gingen om geld binnen te halen. Onze kerk was in financieel opzicht nooit rijk geweest, al zeiden alle voorgangers, ook Jacob, dat de schatkist overliep van devotie, eerbied, het vuur van de Heilige Geest en de liefde van de Heiland Jezus Christus. De meeste parochianen waren, en zijn nog steeds, mensen uit de werkende stand en immigranten, vooral uit Oost-Europa. Weliswaar werden alle leden van de kudde geacht 10 procent van hun inkomen aan de kerk af te staan, maar de inzamelingsactie was erg belangrijk. Gewoonlijk konden er de brochures en boeken van de kerk mee worden betaald, die gebruikt werden om het woord van de Heer te verspreiden. Ook werden er pogingen om te groeien en verbouwingen aan de kerk mee betaald. De belangrijkste voorganger wilde een drie keer grotere gemeente en een veel groter gebouw om in te zegenen en voor onze eredienst te gebruiken. Van de jeugdafdeling werd verwacht dat die een groot deel van het geld inzamelde. Ik vertelde Jacob dat ik eropuit ging om geld in te zamelen, te preken en het woord van de Heer te verspreiden, maar ik ging dan naar het ziekenhuis. De eerste paar dagen stond ik alleen maar voor de deur en staarde naar Ben met al zijn draden en slangen en luisterde naar de herrie die de apparaten maakten. Geleidelijk kwam ik dichterbij, de stoel bij de deur, de stoel naast zijn bed, op mijn knieën naast zijn bed. Ik bad voor zijn herstel, ik bad dat hij thuis zou komen, en ik bad vanwege de pijn die hij stelde ik me voor voelde. Hij had overal op zijn lichaam snijwonden, diepe japen met roze littekens, op sommige zat een verband en op andere kon ik de plekjes zien waar hechtingen hadden gezeten of misschien krammen. Zijn hoofd was in een groot verband gewikkeld, een enorm verband, dat zijn hoofd bijna twee keer groter maakte dan het was. Soms trilde of schudde hij een beetje, maakte hij een soort geluid, zoiets als grommen of huilen. Ik nam aan dat hij aan het worstelen was met de geesten van de duivel en ik bad intenser voor hem. Destijds geloofde ik in geesten en in de duivel, en dat je ik weet niet wat kon bereiken met gebed. Inmiddels weet ik beter.

Tegen het eind van deze twee weken knielde ik naast Bens bed neer. Na het bidden vertelde ik hem over ons leven sinds hij weg was. Onze bekering, dat we uit Williamsburg waren verhuisd, naar een deel van Queens waar bijna geen joden zaten, Jacobs opleiding en zijn werk als voorganger, de ziekte van moeder, onze toewijding aan de kerk. Ik vertelde hem iets over mijn persoonlijke relatie met mijn Heer en Heiland Jezus Christus, dat hij de enige was die ik vertrouwde en met wie ik over de problemen in mijn leven kon praten, dat Christus er als enige altijd voor me was en altijd naar me luisterde. Op een gegeven moment zei ik ik houd zoveel van hem, Ben Zion, ik houd zoveel van Jezus Christus, en ik hoorde iemand achter me zeggen hoe noemde je hem zojuist? Ik draaide me om en een meter van me vandaan stond een arts, dezelfde vrouwelijke arts die me eerder had gezien. Ik keek naar haar, kwam overeind en probeerde weg te gaan. Ze hield me tegen en zei hoe noemde je hem? met een heel vastberaden stem. Ik was erg zenuwachtig en erg bang, en wilde haar niets zeggen, dus zei ik dat ik hem Ben noemde, de naam uit de krant. Ze zei nee, je noemde hem anders, en ik schudde mijn hoofd alleen en zei haar dat ik zijn naam uit de krant wist. Ze leek erg boos en ik wilde niet in moeilijkheden raken. Als ik Jacob moest bellen om alles aan hem uit te leggen, zou hij boos worden, hij zou me slaan, me in mijn kamer opsluiten of me tot een vorm van boetedoening dwingen die ik niet wenste. Ik probeerde om de vrouw heen te stappen, maar ze wilde me niet laten gaan. Ze vroeg wie ik was, en ik zei dat ik een lidmaat was van de Eerste Scheppingskerk in Queens en dat ik naar het ziekenhuis kwam om te bidden voor zieke en gewonde patiënten. Ze vroeg me of ik toestemming had van het ziekenhuis om er te zijn, en ik zei dat de enige autoriteiten die ik antwoord gaf God waren en zijn eniggeboren Zoon, mijn Heer en Heiland Jezus Christus. Ze vroeg wie Ben was, en ik zei alleen te weten wat ik in de krant had gelezen, en dat hij volgens mij een man was die baat zou hebben bij gebed. Ik stapte om haar heen en ze liet me gaan. Ik haastte me het ziekenhuis uit, en tijdens de metrorit naar huis huilde ik, beefde ik en vroeg ik de Heer om zijn vergeving. Ik had gelogen en bedrogen, en hoewel ik geloofde dat ik er goede redenen voor had, geloofde ik toch dat het een vreselijke zonde was en dat ik de Heer in de hemel om vergeving moest vragen.

Ik bleef heel lang in de metro zitten. Ik kon het huilen en het beven niet bedwingen, en ik bleef God om vergeving vragen, waardoor ik me gewoonlijk beter voelde, maar deze keer niet. Ik vroeg me af of ik op een of andere manier een zonde had begaan die onvergeeflijk was, en ik was bang gedoemd te zijn om eeuwig in de hel te branden. Uiteindelijk was ik genoeg gekalmeerd om weer naar de kerk te gaan. We moesten ons aan het eind van iedere dag melden en alle donaties inleveren die we hadden ontvangen. Het was donker, bijna tijd voor het eten, dat ik elke avond moest helpen klaarmaken. Ik wist dat ik problemen zou krijgen omdat ik niets had, en ik hoopte dat Jacob er niet zou zijn. Ik zou ervoor hebben gebeden, maar ik was bang dat bidden om de afwezigheid van een voorganger een vorm van zonde was.

Toen ik de kerk in liep, wachtte Jacob me op. Hij vroeg me waarom ik laat was en ik zei dat ik het woord van God onder zondaars verspreidde en probeerde hen naar redding te leiden. Hij vroeg hoeveel ik aan donaties had opgehaald, en ik zei hem dat ik vandaag niets had gekregen. Hij staarde me lang aan en ik werd bang. Hij greep mijn arm en sleurde me het achterste deel van de kerk in. Ik zei hem dat hij me pijn deed, hij negeerde me en bleef aan me trekken. Mijn arm deed pijn en ik was bang en ik wist dat hij wist dat ik loog. Hij bracht me naar zijn kantoor, liet mijn arm los, duwde me in een stoel, staarde me weer aan en ik was zo bang en hij keek zo kwaad en hij sprak tegen me.

Waar was je?

Weg, om te proberen donaties te krijgen.

Hij sloeg me.

Waar was je?

Ik begon te huilen.

Weg.

Hij schreeuwde.

Waar?

Ik huilde, en hij schreeuwde weer.

Waar?

In Manhattan.

Waarom?

Ik was zo bang. Ik probeerde mijn gezicht af te vegen, en Jacob sloeg me nog eens.

WAAROM WAS JE DAAR?

En hij sloeg me nog eens.

WAT WAS JE AAN HET DOEN?

En nog eens. En nog eens. En nog eens.

En toen hield hij op en ik staarde naar de vloer en ik huilde en hij greep mijn gezicht en dwong me hem aan te kijken en hij beefde hij was zo kwaad en hij vroeg het nog eens.

Waarom was je daar en wat was je aan het doen?

En ik wilde niets zeggen omdat ik bang was en ik niet wist wat hij zou doen als ik het hem vertelde, maar ik was banger voor wat hij zou doen als ik het niet vertelde.

Ik heb Ben Zion gevonden.

Ik begon weer te huilen.

Ik heb Ben Zion gevonden.

# Ruth

Mijn leven is zoals alle levens lang en zwaar, en vol verdriet, verwarring en ellende geweest, een vreselijke, zware droom onderbroken door korte momenten van vreugde. En zoals met de levens van alle mensen het geval is, zijn er nooit genoeg momenten van vreugde en duren die nooit lang genoeg. Ze houden me op gang, net zoals een glas water of de gedachte aan een glas water me op gang zouden houden als ik door de woestijn liep, alleen komt er nooit een eind aan de woestijn, die is miljoenen kilometers lang, en zal er nooit een eind aan komen.

Ik ben geboren in Israël. Mijn ouders hebben allebei de Holocaust van de nazi's overleefd, ze zaten in kampen in Polen. Mijn vader was een Pool, hij ging naar Stutthof en kwam ten slotte in Treblinka terecht, en mijn moeder, een Slowaakse, zat eerst in Theresienstadt en later in Birkenau. Ze ontmoetten elkaar in Tel Aviv in 1949 en trouwden vrijwel meteen. Destijds werden joden van hun leeftijd aangemoedigd om te trouwen en een gezin te stichten om te zorgen dat Israël dichter bevolkt raakte. Ze hielden niet echt van elkaar, maar op een bepaald niveau begrepen ze elkaar, een begrip op manieren waartoe andere mensen niet in staat zijn. Van beiden waren de families tijdens de oorlog door de nazi's gedood. Hun hele familie, ouders, grootouders, broers en zusters, tantes, ooms, neven en nichten, ze waren allemaal vermoord in de vernietigingskampen. Dat was de basis voor hun huwelijk. Hun gevoelens over het uitroeien van hun families.

Ik heb tot m'n twaalfde in Israël gewoond. We waren verhuisd naar een kleine nederzetting nabij wat tegenwoordig Gush Katif heet, in het zuidelijk deel van de Gazastrook. Er kwam een aanval door moedjahedien uit Egypte en mijn ouders werden allebei gedood. Ik was op school toen het gebeurde en vond ze op de vloer van onze keuken met hun kelen opengesneden. Hun beste vrienden waren een jaar eerder uit Israël vertrokken en in New York gaan wonen en namen me in hun huis. Ze hadden geen kinderen en vonden het fijn me bij hen te hebben, en net als mijn ouders waren het allebei overlevenden. En net als bij mijn ouders was hun huwelijk gespannen en zonder liefde, het voornaamste wat ze gemeenschappelijk hadden was dat ze allebei in de kampen hadden gezeten. En net als mijn ouders hadden ze wat hun was overkomen wel overleefd, maar niet doorstaan. Ze ademden, aten, praatten en gingen door het leven, maar ze leefden niet, leefden niet echt, want dat konden ze niet na wat ze hadden gezien en meegemaakt. Je kunt een trauma overleven, maar vaak nauwelijks meer dan dat. Je gaat eraan dood terwijl het je laat leven.

Ze deden hun uiterste best voor me en ik aanvaardde hen als mijn ouders. Net als mijn biologische ouders beschermden ze me erg, vertrouwden ze niet-joden niet, en waren ze bang voor heel de wereld buiten onze buurt, die volledig joods was. Mijn adoptievader werkte als kok in een koosjer restaurant en mijn moeder werkte als wasvrouw. We gingen elke week naar de synagoge, leefden de sabbat na, aten koosjer en hadden elke vrijdagavond een sabbatmaal. We waren gelukkig, of zo gelukkig als we konden, gezien wat het leven ons allemaal had gebracht, en we wilden niet meer dan wat we hadden. In die zin waren we gezegend. Want als je geen idee hebt van wat er in de wereld mogelijk is, verlang je er niet naar of mis je het niet.

Na de jesjiva ging ik met mijn stiefmoeder werken als wasvrouw. Ik had gehoopt naar de universiteit te kunnen en misschien dokter of leraar te worden, maar het geld ontbrak om me dat te laten doen. Op mijn twintigste begon ik aan trouwen te denken en te hopen op liefde. Ik kreeg daar iets van mee toen ik Isaac tegenkwam, die mijn echtgenoot zou worden. Hij werkte als koosjere slager, en zijn familie heette davidisch te zijn en verbleef sinds het begin van de twintigste eeuw in Amerika en bezat een eigen slagerij. We kwamen elkaar tegen omdat het restaurant waar mijn stiefvader werkte het vlees daar kocht en Isaac bezorgde het vaak. Mijn stiefvader nodigde hem bij ons thuis uit voor het sabbatmaal. Hij kwam met zijn ouders en we zaten tegenover elkaar aan tafel. Hij was heel knap en heel verlegen, met leuke groene ogen en blond haar, wat je bij ons niet zo vaak ziet, en ik was ook heel verlegen. Die eerste ontmoeting spraken we amper en het grootste deel van de tijd gluurden we naar elkaar en hoopten we dat de ander het niet zou merken, maar dat deden we wel. Toen ik die avond naar bed ging, wist ik dat hij mijn echtgenoot zou worden. Voor mijn stiefvader was het een goed huwelijk dat zijn status in het restaurant zou verhogen, en voor Isaac zou het prestigieus zijn om te trouwen met een in Israël geboren dochter van overlevenden, omdat we toen met heel weinigen waren. Ik geloofde dat we van elkaar zouden houden.

Onze bruiloft was eenvoudig en mooi. Onze huwelijksnacht was gecompliceerder voor ons. Geen van beiden waren we ooit eerder in ons leven alleen geweest met een lid van de andere sekse en we waren allebei bang en zenuwachtig. Ik was erg opgewonden en wachtte op Isaac, maar hij was er niet klaar voor en later huilde hij. We wisten allebei dat we kinderen wilden en dat het van ons werd verwacht. Zes maanden lang probeerde Isaac het, hij voelde zich niet op zijn gemak en raakte steeds meer in de war. Op een avond had hij te veel gedronken en we werden waarlijk man en vrouw en hij huilde weer omdat hij gelukkig was. Die avond waren we allebei heel gelukkig.

Twee jaar deden we pogingen dat ik zwanger zou worden. Doorgaans dronk Isaac maar soms niet. We baden en leefden strikt volgens onze joodse wetten. Toen ik zwanger raakte, waren we dolblij en onze families ook. We hadden net namen gekozen voor een jongen of voor een meisje toen ik een bloeding kreeg. Een paar dagen later zetten we de namen op schrift op een vel papier, we verbrandden ze en we spraken nooit meer over ze. Het is soms maar het beste nooit meer te spreken over de ergste dingen uit ons leven.

Dat gebeurde in onze volgende vier jaar nog drie keer, twee van de baby's waren al voldragen. We hielden op namen te kiezen of ook maar aan namen te denken, steeds met het idee dat we alleen namen mogen geven aan de levenden. In het zevende huwelijksjaar raakte ik weer zwanger, het bleef en onze zoon Jacob werd in goede gezondheid geboren. We zagen hem als een wonderbaby, en hij leek sprekend op zijn vader, en we dachten niet dat we nog meer kinderen zouden krijgen. Onze families waren enorm blij en we hadden twee gelukkige jaren waarin we Jacob zagen opgroeien en wijzer worden, en elke dag werd de gelijkenis met zijn vader sterker. We hoopten nooit op meer kinderen en we hielden op het te proberen. Op een avond gaan we naar een bruiloft en Isaac heeft te veel gedronken en ik ook een beetje. De volgende ochtend herinneren we ons niets van de vorige avond maar ik weet dat ik zwanger ben en ik weet dat het goed komt en ik weet dat de baby een jongen zal zijn en ik weet dit met heel mijn hart zonder de minste twijfel, net zoals ik weet dat ik leef en dat ik adem en dat God, in al Gods verschijningen, almachtig en alwetend is. Er is geen twijfel in mijn hart.

Isaac had grote twijfel en hij deed altijd erg moeilijk over de zwangerschap. Als ik hem erover vertel is hij erg in de war en boos, al vertelt hij me niet waarom hij deze gevoelens heeft. Hij spreekt vele malen met onze rabbijn en dan is hij blij en wil nog een kind. Toen Ben Zion werd geboren, waren er een paar complicaties met hem en een paar ongewone dingen, en hij leek niet op Isaac, want Ben heeft donker haar en donkere ogen net als ik en mijn ouders, en Isaac ging erg kwaad uit het ziekenhuis weg. Rabbijn Schiff bekijkt de kleine Ben en komt dan naar mijn kamer en zegt me dat het een grote dag is, een grandioze dag, dat de kleine Ben waarlijk een geschenk van God is, en hij bleef naast mijn bed zitten en las me voor uit de Thora, en de rest van de avond baden we samen.

Toen ik thuiskwam, had Isaac gedronken terwijl hij op me wachtte, en Jacob is bij Isaacs ouders thuis vlak in de buurt. Rabbijn Schiff helpt me Ben thuis te brengen en stuurde Isaac weg toen ik Ben Zion in een mandwiegje legde dat we voor hem hadden. Isaac ging ook bij zijn ouders thuis slapen en rabbijn Schiff keerde terug met nog twee rabbijnen en ze bleven de rest van de nacht en ook de volgende dag naast Ben zitten terwijl ze de Thora lazen en baden.

Toen Isaac thuiskwam met Jacob, was alles voortaan anders. Hij was altijd erg boos, hij dronk, hij had een hekel aan Ben Zion en wanneer ik er met hem over probeerde te praten zei hij niets tegen me. Hij dronk veel meer, hij dronk vrijwel iedere dag en hij wilde snel een nieuwe baby. Het interesseerde hem niet dat mijn lichaam er niet klaar voor was en dat ik tijd wilde om een band met Ben Zion te krijgen. Hij wilde onmiddellijk meer baby's, ik denk om zichzelf te bewijzen dat Ben Zion geen ongelukje was. We begonnen te proberen en het bezorgde me veel pijn maar het was mijn verantwoordelijkheid als vrouw tegenover mijn echtgenoot.

We probeerden het een jaar en het lukte niet, wat Isaac razend maakte. Hij beschuldigde me ervan dat ik het met een andere man hield en ik zei hem ik ben in mijn leven maar met één man geweest en dat was jij. Hij geloofde me niet en hij zei dat ik een ander had, dat Ben Zion niet op hem leek en onmogelijk zijn kind kon zijn. Hij schreeuwde vaak tegen me en soms begon hij me te duwen en me te slaan en me een hoer te noemen, ook met de kinderen erbij. Ik ging naar rabbijn Schiff en die overlegde vele vele malen met mij en Isaac en hij kwam vaak langs om met Isaac te praten en Ben Zion in de gaten te houden, die volgens hem een bijzondere jongen was, waarlijk een geschenk van God. Zo was ons leven. We probeerden nieuwe baby's te krijgen, en Isaac dronk en schreeuwde en sloeg me, en rabbijn Schiff probeerde met hem te praten en hem te kalmeren. De jongens werden groter en gingen naar de jesjiva en de Hebreeuwse school en leerden hoe ze op een dag orthodoxe mannen moesten zijn. We leven de sabbat na, vieren de sabbat en gaan naar de synagoge. En ik bad God dingen voor me te veranderen om een beter leven te krijgen. Ik bad iedere dag tot God.

En dan acht jaar van almaar proberen later ben ik weer zwanger door een wonder van God en krijg ik een meisje dat we Esther noemen. Het is een mooi klein meisje dat sterk op Isaac lijkt, met lichte ogen en licht haar. Ik hoop en bid dat dit kind Isaac gelukkig zal maken en hij weer de Isaac zal worden met wie ik trouwde, maar dat gebeurde niet. Hij raakte er nog sterker van overtuigd dat Ben niet van hem was en hij begon mensen in de synagoge of op sabbat te vertellen dat ik een hoer was met een kind van een andere man. Eens deed hij dit met rabbijn Schiff erbij, die onmiddellijk met hem verdween. Ze waren een dag weg, bijna twee dagen en als ze terugkomen is Isaac anders dan hij voordien was. Hij leek bang en verward en wanneer ik probeer hem te vragen wat er aan de hand is duwt hij me weg.

Vanaf dat moment tot het eind van onze periode bij elkaar leidden we gescheiden levens in hetzelfde huis. Hij hield heel veel van Jacob en Esther maar hield niet meer van mij, zijn vrouw, of van zijn tweede zoon Ben Zion, die hij wegduwde wanneer Ben probeerde hem te omhelzen of tegen wie hij zei kop houden wanneer Ben Zion probeerde met hem te praten. Ik probeerde hem voor te houden dat hij mijn echtgenoot was en dat ik van hem hield en dan was hij beleefd en zei dat hij van mij hield maar ik wist dat hij niet van me hield. Ik wist dat wat rabbijn Schiff hem ook had verteld hij er een andere man door was geworden. De rabbijn kwam nog steeds langs en had bijzondere aandacht voor Ben Zion, hij vroeg hem alles over school en zijn liefde voor God, en Ben Zion was zo'n goede jongen, een aardige jongen die van iedereen hield, die altijd glimlachte en goede dingen voor mensen deed. Ben Zion hielp me al die moeilijke jaren door. Op Isaac kon ik niet meer rekenen, en Jacob was zijn zoon en Esther was zijn dochter en hij vertelde hun slechte dingen over mij waardoor ze denk ik niet van mij hielden zoals kinderen van een moeder horen te houden. En Ben Zion leek het te merken en hield meer van me en zorgde dat ik merkte dat hij met zijn hele hart van me hield.

Op zijn dertiende werd Ben Zion met zijn bar mitswa een man. Ik heb nooit begrepen waarom maar er waren allerlei rabbijnen uit New York en andere plaatsen bij, niet alleen orthodoxe rabbijnen, maar ook chassidische, masorti en liberale, en twee kwamen er uit Israël. Hij las de Thora op een manier die vele leden van de synagoge aan het huilen bracht, iets wat ik nooit eerder in mijn leven had gezien. Zijn stem was zuiver en puur en klonk zo krachtig, bijna als een donderslag, maar zijn stem was zonder dat hij er moeite voor deed ook aandachtig en liefdevol. Ik had deze stem nooit gehoord van mijn zoon Ben Zion, en ik weet niet waar uit zijn binnenste het vandaan kwam. Soms vraag ik me af, zeker nu, of het niet de Here God zelf was die sprak in plaats van hij.

Na de bar mitswa werd alles weer erger, Isaac dronk en dronk, hij ging niet naar zijn werk en sloeg mij en Ben Zion elke dag. Na een jaar ga ik op een ochtend naar onze kamer om te kijken waarom hij niet wakker is en ik ontdek dat hij nooit meer wakker zou worden, dat hij in Gods hand was overgegaan. De dokter zei dat zijn hart was bezweken maar niemand in zijn familie had daar last van dus heb ik me altijd afgevraagd of het waar was. Rabbijn Schiff deed de keriah en Jacob zei kaddisj. We aten 's avonds gekookte eieren en er was veel verdriet in ons gezin. Zeven dagen zaten we sjiw'a. Ook al was de Isaac van wie ik hield al jaren eerder vertrokken, ik betreurde het verlies van hem diep.

Aan het eind van shloshim, nadat we dertig dagen om Isaac hadden gerouwd, was Jacob het hoofd van ons gezin. Meteen die dag zei hij Ben Zion dat hij moest vertrekken en nooit terug mocht komen, dat Isaac was gestorven vanwege Ben Zion en dat God hem zou straffen. Ben Zion probeerde met Jacob te praten en hem te zeggen dat hij van hem hield en van zijn vader hield, maar Jacob sloeg hem heel hard en gooide hem het huis uit en deed de deur op slot terwijl hij bloedend op het trottoir lag. Ik kon het niet aanzien en huilde eenzaam in mijn kamer, en de volgende dag spoelde ik het bloed weg. Rabbijn Schiff schrok erg, was heel streng tegen Jacob en zei dat hij een verschrikkelijke, verschrikkelijke vergissing had gemaakt die hij moest goedmaken. Maar hij maakte het niet goed. En Ben Zion verdween. Ik dacht dat hij terug zou komen, of bij iemand in huis was die ons gezin kende, maar hij was nergens en geen mens zag hem nog of hoorde van hem. En elke nacht huilde ik om hem en het bleef zwaar voor me. Mijn geliefde zoon Ben Zion was weg.

En toen, zestien jaar later, zestien vreselijke jaren, waarin ik werd gedwongen mijn God op te geven en voor een god te bidden waar-in ik niet geloofde, werd gedwongen mijn buurt te verruilen voor een mij onbekende buurt, werd gedwongen als een slavin te leven voor mijn zoon die niet van me hield, kwam Jacob met Esther thuis uit de kerk, zoals alle dagen, maar deze dag zou ons leven voor altijd veranderen. Toen ze naar binnen liepen, kon ik zien dat Jacob Es-ther had geslagen, zoals hij haar en ook mij soms sloeg, en ik wist dat ik hem hierover niet mocht uitdagen of iets vragen, want dan zou hij vaker en harder slaan. Maar hij was anders dan gewoonlijk wanneer hij in zo'n periode is dat hij slaat, hij leek niet zo gemeen en boos, en ik vroeg hem wat er aan de hand was en hij zei dat Esther hem had gevonden, Ben Zion had gevonden, dat hij leefde, in een ziekenhuis in Manhattan lag, dat zij hem met haar eigen ogen had gezien en naast zijn bed had gebeden tot haar Heer en Heiland Jezus Christus.

Ook al had ik altijd geweten dat de dag zou komen dat Ben Zion terug zou keren, ik kon niet geloven dat het vandaag zover was. Ik vroeg Esther, die huilde, of het waar was en ze zei ja. Ik vroeg haar welk ziekenhuis en ze zei het me en ik vroeg haar waarom hij daar in een ziekenhuis lag en ze zei dat hij een ongeluk had gehad met glas dat op hem viel en op de intensive care lag en ze begon te huilen. Ik ging naar haar toe, hield haar vast en zei haar dat ze het wel zou redden en Ben Zion het wel zou redden en ik bleef haar vasthouden tot ik haar van Jacob los moest laten, dat het in orde komt met haar. Ik zei hem dat ze me nodig had en hij gilde tegen me Nee Ze Is Geen Baby en hij trok haar heel hard weg en duwde haar tegen de grond en zei dat ze op moest houden met huilen. Dan draait hij zich weer naar mij toe en zegt Moeder, we moeten bidden tot de Heer om leiding en ik zeg nee, ik heb geen leiding nodig, ik hoef alleen naar mijn zoon toe die in het ziekenhuis ligt, mijn zoon die ik in zestien jaar niet heb gezien. Hij zei de Heer vertelt ons wel wanneer we erheen moeten en ik zeg de Heer heeft het mij al verteld en ik ging naar de deur toe. Hij wilde me beetpakken en ik duwde zijn arm weg en hij greep me stevig beet met allebei zijn armen en duwde me tegen de deur en gilde tegen me We Zullen Samen Bidden Tot De Heer Ons Een Teken Geeft. Ik probeer me los te worstelen, want ik wilde alleen maar naar het ziekenhuis om Ben Zion te kunnen zien en Jacob slaat me drie keer heel snel met zijn open hand op één kant van mijn gezicht en ik weet dat ik met hem moet bidden, ook al is het mijn ding niet en zal het voor mij niets uitmaken, ik moet bidden.

We knielden voor een crucifix, ik aan de ene kant van Jacob en Esther aan de andere kant en Jacob begint de Heer om leiding te vragen. Hij zei Jezus Christus ik ben uw ootmoedige knecht wijs me alstublieft de weg, leid alstublieft mijn daden, geef me alstublieft een teken zodat ik weet wat u met mij en mijn familie voor heeft. En zo gaat hij vier uur door, met vragen om een teken, om leiding van zijn Heer en Heiland Jezus Christus, om kracht van de Heilige Geest om rechtvaardig te zijn in zijn daden. Ik had geen teken nodig, dat Esther Ben Zion had gezien is voor mij teken genoeg. Ik wilde alleen maar weg.

Na het bidden beweert Jacob dat we ook moeten vasten en niet moeten eten en hij zegt dat we naar onze kamers moeten en voor onszelf moeten doorgaan met bidden. Ik ga, pak een kleine tas en neem wat geld van de kleine som die ik voor mezelf heb verdiend en wacht tot het stil is in huis en ik vertrek zonder dat iemand me hoort. Ik weet dat Jacob erg boos zal zijn en me zal straffen omdat ik verdwijn maar ik heb het gevoel dit te moeten doen dus doe ik het. Ik zeg bij mezelf: als je diep in je hart gelooft ergens tegen in te moeten gaan, en je bereid bent daarvoor te betalen, moet je het altijd doen, hoe erg de pijn ook mag zijn. Te vaak in ons leven doen we het niet, en dan is de prijs nog hoger, dus deze keer doe ik het.

Ik kende het ziekenhuis niet en wist niet waar het lag, dus nam ik een taxi en vroeg de chauffeur me erheen te brengen. De chauffeur was een moslim en hij had iets in het Arabisch aan zijn achteruitkijkspiegel hangen. Ik was al zenuwachtig door van huis weg te gaan terwijl ik wist dat Jacob kwaad zou zijn en van de chauffeur werd ik nog zenuwachtiger, want ik geloofde dat als hij wist dat ik uit Israël kwam hij me zou haten. Ik weet dat het verkeerd van me is om zo te denken maar het is ook de realiteit. En het is realiteit dat ik de moslim haat omdat hij me dood wil en hij gelooft dat ik geen mens ben. Misschien zouden we de beste vrienden zijn als hij niet was wat hij was en ik niet ben wat ik ben. Maar we zijn wat we zijn, en mensen zullen altijd haat voelen. Het maakt onze wereld kapot.

Hij zet me af en ik geef hem geld, maar raak hem niet aan. Ik ga het ziekenhuis in en vraag waar mijn zoon Ben Zion ligt en de mevrouw zegt me de bezoekuren zijn voor vandaag afgelopen. Ik vertel haar dat mijn zoon die ik in zestien jaar niet heb gezien hier ligt en ik hem moet zien. Ik vertel haar dat hij Ben Zion Avrohom heet en ze kijkt op haar computer en zegt er ligt hier niemand die zo heet. Ik vertel haar dat mijn dochter hem hier heeft opgezocht en dat hij door glas is geraakt en op de intensive care ligt. Ze neemt me even op en pakt de telefoon en begint een gesprek en zegt me te gaan zitten en op iemand te wachten om met me over dit geval te praten. Ik raakte erg ontdaan en zei ik wil alleen mijn zoon zien die al zo lang weg is en de vrouw zegt dat ze iemand opbelt om het te regelen.

Ik ging zitten wachten tot er iemand zou komen en er verschijnt een mevrouw in een doktersjas die zichzelf voorstelt als de chirurg die een jongeman behandelt van wie zij gelooft dat het misschien mijn zoon is. Ik zei ik geloof het niet, ik wéét het, ik weet met heel mijn hart dat mijn dochter hier is geweest en mijn zoon Ben Zion Avrohom heeft gezien, die al zestien jaar bij me weg is. De vrouw vraagt me naar Esther en ik vertel haar hoe ze eruitziet en de vrouw knikt en zegt ik heb uw dochter eerder vandaag gesproken, maar ze zei me dat ze hier was om te bidden voor de zieken en gewonden namens een kerk in Queens. Ik vertel haar dat mijn dochter een christen is die in Queens woont en dat ze bad tot haar Heer en Heiland Jezus Christus voor het welzijn van haar broer van wie ze houdt. De dokter vraagt me nog eens hoe heet Ben en ik vertel het haar, ze vraagt me wanneer ik hem voor het laatst heb gezien en ik vertelde haar dat hij al zestien jaar weg is en dat ik elke dag tot God heb gebeden om zijn terugkomst. Ze vraagt me waarom hij weg is en ik begin te huilen en ik huil heel lang en ze zit naast me en houdt mijn hand vast en het is de eerste keer in járen dat ik vriendelijkheid heb ondervonden van iemand anders dan mijn dochter, de eerste keer in járen en járen. Ik hou op met huilen, veeg mijn gezicht af en probeer mezelf tot bedaren te brengen. De dokter vertelt me dat ze Alexis heet en ze vertelt me dat ze Ben heeft geopereerd toen hij in het ziekenhuis kwam en hem heeft behandeld voor zijn verwondingen die zeer ernstig zijn en levensbedreigend. Ze zegt dat het een wonder was dat hij leefde en dat er geen verklaring voor was. Ik onthield haar de mij bekende verklaring, want ze zou het niet hebben geloofd als ik het haar vertelde. Ze vroeg me of ik Ben Zion wilde zien en ik zeg ja en ze leidt me het ziekenhuis door. Wanneer we vlak voor zijn kamer staan, houden we halt en ik voel me heel zenuwachtig, angstig en blij. Ze zegt me dat ik me moet voorbereiden en ik zeg dat het volgens mij wel goed komt met Ben Zion wat er ook is gebeurd. Ze glimlacht naar me en zegt wees alstublieft voorbereid. Maar er is niets wat ons kan voorbereiden op het allerergste in ons leven. Je kunt niets doen om de schrik te voorkomen of de pijn te weren.

Ik liep het vertrek in. Ben Zion lag op zijn rug in bed. Hij had intraveneuze slangen in zijn armen, een masker op zijn gezicht en monitoren aan zijn hoofd, waarop geen haar zat, en aan zijn met littekens overdekte borst. Overal op zijn lichaam waar hij was getroffen door glas zaten littekens. Overal op zijn lichaam lange, vreselijke japen van littekens. Ik was bang om hem te benaderen, bang voor mijn eigen zoon die in zijn bed lag te slapen, mijn mooie jongen van wie ik zijn leven lang had gehouden, ook al was hij niet bij me. Mijn zoon met al zijn littekens, met al zijn pijn.

Ik liep langzaam naar hem toe en ik begon weer te huilen. Ik huil vanwege wat hem is overkomen, en om al die verloren jaren, en om de reden dat hij mijn huis uit was gestuurd, en om alle keren dat Isaac en Jacob hem sloegen en slecht voor hem waren, en om de keren dat ik bij hem was toen hij een jongen en een baby was en hij glimlachte en lachte, en vanwege alle liefde die ik voor hem voelde. Ik loop naar hem toe en ik zeg zijn naam en ik begin heel hard te huilen, het doet mijn lichaam pijn en het doet vanbinnen pijn of ik kapotga en ik kniel naast zijn bed en ik kan hem niet aanraken of naar hem kijken, ik zeg alleen telkens weer tegen hem het spijt me, het spijt me. Andere woorden zijn er niet, en ook deze woorden schieten tekort voor mijn gevoelens. Er zijn nooit woorden voor onze sterkste gevoelens. Er is alleen de pijn die we niet kunnen delen. Pijn die we allemaal alleen moeten voelen.

Ik blijf de hele nacht bij zijn bed en wanneer de zon opkomt, zit ik in een stoel naast zijn bed en ik houd zijn hand vast en ik vertel hem over de jaren dat hij weg was en wat er in ons leven is gebeurd. Ik houd zijn hand vast, die is koud en er zitten littekens op zijn pols en zijn hand en hij beweegt niet, afgezien van zijn ademhaling die zwak is en soms moeizaam, en soms trilt of beeft hij een beetje. Op een gegeven moment komen er allerlei artsen binnen en ze vragen me wie ik ben en ik vertel het hun en ze zeggen dat op het dossier nog steeds Pietje Puk staat. Ik moet huilen bij de gedachte hoe lang mijn zoon hier alleen heeft gelegen en Pietje Puk werd genoemd. Een van de artsen belt naar iemand met de telefoon aan de muur en er verschijnen meer mensen maar het zijn geen artsen. Een paar van hen werken voor het ziekenhuis en een paar zijn van de politie en ik vertel hun hoe hij heet en waar hij vandaan komt en ik vertel hoe lang ik hem niet heb gezien. Ze vragen naar mijn identiteitsbewijs en ik vertel hun dat mijn zoon niet wil dat ik een identiteitsbewijs of een rijbewijs heb omdat hij in geen ander gezag dan God gelooft. Ze brengen me naar een kamer waar ik van hen moet blijven tot ze zeker weten dat ik ben wie ik zeg te zijn.

Het duurt lang, ik zit úren alleen. Wanneer de deur opengaat, is het Jacob en hij zegt dat ik met hem mee moet. Ik vraag hem wat er is gebeurd en hij zegt dat hij met de politie heeft gepraat, hij heeft hun alles verteld en het rijbewijs laten zien dat hij voor zichzelf heeft en ze zeggen dat ik weg mag. We gaan naar Ben Zions kamer en Esther wacht voor de deur op ons en we gaan samen naar binnen en we knielen en bidden de hele dag samen voor de gezondheid van Ben Zion. En dat doen we vele dagen. We knielen naast het bed en bidden samen voor de gezondheid van Ben Zion. Jacob en Esther gaan af en toe terug naar Queens omdat ze allebei allerlei verantwoordelijkheden in de kerk hebben maar ik ga niet één keer weg uit het ziekenhuis. Ik blijf bij mijn zoon. En ik wacht op hem. En in mijn hart weet ik, omdat ik het heel mijn leven heb geweten en het heel zijn leven heb geweten, wat hij zal worden wanneer hij terugkeert. Ik wacht op hem.

# Jeremiah

Jacob was als een broer voor me, een vader, een geestelijke leidsman en een echte stimulans. Hij heeft me gered en geloofde me te hebben genezen, ik hield van hem en bewonderde hem en in allerlei opzichten wilde ik dat ik hem was. Toen de Grote Media opdaagden nadat Bens ware identiteit bekend was gemaakt, vroeg hij me bij zijn moeder in het ziekenhuis te blijven en hen te helpen beschermen tegen de journalisten met hun bandrecorders, hun camera's en hun leugens. Hij wilde ook dat ik altijd aantekeningen maakte wanneer de dokters er waren, die kon hij dan gebruiken voor rechtszaken die hij namens Ben wilde aanspannen tegen de gemeente, het bouwbedrijf, de projectontwikkelaars en het ziekenhuis. Daarmee hoopte hij financieel onafhankelijk te worden, ook zou het bijdragen aan méér ruimte en onderwijs voor de kerk. Ik was werkelijk zeer vereerd en ik beloofde hem de taak heel serieus te nemen en zo nodig mijn leven op te geven. Jacob zei dat hij dit wist en me daarom had gekozen. Het beleid van het ziekenhuis was dat alleen familie mocht blijven, dus vertelde Jacob hun dat ik zijn broer was, echt zijn broer. En we geloofden dat we in de ogen van God, de Heilige Geest en onze Heer en Heiland Jezus Christus de waarheid spraken, en dat omdat onze doelen rechtvaardig waren de zonde van het liegen eigenlijk geen zonde was. We deden wat mensen voortdurend doen, we maakten onszelf wijs dat wat wij deden juist was en we vonden een middel om het goed te praten, ook al wisten we dat het fout was. We maakten onszelf wijs dat God het zou toestaan, maar niet vanwege Gods Wetten, maar omdat wij het wilden.

Ik leerde Jacob kennen toen hij aan het protesteren was tegen abnormale levensstijlen voor een club waar ik heen ging om mannen te ontmoeten. Ik had hem een paar keer eerder zien staan met drie of vier andere mensen, ze hadden allemaal borden waarop stond God Haat Flikkers, of Flikkers Zullen Wegrotten in de Hel, of aids is Gods Remedie tegen Bruinwerkers, en hij schreeuwde verzen uit de Bijbel naar mensen die voor de club stonden te roken en deelde folders over zijn kerk uit. Mijn verhaal was hetzelfde als van een miljoen anderen in New York. Ik groeide op in een kleine stad, hield van jongens en jurken, werd thuis en op school gepest en geslagen, liep op mijn zeventiende weg naar New York om model of zanger of acteur of wat ook maar mogelijk was te worden als het maar leuk was en gemakkelijk en me beroemd zou maken. Het lukte niet, en ik raakte verslaafd aan drugs en seks en clubs en leidde een treurig leeg leven dat zogenaamd leuk en opwindend was. Ik voelde altijd dat ik een gat in mijn hart had, een groot zwart gat waardoor ik me eenzaam en leeg en waardeloos voelde. Ik probeerde het te vullen, iedereen doet dat op een bepaalde manier, maar het werd alleen groter en groter. Op de avond dat Jacob me benaderde, was ik op stap met een man die me bepaalde dingen gaf en bepaalde dingen terug verwachtte. Hij woonde in de Midwest en was drie of vier dagen per maand in de stad. Het was mijn tweede avondje uit met hem en ik voelde me heel slecht. De man wilde dat ik wat speed haalde, en toen ik de club verliet zei Jacob toen ik langs hem liep ik kan je genezen. Ik stopte en vroeg hem waarvan hij me kon genezen, en hij zei van de walgelijke, tot vervloeking van de ziel leidende sodomitische en homoseksuele levensstijl. Ik vroeg hem hoe, en hij zei de Bijbel biedt een boodschap van liefde en hoop, en de Heer en Heiland Jezus Christus zal je redden en je de weg wijzen. Ik begon te huilen. Ik was verbaasd. Ik verafschuwde religie vanwege het feit hoe men mij bejegende en vanwege het absolute ervan, en ik had nooit geloofd dat ik erin zou geloven, maar iets in mijn binnenste ging open, de Heilige Geest ging in mij open, en het was heerlijk en fantastisch, het heftigste wat ik ooit had ervaren, een gevoel van vreugde en vrede en liefde, en ik geloofde op dat moment dat, om welke reden dan ook, God me riep en me zei deze man te volgen. Twee uur later werd ik gedoopt en wedergeboren. De volgende dag betrok ik een souterrain in Queens in het huis van een van de ouderlingen van de kerk. In mijn ogen was het juist en waar en goed, en het was heerlijk en vrolijk en veilig en sterk. Om de Heilige Geest in me te hebben en een persoonlijke relatie met de Heer en Heiland Jezus Christus te ontwikkelen. Vrienden te hebben die me broeder noemden en die voor me wilden zorgen in plaats van me gebruiken. Meer wilde ik niet in mijn leven, niemand wil meer. Dan iemand hebben die van je houdt. Dan iemand hebben die je vertelt dat hij de weg kent en dat met je wil delen.

Het grootste deel van de tijd zat ik op een stoel naast de deur van Bens kamer. We hielden de deur dicht en als die open begon te gaan, stond ik op en vroeg aan wie het ook was wat ze in de kamer te zoeken hadden. Het ergerde de dokters en de verpleegsters omdat ik van hen allemaal de papieren wilde zien, ook al had ik hen eerder gezien of hun papieren eerder bekeken. Twee keer probeerden journalisten van de Grote Media als dokters naar binnen te glippen, een van hen probeerde me zelfs neppapieren te tonen. Iedereen wilde de Wonder Man zien die zestien jaar geleden in rook was opgegaan en iets had overleefd wat hij onmogelijk had kunnen overleven. Afgezien van de journalisten verschenen er advocaten, fotografen, mediums, genezers en vrouwen. Ik nam de visitekaartjes van de advocaten aan, maar verder liet ik iedereen zo vlug mogelijk verwijderen. En ik kon niet geloven hoeveel vrouwen hem wilden zien, hem aanraken of met hem trouwen. Hij was niet eens wakker en ze wisten niet hoe hij zou zijn als hij ontwaakte, of hij ook maar kon spreken, bewegen of lopen. Ik overhandigde al deze vrouwen een foldertje en zei dat de leegte die ze in hun hart voelden misschien kon worden gevuld met de liefde van God en de liefde van zijn Zoon, de Heer en Heiland Jezus Christus.

De eerste tien dagen dat ik er was, gebeurde er niets. Mevrouw Avrohom bad naast Bens bed en ik las de Bijbel. Ik ging naar het cadeauwinkeltje of het cafetaria voor eten. We sliepen allebei op klapstoelen, die van haar naast het bed, die van mij bij de deur. Jacob en Esther verschenen na het ontbijt en bleven gewoonlijk tot vlak voor het avondeten. De meeste tijd knielden ze naast het bed om te bidden, al ging Jacob vaak de gang op om met de artsen te spreken en in een aantal gevallen met juristen. Niemand leek te weten hoe het er met Ben voor stond. De apparaten waaraan ze zijn hersenen hadden verbonden, leverden hun allerlei uiteenlopende resultaten op, en soms waren ze blij en zeiden ze dat hij normaal leek en soms zeiden ze dat hij een plant zou worden en soms zeiden ze dat ze dingen zagen die ze nooit eerder hadden gezien, uitzonderlijke activiteit zoals één arts het noemde, en doorgaans hadden ze geen idee wat er gebeurde. Het was een heel gedoe toen ze de beademingsbuis uit zijn keel haalden. Ze lieten iedereen vertrekken behalve Jacob, die weigerde te vertrekken, en ze maakten zich grote zorgen dat hij niet op eigen kracht zou kunnen ademen. Ik wachtte buiten de kamer met mevrouw Avrohom en Esther, en we baden allemaal tot Jezus om Ben de kracht te geven te leven. We baden heel intens, en toen we de artsen hoorden applaudisseren en Jacob Halleluja, Heer hoorden roepen, wisten we dat onze gebeden waren verhoord.

De volgende vijf of zes dagen gebeurde er niets goeds. Ben kon ademhalen, maar hij bewoog niet en alle hersenmonitoren gaven aan dat er absoluut geen activiteit was, en de artsen zeiden dat hij de rest van zijn leven een plant zou zijn. Het kwam erg slecht uit omdat Jacob de inzamelingsactie van de kerk afsloot en plannen ging aankondigen voor meer ruimte voor de kerk. Hij vroeg me aantekeningen te maken over alles wat de artsen en verpleegsters zeiden en dat hij aan ze aan het eind van de dag zou komen bestuderen. Hij vroeg me ook extra intens te bidden, en ik zei dat ik zo intens bad als ik kon, maar dat mijn band met God lang niet zo sterk was als die van hem, en ik maakte me zorgen dat ik niet genoeg kracht had en niet vroom genoeg was om de doorslag te geven.

De artsen kwamen en gingen. Ik hoorde termen als ernstig hersenletsel, zonder waarneembaar bewustzijn, apallisch syndroom, coma vigil, blijvende vegetatieve staat, persisterende vegetatieve staat. Ze testten zijn reactie op stimuli en er gebeurde niets. Ze probeerden hem dingen te laten volgen met zijn ogen maar hij staarde alleen naar het plafond, al denk ik niet dat hij werkelijk iets kon zien. Een van de artsen opperde iets wat extradurale corticale stimulatie heette, wat griezelig en kwaadaardig klonk, en ik zei Jacob dat volgens mij die bepaalde arts, die eruitzag als een jood en een haakneus had, mogelijk een verbond met de duivel had.

Op de zevende avond zat ik in mijn bijbel te lezen. Die bepaalde avond las ik Openbaringen 12. Het is een sterk hoofdstuk, een van de sterkste in het Nieuwe Testament, en een met veel waarheid. Het gaat over de met de zon beklede vrouw, met de maan onder haar voeten, en de krans met twaalf sterren op haar hoofd, en de grote rode draak met zeven koppen, tien horens en zeven kronen, die met zijn staart een derde deel van de sterren van de hemel meesleept, en hoe wanneer de draak zich erop voorbereidt het kind van de vrouw te verslinden, het kind dat alle naties zal hoeden met een ijzeren staf, de vrouw voor 1260 dagen de wildernis van God in wordt getrokken terwijl de aartsengel Michaël en zijn leger van engelen oorlog voeren tegen de draak. Ik had het hoofdstuk vele malen gelezen, en ik geloofde dat wat erin stond binnenkort zou gebeuren, zoals voor de Eindtijd is voorzegd, en ik wist dat de Eindtijd aanstaande was, en dat ik erover zou getuigen, en dat ik een van de 144.000 door de Heer gezalfden zou zijn die worden gered en opgenomen in de hemel. Mevrouw Avrohom knielde naast Ben neer, zoals ze dat iedere avond deed. Maar deze avond, deze zevende avond, begon ze in het Hebreeuws te bidden. Jacob had me gezegd dat dit kon gebeuren, en hij wilde het weten als ze het deed, want hij had de joodse leer, de joodse wet, joodse woorden en de joodse taal in zijn huis verboden, en hij zou haar een gepaste straf geven wegens het overtreden van zijn regels. Ik wist niet wat ze zei, maar ik vond dat ik mijn bijbel neer moest leggen en alles wat ik hoorde moest proberen op te schrijven. Terwijl zij bad, begon Bens mond te bewegen. Zij zag het niet, maar ik wel. Er kwam geen geluid uit, maar zijn mond vormde de woorden, precies dezelfde woorden als zij zei in haar gebeden. En toen gingen zijn ogen open, en niet zoals toen de artsen ze openden voor hun tests, deze keer gingen ze open en ze waren helder, geconcentreerd en levend, en er was iets in ze, iets zuivers en hemels, of het de ogen van de Heiland zelf waren, en ik werd erdoor overweldigd. Mevrouw Avrohom was nog steeds aan het bidden zonder te weten dat Ben bij haar was, en ze zei rustig de Hebreeuwse verzen op, en Ben begon ze met haar mee te zeggen, zacht, met een stem die heel oud en sterk klonk, en hij volgde haar woord voor woord, of hij wist wat ze ging zeggen voor ze het zei, en daarom liepen me de rillingen over de rug. Ik probeerde op te schrijven wat ik zag en voelde, en wat mevrouw Avrohom zei, en wat Ben zei, maar ik was verlamd, verlamd van vreugde en vrijheid en net zo'n lichtheid van geest als op het moment dat ik werd gered, toen de Heilige Geest zo sterk in mij leefde.

Mevrouw Avrohom werd zich bewust van Ben toen hij zijn arm uitstak en zijn hand op haar voorhoofd legde. Ik zag het gebeuren of het slow motion was. Zijn vingers begonnen langzaam te bewegen, lichtjes, allemaal op zichzelf, of ze aan het dansen waren. En toen kwamen zijn hand en arm van het witte laken omhoog en zijn vingers bewogen niet meer en het leek of ze zich strekten, zoals de vingers van Adam naar God reikten. Mevrouw Avrohom was nog steeds aan het bidden en Ben met haar, het geluid van hun synchrone woorden klonk eenvoudig en oud en had een prachtig ritme. En toen zijn arm naar haar voorhoofd bewoog draaide hij zich om, hij keek naar haar en het leek hem een miljoen jaar te kosten bij haar te komen en het leek of er nergens op de wereld iets anders gebeurde, er was alleen dit ene ding, dit ene moment, deze verloren, beschadigde zoon die zijn arm naar zijn moeder uitstak terwijl ze baden tot de Almachtige Heer.

Toen hij haar ten slotte aanraakte, snakte ze hoorbaar naar adem. Ik weet niet of het kwam doordat ze verrast was of door iets wat ze voelde, maar het leek of er een enorme elektrische schok door haar heen was gegaan. Zijn hand lag stevig op haar voorhoofd, en ze keek op, haar kaak ging omlaag, haar lichaam werd krachteloos, haar ogen waren vol vreugde en vrede en voldoening. En ze bleven allebei bidden, er was geen verspreking of onderbreking, de woorden bleven maar komen. Ben glimlachte, draaide zich en wilde rechtop gaan zitten, maar toen begonnen de diverse monitoren en infusen die aan zijn lichaam waren bevestigd los te raken, en de andere trok hij los met zijn vrije arm. Het alarm begon te rinkelen, te gillen, maar hij en zijn moeder leken het niet te merken. Hij ging helemaal overeind zitten en glimlachte, en het was een prachtige vredige glimlach, net zo een als op vele van de afbeeldingen met glimlach die ik heb gezien van de Heer en Heiland Jezus Christus, en zijn moeder staarde naar hem op, en hij bewoog zijn benen van het bed af, ze waren allebei nog steeds aan het bidden, het was bijna zingen, en zijn hand lag nog steeds op haar voorhoofd, en hij stond op. Hij had een wit gewaad aan. Zijn lichaam zat vol afschuwelijke en vreselijke littekens, je kon ze over zijn armen en benen zien lopen en op zijn gezicht. Zijn huid was zo blank en zo bleek. En het alarm gilde. En het was prachtig. Hij was zo prachtig. Kon ik maar op een of andere manier de gevoelens overbrengen die het in me opriep. Maar zo gaat het met alle belangrijke gevoelens en emoties en momenten die we in ons leven hebben, woorden schieten tekort en drukken niet eens een fractie uit van wat we eigenlijk voelen. Het enige wat ik kan zeggen is dat het waarlijk voelde of ik in de nabijheid van het goddelijke was, in de nabijheid van God zelf. En ik kon niet bewegen, spreken, schrijven of iets anders doen behalve dan naar hem staren en liefde voelen en eerbied en ootmoed. Hij was gewoon zo prachtig.

De deur vloog open en een team verpleegsters en artsen stormde de kamer binnen, maar ze hielden halt zodra ze zagen wat er gaande was. Ben draaide zich niet naar hen toe en nam ook verder geen notitie van hen. Hij staarde omlaag naar zijn moeder, die naar hem opstaarde, en toen sloot hij zijn ogen en haalde zijn hand weg van haar voorhoofd en tilde die op tot zijn borst. Daar hield hij de hand, hij stopte met het zeggen van de Hebreeuwse gebeden, haalde diep adem en glimlachte bij zichzelf toen hij uitademde. Meteen na het uitademen, zakte hij op de vloer in elkaar en kreeg een toeval.

Ik werd het vertrek uitgeduwd, maar wat ik van de toeval te zien kreeg was erg. Ben schudde, heel zijn lichaam schudde hevig en er begonnen meteen vloeistoffen uit zijn mond en neus te komen, en hij maakte van die afschuwelijke keelgeluiden. Zijn moeder stond op en begon te schreeuwen. De artsen en verpleegsters probeerden hem meteen in bedwang te houden en zijn tong te grijpen, maar hij was sterk, schrikbarend en ongelooflijk sterk, zeker als je bedenkt dat hij de laatste paar weken in coma was geweest, en ze hadden twee man per arm en been nodig om hem in bedwang te houden. Toen ik in de gang stond, kon ik hem horen worstelen, hij klonk als een dier, of hij door de Satan zelf was bezeten, en ik kon de verpleegsters en de broeders om meer hulp horen roepen, en ik kon mevrouw Avrohom, die toen ik wegging in een hoekje van het vertrek was geduwd, uit volle borst horen schreeuwen.

Ik weet niet hoe lang het duurde of hoeveel tijd het vergde, want het leken wel uren en uren en uren, maar aan Bens toeval kwam een eind, alles bedaarde en ik mocht de kamer weer in. Ben lag op bed, in slaap of platgespoten, en zijn armen en benen waren met riemen vastgemaakt aan de zijkanten van het bed voor als hij weer een toeval kreeg. Mevrouw Avrohom zat in de hoek en snikte zachtjes in haar handen. Ik wist niet goed wat ik moest doen, maar besloot dat wanneer Jacob me als een gezinslid beschouwde, ik zijn moeder moest troosten of ik werkelijk een gezinslid was, en dat dingen die voor een christelijke man normaal gesproken van belang zijn, dat ik een alleenstaande man was en zij een weduwvrouw, dat zij Hebreeuws had gebezigd bij het bidden, dat ze als jodin was opgevoed, niet van belang waren, en dat als God me oordeelde hij me ook zou vergeven wanneer ik berouw had. Ik ging naar mevrouw Avrohom toe en ik legde mijn hand op haar schouder en vroeg of alles goed met haar was. Ze keek naar me op en tussen haar snikken door vroeg ze me wat er zojuist was gebeurd, wat er zojuist met haar zoon was gebeurd. Ik zei haar dat ik geen idee had, dat God altijd een plan had en dat we daaraan nooit moeten twijfelen, maar dat ik geen idee had.

Later kwam Jacob opdagen. De artsen hadden hem gebeld omdat hij het familielid was dat als contact stond vermeld. In de tijd tussen het telefoontje en zijn komst liepen artsen de kamer in en uit, ze controleerden Bens bloeddruk en hartslag. Ik raakte zijn moeder niet meer aan toen hij naar binnen liep, maar hij was ontdaan dat ik dicht bij haar zat. Ik vertelde hem wat er was gebeurd, met alle mij bekende bijzonderheden, en hij leek niet verrast of ontdaan. Hij keek naar zijn broer, en zei laten we bidden, bidden voor de man die mogelijk voor ons zit. Ik had geen idee wat hij bedoelde, en het leek me beter het niet te vragen. We knielden samen en we baden, baden zacht tot de zon opkwam en weer een van Gods heerlijke dagen voor ons aanbrak.

's Morgens bracht Jacob zijn moeder naar huis. Ze wilde niet gaan, maar naar zijn idee had ze er behoefte aan een tijdje weg te zijn, en ze gehoorzaamde hem omdat hij het hoofd van hun huishouding was. Hij vroeg mij om te blijven en te proberen zoveel mogelijk over Bens toestand te achterhalen. De artsen bleven de kamer in en uit komen, maar wanneer ze spraken deden ze dat gedempt, zodat ik niet kon horen wat ze zeiden. Rond lunchtijd verschenen ze niet meer. Alleen Ben, die sinds zijn toeval niet had bewogen, en ik bleven achter. Ik begon mijn bijbel te lezen en bladerde meteen naar een van mijn favoriete passages, Mattheus 4:1-11, over hoe Christus op de proef wordt gesteld door de duivel, Jezus verblijft dan in de woestijn, en over het eten dat de engelen uit de hemel hem brachten nadat hij wat de duivel aanbood had weerstaan. Ik probeerde me vaak in de positie van Christus te verplaatsen, hoe ik de valse gaven van de duivel weerstond – gaven waaraan ik zo veel zondige jaren mijn hart had opgehaald – en op een dag engelen uit de hemel neerdaalden, hun vleugels stralend van heilige rechtvaardigheid, om mij gaven te brengen. Toen ik een stem hoorde, meende ik dat mijn gebeden letterlijk in vervulling waren gegaan. Ik sloot mijn ogen en ik zei dank u, God, dank u dat u mijn toewijding aan u beloont. En toen hoorde ik de stem weer, ik stond op en was te bang om mijn ogen te openen, omdat ik niet wist wat ik kon verwachten en wist dat engelen buitengewone krachten hadden die mensen niet konden en nooit zouden begrijpen. Nog eens de stem en nog eens. Ik opende mijn ogen en er waren geen engelen, maar Ben keek naar me, bijna of er een engel was. Hij sprak.

*Wie ben jij?*

Ik heet Jeremiah.

*Waar ben ik?*

Je bent in een ziekenhuis in New York.

*Waarom ben je hier?*

Ik ben hier omdat je broer, Jacob, mijn broeder in de eredienst voor God en zijn Zoon, de Heer en Heiland Jezus Christus, me dat heeft gevraagd.

73

*Jacob?*

Ja.

Hij keek van me weg, lachte bij zichzelf, keek terug.

*Is Jacob verantwoordelijk voor die riemen?*

Nee. Dat hebben de artsen gedaan vanwege je toeval.

*Mijn toeval?*

Ja.

*Maak ze los.*

Dat kan ik niet doen.

*Maak ze alsjeblieft los.*

Hij keek naar me, keek recht in mijn ogen, en er was iets met zijn ogen, die zwart waren, gitzwart, en zo diep dat ze eindeloos leken, waardoor ik me zwak en kwetsbaar voelde, me nederig voelde en waardoor ik alles wilde doen wat hij van me vroeg. Ik begreep waarom die riemen er waren, maar wist ook dat er volop artsen en verpleegsters heel dicht in de buurt waren als er iets gebeurde. Hij vroeg het nog eens.

*Alsjeblieft.*

Het klonk niet wanhopig of smekend, alleen simpel en direct.

*Alsjeblieft.*

Ik legde mijn bijbel neer, stond op, en maakte de riemen los. Hij glimlachte en zei *dank je*, en hij bewoog niet, sloot alleen zijn ogen en ademde diep in, telkens en telkens weer. Ik weet niet wat voor gedrag of daad ik van hem verwachtte, maar niet dat, niet zomaar daar liggen of de riemen nog steeds vastzaten. Ik staarde maar naar hem, wachtte. Na een paar minuten begon hij langzaam zijn handen over zijn lichaam te laten gaan, hij voelde aan de littekens, liet zijn vingers over de lengte ervan gaan. Hij legde zijn handen op zijn gezicht, ging er met zijn vingertoppen helemaal overheen, ging ermee over zijn hoofd en de achterkant van zijn schedel. Toen hij klaar was met de achterkant van zijn hoofd bewoog hij ze verder over zijn lichaam en zijn gezicht en hij sprak.

*Wat is er met me gebeurd?*

Je hebt een ongeluk gehad op een bouwterrein. Er kwam een glasplaat omlaag en die heeft je geraakt.

*Hoe lang ben ik hier geweest?*

Een maand of wat.

*Hoe heeft Jacob me gevonden?*

Je zuster zag je op de voorpagina van een krant, ze is bij je op bezoek geweest en heeft het Jacob verteld.

*Waarom zou Jacob het wat kunnen schelen?*

Jacob heeft járen en járen naar je gezocht.

*Waarom?*

Geen idee. Ik weet alleen dat hij wanhopig naar je zocht.

*Je zei dat hij christen is?*

Ja, Jacob is wedergeboren en gedoopt in de dienst van de Heer en Heiland Jezus Christus. Hij is nu een voorganger, een vrome man.

*Wanneer is dit gebeurd?*

Járen geleden.

*En mijn moeder en mijn zus?*

Dat zijn ook christenen.

Hij opende zijn ogen, ging overeind zitten, draaide zich naar me toe en zette zijn voeten op de vloer. Hij keek naar mij en naar de bijbel die ik vasthield, en opnieuw had ik dit diepe gevoel van vrede en vreugde en liefde en voldoening en nederigheid. Hij stak een arm naar me uit en legde zijn hand op mijn onderarm, en zodra hij me aanraakte, kwam alles waarmee ik had geworsteld en geprobeerd achter me te laten, iedere drang en verleiding, mijn behoefte om te zondigen en me abnormaal te gedragen door alle muren heen stormen die ik had gebouwd om ze in toom te houden. Ik wilde hem. Ik wilde hem meer dan iets wat ik in mijn leven had gewild, meer dan enige man in mijn leven. Ik wilde hem nemen en door hem worden genomen, en ik wilde dat het nooit ophield. Ik sloot mijn ogen en zei bescherm me alstublieft, Heer, bescherm me alstublieft, Jezus, maar er gebeurde niets, er ging niets weg. Zijn hand lag op mijn onderarm en ik wilde hem in mijn mond, in me, boven op me en achter me. Ik wist dat het ging gebeuren als hij me niet losliet, ik wist dat ik hem zou vragen me te bevredigen. Toen voelde ik dat hij zijn hand optilde, ik opende mijn ogen en hij keek naar me of hij het wist, hij wist wat ik wilde, en hij veroordeelde of haatte me er niet om. Hij staarde naar me. Hij haalde diep adem. Hij glimlachte. En iets in hem veranderde. Zijn ogen waren op dezelfde plaats, maar hij keek niet meer naar me. Hij keek voorbij me, naar iets wat ik nooit kon weten, aanraken of begrijpen.

En toen ademde hij uit.

En toen kreeg hij een toeval.

# Adam

Ik was beslist verbaasd toen Jacob me in mijn kantoor in de synagoge op kwam zoeken, echt heel verbaasd. Ik had hem in járen niet gezien, al was ik altijd aan hem blijven denken, of eigenlijk, moet ik zeggen, was ik altijd aan zijn broer, Ben Zion, blijven denken.

Ben Zion was bijzonder vanaf de dag dat hij werd geboren, of om preciezer te zijn vanaf het moment dat hij werd verwekt. De omstandigheden waren ongewoon of verwarrend of geheimzinnig. Je kunt diverse woorden gebruiken om het te beschrijven, en die zouden allemaal van toepassing zijn. Zijn ouders hadden een aantal jaren vergeefs geprobeerd om een tweede kind te krijgen, Jacob was hun eerste kind. De avond van de verwekking, of de vermeende avond van de verwekking, waren ze samen naar een bruiloft geweest en hadden allebei naar alle waarschijnlijkheid, hoewel Bens moeder beweert van niet, een beetje te veel alcohol gedronken, wat zoals iedereen weet je gedrag en geheugen kan beïnvloeden en daarnaast een heleboel andere dingen. Bens vader beweerde dat hij die avond geen echtelijke betrekkingen met zijn vrouw had, maar Bens moeder beweerde van wel. Het leidde tot een vreselijke tweedracht in het huwelijk en verwoestte in bepaalde opzichten het leven van allebei. Bens vader geloofde dat zijn vrouw met een andere man moest zijn geweest. Dat was niet zo. Wél loog ze, geloof ik – maar ik weet het niet helemaal zeker – dat ze die avond met Bens vader was geweest. Hij bleef een diepe rancune en boosheid koesteren, die overging op Ben Zion, en hij vertrouwde zijn vrouw nooit meer en hield niet van zijn kind zoals een vader dat moet, en zij bleef met een leugen leven die ze veel te lang in stand hield. Als ze allebei de waarheid hadden aanvaard en erkend, ongeacht hoe ongelooflijk die misschien was, en de waarheid was geloof ik werkelijk ongelooflijk, was hun leven heel anders verlopen en naar alle waarschijnlijkheid gelukkiger en bevredigender. En ik heb altijd gemerkt dat het zo gaat: als je de waarheid kunt aanvaarden en ermee leven, zal je hart vrede kennen.

Jacob verscheen midden op de dag, wanneer ik vaak aan mijn wekelijkse preek werk, die ik houd tijdens de dienst op zaterdagochtend. Deze preek draaide vooral om lezingen van Exodus 13:17 tot 15:21, over Mozes en de Rode Zee, en de aaneenschakeling van gebeurtenissen waardoor Mozes goddelijke krachten ging gebruiken om de wateren van de zee te scheiden. Zo maakte hij de uittocht van de Israëlieten uit Egypte mogelijk, ze waren op weg naar Kanaän. Ik vind dit verhaal, en het verhaal over Mozes' leven in het algemeen, in de wereld van vandaag bijzonder relevant, want allerlei mensen, mensen uit alle geloven, zijn op zoek naar een buitengewoon, misschien zelfs goddelijk iemand die ons naar een oord zou kunnen leiden waar het veiliger, welvarender, vrediger is. Ik stelde mezelf de vraag, en stelde uiteindelijk ook de leden van de synagoge de vraag, of deze zoektocht heilzaam en zinvol is, of je politici in één adem moet noemen met de Messias, of het ondanks de belachelijke pretenties waaraan zo velen zich overgeven en waarin zo veel mensen geloven, voor een politicus wel echt mogelijk is belangrijke veranderingen tot stand te brengen, ondanks hun beweringen en hun beloften in die richting. Er werd geklopt. Ik keek op en zei binnen, en mijn assistent-rabbijn, rabbijn Stern, kwam binnen en zei dat er een man, Jacob Avrohom geheten, was die me wilde spreken. Rabbijn Stern wist van de familie Avrohom, omdat ik het vaak met hem over hen had gehad, en in het bijzonder over Ben Zion, en hij begreep dat een bezoek van Jacob mogelijk van enig belang kon zijn. Ik vroeg hem Jacob binnen te laten, en ik legde de preek weg.

Hoewel hij leek op de man die ik vroeger had gekend, ouder natuurlijk, na ruim tien jaar, betwijfel ik of ik Jacob had herkend wanneer ik hem op straat had gezien. Hij had heel kort haar, was glad geschoren, en hij droeg een bruine sportbroek en een blauw colbertje. Hij had een bijbel bij zich, eentje waarin duidelijk met grote regelmaat was gelezen, en waar je normaal gesproken een stropdas zou dragen zat bij hem een groot gouden kruis aan een gouden ketting. Ik kwam overeind en glimlachte toen hij het kantoor in liep en begroette hem met open hand. Hij glimlachte niet terug en nam mijn hand niet aan. Hij vroeg of hij mocht gaan zitten en ik zei natuurlijk en voor ik kon vragen of hij iets wilde drinken, water, thee, of misschien een kopje koffie, praatte hij al.

We hebben mijn broer gevonden.

Ik was verrast, maar niet verbijsterd, want ik had altijd geloofd dat Ben Zion terug zou keren. Ik geloofde dat hij terug móest keren, dat God hem daartoe zou dwingen. Ik was erg opgewonden het nieuws te hebben gekregen, heel erg opgewonden eerlijk gezegd, en bijzonder nieuwsgierig. Maar gezien Jacobs houding en het feit dat hij de hele tijd dat ik hem als kind had meegemaakt een zeer agressief iemand was geweest, leek het me het beste me op de vlakte te houden.

Waar?

Hij heeft een ongeluk gehad en ligt in een ziekenhuis in Manhattan.

Wat voor ongeluk?

Hij was aan het werk op een bouwterrein en er is een glasplaat op hem gevallen.

Oei! Gaat het met hem?

Ja, het gaat, dat geloof ik tenminste.

Hoe lang heb je hem niet gezien?

Zestien jaar.

Je moeder zal wel heel blij zijn.

Uiteraard. We zijn allemaal erg blij. We hebben Ben vreselijk gemist, en we waren allemaal bang dat we hem nooit meer zouden zien.

Ligt hij nog in het ziekenhuis?

Ja.

Mag ik bij hem op bezoek?

Hij vroeg me u op te zoeken en te vragen of u dat zou willen doen. Het is maar dat u het weet, ik was ertegen.

Er is geen reden om kwaad op me te zijn, Jacob. Ik heb geprobeerd...

Hij stond op en viel me in de rede.

Ik ben hier alleen om met u over een bezoek aan mijn broer te spreken. Als u hem wilt zien, kan ik u erheen brengen. Zo niet, dan vertrek ik.

Ik zou Ben Zion heel graag zien.

Kom dan mee.

Ik stond op en legde mijn preek opzij, want ik wist dat dit, het weer opduiken van Ben Zion, belangrijker was dan alles wat ik ooit zou zeggen of schrijven, en dat als hij was wat sommige mensen, ikzelf inbegrepen, geloofden hij al mijn preken irrelevant zou maken. Jacob draaide zich om en liep het vertrek uit. We liepen naar het metrostation, namen de trein naar Manhattan, en liepen naar het ziekenhuis. Ik begon maar niet aan enig gesprek, want ik had niet het gevoel dat het aardig zou worden opgevat, en Jacob zei geen woord tegen me, keek niet naar me en nam op geen enkele manier notitie van me. We gingen het ziekenhuis in, namen een lift naar de etage van Ben Zion en liepen een reeks lange witte gangen door, gangen van het soort dat me – ik ga namelijk op bezoek bij ieder lid van mijn synagoge dat in het ziekenhuis ligt, of het nu vanwege een gebroken been, terminale kanker of iets anders is – normaal gesproken deprimeert, maar me in dit speciale geval sterk opwond. Jacob liep een pas of twee voor me uit, hij hield halt voor een deur en gebaarde me naar binnen te komen, en terwijl ik naar binnen ging, sprak ik tot God een stil gebed om te danken voor wie ik, naar ik geloofde, tot mijn eer en genoegen, zo dadelijk zou zien, met wie ik zou spreken en in wiens aanwezigheid ik zou verkeren, al was het maar voor luttele ogenblikken.

Ben Zion lag op bed, op de lakens, hij had ziekenhuiskleding aan en keek televisie. In een stoel naast het bed zat een knappe jongeman het Nieuwe Testament te lezen. Ben Zion keek naar me op, en het schokte me enorm hoe sterk hij was veranderd en welke zware verwondingen hij had overleefd. Zijn hoofd was geschoren en omringd met diepe japen van littekens. Zijn huid was wit, een onaards bijna onmenselijk wit, en was overdekt met littekens, er waren dikke en dunne, er waren lange en korte, maar ze leken overal te zitten. Zijn ogen, die toen hij een kind was diepbruin waren geweest, in elk geval bruin, waren nu zwart, een zo diep en intens zwart dat het bijna iets anders was, iets waarvoor een toepasselijke naam, term of aanduiding ontbrak. Hij glimlachte, zette de televisie uit, ging overeind zitten en sprak tegen me.

*Dag, rabbijn Schiff.*

Dag, Ben Zion.

Hij stond op.

*Alleen Ben. Geen Zion meer.*

Dag, Ben.

En we schudden elkaar de hand. Jacob stond nu naast me. Ben keek naar hem en de jonge man en hij sprak.

*Zouden jullie het erg vinden ons alleen te laten?*

De jongeman stond op, sloeg de bijbel dicht en verliet de kamer. Jacob sprak.

Ik zou liever blijven.

*Wil je respecteren wat ik je vraag, Jacob?*

Ik vertrouw hem niet.

*Ik wel!*

Weet je wat hij onze familie heeft aangedaan?

*Ik weet wat jij gelooft, Jacob, en ik respecteer je recht het te geloven, maar ik zou graag alleen met hem spreken.*

Jacob staarde en Ben keek hem in de ogen, maar zonder vijandigheid of woede, en Jacob draaide zich om en verdween, al was hij er duidelijk niet blij mee. Ben ging op de rand van zijn bed zitten, gebaarde me in een stoel tegenover hem te gaan zitten, en dat deed ik. Hij sprak.

*Lang geleden, rabbijn Schiff.*

Dat kun je wel zeggen. Ik heb me vaak afgevraagd wat er van je was geworden en of, liever gezegd wanneer, ik je terug zou zien.

Hij glimlachte, zweeg, dus sprak ik.

Waar ben je geweest?

*Hier.*

Een poosje, naar ik begrijp, maar alle jaren voordien?

*Op drift.*

Door New York en omgeving, Amerika, waar? En hoe was je leven?

*Doet er niet toe.*

Was je gelukkig of veilig?

*Het doet er niet toe. Ik ben nu hier.*

En ik ben heel blij je te zien, Ben Zion, of neem me niet kwalijk, Ben, het schokte me diep toen jij verdween en je broer deed wat hij met je familie heeft gedaan. Zoals je weet, heb ik altijd gedacht dat jij heel bijzonder was, en ik deed alles wat ik kon om je te beschermen toen je een kind was en...

Hij wuifde me weg.

*Het verleden doet er niet toe. De mensen hangen eraan omdat ze zo het heden kunnen negeren. Ik heb naar u gevraagd omdat ik met u over het heden wil spreken. Er is me iets overkomen, of er overkomt me iets, en ik begrijp het niet, en ik wil het niet, en ik ben er bang van.*

Je hebt een vreselijk ongeluk gehad en...

*Ik herinner me niet veel uit mijn kindertijd, maar ik herinner me genoeg. U kwam niet uit een of ander gevoel van liefdadigheid bij me langs.*

Dat klopt, al was ik erg in jullie gezin en het welzijn ervan geïnteresseerd, net als in alle gezinnen die bij de synagoge horen.

*Kunt u me vertellen wat me overkomt?*

Dat kun je alleen zelf weten, Ben, en op een gegeven moment, als het al niet zover is, weet je het of niet, en ben je het of niet.

*Ik ben geen tien of twaalf meer, rabbijn Schiff. Vertel me wat me overkomt.*

Jij moet me vertellen wat je overkomt, Ben, en als ik je wijzer kan maken of je in enig opzicht kan helpen, dan doe ik dat zeker.

Hij zat volkomen onbeweeglijk en staarde me aan op een manier die heel zacht en heel teder overkwam, bijna stil, als het mogelijk is om stil te staren. Ik had het gevoel dat hij op een of andere manier ín mij keek, om mijn bedoelingen te zien of te achterhalen. Hij ademde diep in, maar alleen door zijn neus, wat me het laatste stukje informatie bood dat ik meende nodig te hebben, en toen ademde hij uit, en toen sprak hij, sprak hij de woorden die ik al dertig jaar van hem hoopte te horen, hij sprak.

*Ik denk dat God tegen me spreekt.*

En al wilde ik het niet en probeerde ik me ertegen te verzetten, ik glimlachte, misschien de breedste en waarachtigste glimlach die ik in mijn leven ooit heb gehad.

Ik heb altijd geloofd dat deze dag zou komen.

*Ik heb het gevoel dat ik gek ben en ik moet weten waarom dit gebeurt.*

Vertel me om te beginnen wat hij zegt.

*God is geen man.*

Een vrouw dan?

*Nee. God is geen man of vrouw. Iets wat dat overstijgt, onze menselijkheid overstijgt, onze ideeën over mannelijk en vrouwelijk.*

Als het niet om een man of een vrouw gaat, hoe klinkt God dan?

*Het is niet een of andere gekke stem van boven, zoals in de boeken*

*van de Bijbel of in de film, of zoals religieuze fanatici met hun waan-*
*beelden erover praten. Eigenlijk is het helemaal geen stem. Het is alleen*
*deze aanwezigheid, dit gevoel, deze toestand waarin ik dingen te weten*
*kom, waarin me dingen worden getoond, waarin ik dingen zie.*

Wat?

*Toen ik in coma lag, had ik bewustzijn. Geen bewustzijn zoals nu,*
*maar ik had wel degelijk besef, ik was in zekere zin wel degelijk wakker.*
*In deze toestand heerste soms stilte en zwartheid, een oneindige zwart-*
*heid, maar op andere momenten zag en hoorde en begreep ik dingen die*
*ik niet had mogen zien en horen en begrijpen. Het oversteeg individua-*
*liteit of identiteit. Het was niet Ben, niet Ben Zion Avrohom of Ben Jo-*
*nes, of op welke manier ook een man of een menselijk wezen, ik was al-*
*leen deel van deze grotere zaak, plaats, kracht of energie. Ik weet het*
*niet. Daarom wilde ik met u praten.*

Ik aarzel om er iets over te zeggen, want dit klinkt anders dan
God zoals ik God ken of begrijp. Dit lijkt iets wat misschien voort-
komt uit je verwondingen, waarvan ik de bijzonderheden niet ken,
maar die duidelijk behoorlijk traumatisch zijn geweest en met je
hersenen te maken hadden.

Hij glimlachte naar me, wees naar een exemplaar van het Nieuwe
Testament dat op een tafeltje naast zijn bed lag.

*Pak dat boek eens op.*

Ik stak mijn hand uit en pakte het op.

*Open het eens.*

Waar?

*Waar dan ook.*

Ik sloeg het boek open.

*Leg uw vinger neer, en noem me hoofdstuk en vers.*

Ik volgde zijn aanwijzingen.

Lukas 12:5.

*Ik zal jullie laten zien voor wie jullie wél bang moeten zijn: jullie*
*moeten bang zijn voor wie de macht heeft om je, nadat hij je doodde, in*
*de hel te gooien. Ja, ik zeg jullie: voor hem moeten jullie bang zijn.*

Misschien ben je het gaan bestuderen, met je broer?

*Nooit gelezen. Nooit ook maar een exemplaar van in mijn vingers gehad. Ik kan hetzelfde met het Oude Testament, met de Misjna en de Gemara, en de commentaren uit de Babylonische Talmoed. Ik ken, per datum, alle dagen van alle twaalf cycli van de Daf Jomi, vanaf vandaag teruggerekend tot de dag dat ze ermee begonnen.*

En dat wist je allemaal toen je ontwaakte?

*Bepaalde dingen. De rest is met de toevallen gekomen. Elke keer dat ik er eentje krijg, weet ik meer.*

Je moet me niet kwalijk nemen, Ben, maar dit is de eerste keer in járen dat ik je zie, en ik ben niet meer van alles over jou op de hoogte. Wat voor toevallen heb je?

*Volgens de artsen is het een vorm van epilepsie. Ik krijg CT-scans van ze, MRI's, allerlei soorten onderzoeken. Ik weet niet wat ik hun moet vertellen, misschien wel niets, maar wat er gebeurt is dat ik ze voel aankomen, ik weet het een paar minuten van tevoren. Het is een zware kalmte die me heel geleidelijk overdekt. Ik krijg het gevoel of iemand heel langzaam water over mijn lichaam giet. En wanneer ik bedekt ben, heb ik dit ogenblik, niet meer dan een kort, kort ogenblik, een moment dat ik alles voel, alles zie, alles weet en begrijp, en de wereld, of het universum, of wat we ook zijn en waarvan we ook onderdeel zijn geweldig voelt en ik me er geweldig in voel. Het enige waarop het lijkt is een orgasme, maar dit is duizend keer intenser, en het overstijgt het louter lichamelijke. Het is een net een enorm, onecht orgasme waar alle kennis en wijsheid die er ooit was en ooit zal zijn aan mij behoort, maar alleen op dat moment. En dan komt de toeval. En ik voel alles tijdens de toeval, en de pijn ervan is onwerkelijk, en zo mooi als het ogenblik voordien is, de toeval is het vreselijke complement ervan, de verschrikkelijke metgezel. Ergens tegen het eind wordt alles zwart. En wanneer ik wakker word, weet ik meer, het lijkt of iets van wat ik zag, voelde of wist beklijft.*

Ik neem aan dat er bekwame medici voor je zorgen. Wat zeggen die over dit verschijnsel?

*Ik heb het niet aan hen verteld. Alleen aan u en Jacob.*

Misschien moet je het wel doen.

*Ze zullen zeggen dat ik gek ben.*

Ik zou namens jou met hen kunnen spreken. Mijn positie als rabbijn verleent misschien enige geloofwaardigheid aan wat je zegt.

*Woorden van God betekenen niets tegenover de wetenschap.*

Op dat punt ben ik het niet met je eens, Ben.

*Kunnen uw woorden van God kanker genezen? Of aids? Kunnen uw woorden van God een stervend kind redden?*

Sommige mensen geloven van wel.

*Dat zijn dwazen met waanbeelden.*

En als dat zo is, wat ben jij dan, wie hoort de woorden van God?

*Misschien ben ik ook een dwaas met waanbeelden.*

De deur ging open en een arts kwam de kamer in, gevolgd door Jacob en zijn maat, de jongeman met de bijbel. Ik stond op en besloot dat ik het beste kon vertrekken, in de hoop dat ik ergens in de nabije toekomst terug kon komen. Ik zei Ben gedag en merkte op dat ik hem graag nog eens zou spreken. Jacob was tegen, maar Ben zei dat hij graag wilde dat ik terugkwam, zo mogelijk de volgende dag. Jacob zei dat zijn medevoorgangers van de kerk de volgende dag zouden komen, en Ben zei dat hij graag wilde dat ik er ook bij was. Jacob zei geen sprake van, en Ben leunde achterover op bed, sloot zijn ogen en vroeg de arts te gaan doen wat hij moest doen.

Ik verliet het ziekenhuis en begon op huis aan te gaan, met de metro, zoals ik meestal deed wanneer ik me door New York bewoog, met name wanneer ik buiten de wijk Brooklyn was. In de metro dacht ik over Ben die, al was hij duidelijk dezelfde persoon, lichamelijk, emotioneel, geestelijk of anderszins nauwelijks op het kind en de jongeman leek die ik zo veel jaar had gekend en onderwezen. Hij was, geloofde ik – of was dat sinds het ogenblik dat ik van zijn verwekking hoorde geweest – zo'n persoon die, afhankelijk van je theologische positie, eens per generatie, eens in je leven, eens in een millennium, of zonder meer eens, eens in de loop van heel het bestaan van de mensheid voorbijkwam. De tekenen hadden me tot dit geloof gebracht, en weliswaar stonden sommige ervan open voor interpretatie, maar sommige beslist niet, en ik had nooit getwijfeld aan de tekenen, want ik had geen reden eraan te twijfelen. Maar deze Ben, deze nieuwe man, deze nieuwe incarnatie van iemand die ik zo veel jaar niet had gezien, en die weigerde te vertellen wat hij al die jaren had gedaan of waar hij was geweest, riep een aantal vragen bij me op, en bepaalde dingen aan hem – ook de uitgebreide kennis die hij, naar zijn zeggen, tijdens een coma had verkregen van een boek dat door mijn religieuze gezag niet als geldig werd erkend – waren strijdig met enkele van de tekenen die naar ik geloofde zijn identiteit zouden bevestigen. Ik had geweldige verwachtingen gehad toen ik hem ging opzoeken, sommige daarvan moest ik beslist matigen. Ik wist dat zijn broer een enorme wrok tegen me koesterde, wat hij had uitgebreid tot alle joden en tot het jodendom als religie, ondanks wat naar mij was verteld zijn nieuwe overtuigingen waren ten aanzien van God, Jezus Christus en de Heilige Geest, de Eindtijd, de Wederkomst van Christus en het vereiste bestaan van Israël om deze toekomstige dingen te laten gebeuren. Ik vroeg me af of dit niet een ingewikkelde truc was waarmee Jacob op een treurige, onnodige en uiteindelijk ondoordachte manier wraak op me kon nemen, en of Ben niet was omgepraat om mee te spelen om weer bij zijn broer, en dus bij zijn moeder en zus, in de gunst te komen. Aan de andere kant leek er iets bovenaards, goddelijks aan hem. Zijn littekens, zijn huid en zijn ogen, die frappant waren, en het feit dat hij zulk enorm letsel had overleefd: dat ondersteunde allemaal mijn eerste reactie, en ik had geen echte reden te twijfelen aan wat hij me vertelde, want ik had, en heb nog steeds, de neiging mensen op hun woord te geloven tot ik redenen voor het tegendeel heb. En dat moment, net voor hij me vertelde te geloven dat hij misschien met God sprak, toen hij diep inademde, en de manier waarop hij dat deed, wees op iets verbazends: tenzij hij op een of andere manier kennis had opgedaan die alleen ik of een andere rabbijn op hem had overgedragen, kon hij niet hebben geweten dat het me iets zou zeggen.

Eenmaal thuis ging ik meteen aan tafel, mijn vrouw en drie kinderen zaten op me te wachten om aan onze avondlijke gezinsmaaltijd te beginnen. Mijn vrouw kon merken dat ik met mijn gedachten elders was, wat me zelden gebeurt, en probeerde me te vragen waarom, maar Ben Zion leek me geen geschikt onderwerp van gesprek, en ik wilde niet over hem of zijn familie praten met de kinderen erbij. Na het eten excuseerde ik me en ging naar mijn studeerkamer, waar ik een bibliotheekje heb met joodse geschriften en heilige teksten, die ik gebruik voor mijn eigen permanente studie, raadpleeg wanneer ik thuis aan een van mijn preken werk, of deel en gebruik met mijn gezin, vooral tijdens feestdagen en de Tien Dagen van Inkeer. Ik liep naar de Babylonische Talmoed die in zijn eentje een paar planken vult. Het exemplaar dat ik bezit, bestaat uit 64 traktaten, in totaal 2711 bladzijden, gedrukt in 24 delen folio. De cyclus van Daf Jomi houdt in dat je elke dag één pagina van de Talmoed bestudeert, te beginnen op pagina één en er dan 2711 dagen achter elkaar mee doorgaat. Dit werd bedacht door rabbijn Yehuda Meir Shapiro uit Polen tijdens het Eerste Wereld Congres van de Agudath Jisrael Wereld Beweging, gehouden in Wenen in 1923, dat was het jaar 5684 van de Hebreeuwse kalender, en de eerste cyclus begon op de eerste dag van Rosj Hasjana dat jaar. Elke dag zijn ongeveer 150.000 joden wereldwijd de pagina aan het bestuderen, overdenken en bespreken, en er is een viering aan het eind van iedere cyclus, Siyum HaShas geheten. De meest recente Siyum HaShas was op 1 maart 2005, bij ons bekend als het jaar 5766. Het idee dat iemand heel het boek kon kennen, of ook maar één deel ervan, was onvoorstelbaar en eerlijk gezegd volkomen belachelijk. Ik koos een willekeurig deel en sloeg het open. De bladzijden bestonden uit de Misjna, ofwel de joodse wet, midden op de bladzijde afgedrukt, en de Gemara er direct onder. De Gemara is een commentaar op de wet en hoe die samenhangt met de Thora, en werd geschreven door de Amora'im, een groep van oude rabbijnse wijzen. De Tosafot, een reeks commentaren door middeleeuwse rabbijnen, zijn aan de buitenranden van de bladzijde afgedrukt. Deze ongelooflijk dichtbedrukte tekst, in het Hebreeuws geschreven, beheerst het orthodoxe jodendom. Je kunt je hele leven wijden aan de studie ervan, en velen doen dat, zonder ook maar een begin van volledig begrip. Over het uit je hoofd leren ervan hebben we het niet eens. Mocht dat mogelijk zijn, dan was het een bovenmenselijke prestatie. Ik zette het boek terug op de plank en ging mijn kinderen allemaal goedenacht kussen. Ik keerde terug naar mijn studeerkamer om te bidden. Toen mijn vrouw mijn studeerkamer in kwam en me vroeg wat eraan scheelde, vertelde ik haar dat Ben Zion was gevonden en ik de middag met hem had doorgebracht. Omdat ze al jaren bij me was, begreep ze wat ze dit voor mij, mogelijk voor heel het jodendom en ook de wereld, betekende. In plaats van samen iets te doen, zoals de meeste avonden, liet ze me bidden, en ik bad enkele uren voor ik ging slapen.

De volgende dag ging ik naar de synagoge, daar draaiden mijn gedachten voornamelijk rond Ben, en ik vond mijn dagelijkse taken en verantwoordelijkheden, waarvan ik doorgaans erg genoot, een verschrikkelijke last. Ik probeerde ze zo vlug mogelijk af te maken, en ging onmiddellijk naar het ziekenhuis. Toen ik bij Bens kamer kwam, stond de jongeman die naast Bens bed had gezeten voor de deur, hij klemde nog steeds zijn bijbel vast. Toen ik probeerde de kamer in te gaan, ging hij voor me staan en zei dat Jacob binnen was met Bens artsen en dat hij opdracht had gekregen niemand binnen te laten. Ik zei hem dat Ben me uitdrukkelijk had gevraagd terug te komen, en dat ik de rabbijn van het gezin was geweest voor hun bekering, en dat ik voor zover ik wist nog altijd Bens rabbijn was omdat hij zich niet tot het christendom had bekeerd. De man zei me dat hij wist wie ik was, en dat Jacob hem had verteld me niet in de kamer binnen te laten. Ik vroeg hem hoe hij heette en hij zei Jeremiah. Toen ik hem mijn hand reikte, nam hij die niet aan.

We wachtten een paar minuten, en al was Jeremiah lichamelijk niet imponerend, hij maakte een rare indruk, of hij erg boos was, erg zenuwachtig, erg bang of een combinatie van al deze emoties. Hij stond voor de deur zijn bijbel te lezen, af en toe gluurde hij naar me of knikte hij bij zichzelf met de woorden Lof zij Jezus of Halleluja Heer. Toen de deur ten slotte openging en een paar artsen de kamer uit liepen, kwam een van hen, een lange magere man die enig gezag leek te hebben, naar me toe en sprak me aan.

Rabbijn Schiff?

Ja?

Dokter Wulf. De dienstdoend neuroloog.

Aangenaam.

Ben is momenteel gesedeerd. Hij heeft vandaag twee zware toevallen gehad. Maar afgelopen nacht heeft hij me gevraagd én gemachtigd met u over zijn geval te spreken.

Weet u meer dan gisteren?

Inderdaad. Als u mee kunt komen naar mijn kantoor, kunnen we even praten.

Dat zou geweldig zijn. Dank u wel.

We gingen naar zijn kantoor, overladen met papieren, boeken, getuigschriften aan de muren, en een groot aantal gezinsfoto's met hem en een vrouw. Zijn echtgenote, nam ik aan, en drie jonge meisjes, zijn dochters nam ik aan, tijdens vakanties, bij balspelen, voor een kerk. Er hing ook een crucifix aan de muur. Hij ging achter zijn bureau zitten en ik tegenover hem, en hij begon te praten.

We hebben ons erg ingespannen voor een diagnose van Ben. Hij lijdt uiteraard aan een stoornis die tot toevallen leidt, waarschijnlijk door zijn ongeluk. Jacob kwam gisteravond naar me toe, en hij vertelde me over wat Ben heeft ervaren. Door die informatie is voor ons overduidelijk geworden dat hij aan temporaalkwabepilepsie lijdt, en wel een zeldzame en specifieke vorm, extatische epilepsie geheten. Extatische epilepsie wordt gekenmerkt door een aura, een gevoel dat de patiënt vlak voor een toeval heeft. De aura's van iemand met extatische epilepsie plegen extreem te zijn, vaak treden sensorische hallucinaties op, soms erotische gewaarwordingen en, in zeldzamer gevallen, religieuze of spirituele ervaringen. De diagnose kan moeilijk zijn, en was dat ook in ons geval, omdat de oorsprong van de toevallen niet in een bepaald vast punt in het brein is gelokaliseerd, waardoor het moeilijk te traceren valt met EEG's, en omdat de ervaringen die bij de toevallen horen zo ingrijpend zijn, en zo aangenaam, dat de patiënten er hun artsen niet over vertellen, want ze willen niet dat de toevallen worden aangepakt en beëindigd. Bij Ben lijkt van die twee dingen sprake. Ik weet niet waarover hij het met u heeft gehad, maar hij vertelde Jacob dat hij geloofde met God in contact te staan. Zoals ik Jacob heb gezegd, is dat eigenlijk normaal met deze diagnose, maar jammer genoeg is het helemaal een functie of liever gezegd een disfunctie van zijn hersenen. Het is niet echt, hoe graag iemand als u of Jacob of ik dat ook zou willen, en het laten doorgaan moet niet worden aangemoedigd. We moeten Ben medicijnen geven en hem gaan behandelen.

Ik begrijp het.

Heeft hij u over deze contacten verteld?

Ik ga niet op in op gesprekken tussen mij en leden van mijn synagoge.

Ook niet als het misschien hun gezondheid aantast?

Ik begrijp uw positie en uw zorgen, en als Ben eraan toe is, zal ik het er met hem over hebben.

Dank u.

Ik stond op, vertrok en ging terug naar Bens kamer, waar zijn broer en Jeremiah naast de rand van zijn bed aan het bidden waren. Hij sliep, op zijn rug, en maakte een vredige indruk. Jacob keek naar mij op en ik begreep dat ik niet welkom was. Omdat ik een onnodige confrontatie wilde vermijden, besloot ik dat ik beter kon vertrekken. Ik zei een gebed voor de deur en ging naar huis.

Na het eten ging ik naar mijn studeerkamer, ik zette mijn computer aan en begon dingen uit te zoeken over epilepsie, in het bijzonder over extatische epilepsie. Op internet, wat ik een prachtige, zij het soms verwarrende en tegenstrijdige bron van informatie vind. De diagnose verbijsterde me. Het was zeker zo dat Ben zware verwondingen aan zijn hoofd en lichaam had opgelopen, en de epilepsie zou een direct gevolg kunnen zijn van de genoemde verwondingen, maar zonder spirituele component, een echte spirituele component in wat hij ervoer, had hij nóóit de religieuze boeken kunnen kennen die hij beweerde te kennen. Hij had ook, al voor hij was geboren, afhankelijk van wat je geloofde, tekenen van messianistisch potentieel vertoond, en die waren sterker en stelliger geworden na zijn geboorte en in zijn kindertijd. Aan de andere kant wist ik niet of hij de boeken werkelijk kende, en hij had zelf beweerd dat de woorden van God niets betekenen tegenover de wetenschap, en dat hij best een dwaas met waanbeelden kon zijn. Ik verkeerde, tot ik meer wist, hem langer meemaakte en meer tijd had voor bezinning en gebed, in dezelfde positie als tegenover God, een positie van geloof dus. Ik had geloof in Ben of niet. Ik vertrouwde hem en op hem, of niet.

Mijn onderzoek pakte heel verhelderend uit, en epilepsie bleek een veel boeiender onderwerp dan ik me ooit had voorgesteld dat het kon of zou zijn. In de loop van de tijd waarover we feiten hebben, waren sommigen van de belangrijkste historische figuren ter wereld epileptisch of werd dat van hen gedacht: onder meer Pythagoras, Socrates, Plato, Hannibal, Alexander de Grote, Julius Caesar, Petrarca, Dante Alighieri, Leonardo da Vinci, Michelangelo, Isaac Newton, Napoleon Bonaparte, Ludwig van Beethoven, Lord Byron, Edgar Allan Poe, Fjodor Dostojevski, Vincent van Gogh, Alfred Nobel, Thomas Edison en Vladimir Lenin. Vele geleerden en wetenschappers geloven dat de genialiteit waarover deze mensen beschikten ofwel rechtstreeks door hun epilepsie werd veroorzaakt dan wel er zeer duidelijk mee samenhing. Het aantal religieuze persoonlijkheden waarop ik stuitte die het zouden hebben gehad, was verbluffend: bijvoorbeeld de Priestercodex van de Pentateuch, Ezechiël, Paulus, de profeet Mohammed, Jeanne d'Arc, Martin Luther, de Heilige Birgitta, de Heilige Catharina van Genua, de Heilige Theresia van Avila, de Heilige Catharina de' Ricci, de Heilige Margaretha-Maria, Ellen G. White en de Heilige Theresia van Lisieux. Tot degenen die beslist extatische epilepsie hebben gehad of van wie dat wordt gedacht behoren Paulus, de profeet Mohammed, Jeanne d'Arc, Beethoven en Dostojevski. De effecten die deze momenten, deze korte momenten voor ze een toeval kregen, op hun levens hadden, en op heel de wereld, zijn verbluffend: Paulus had op de weg naar Damascus zijn visioen van de verrezen Jezus, wat tot zijn bekering tot het christendom leidde; sommigen, bijna altijd niet-moslims, denken dat de profeet Mohammed in die ogenblikken met de aartsengel Gabriël heeft gesproken en de Koran van hem heeft ontvangen; van Jeanne d'Arc wordt gedacht dat de Heilige Margaretha, de Heilige Catharina en Michaël de aanwijzingen hebben gegeven die haar ertoe aanzetten het Franse leger aan te voeren in de strijd die leidde tot de overwinningen op de Engelsen in de Honderdjarige Oorlog; van Beethoven wordt aangenomen dat hij elke symfonie in één keer concipieerde, zo kon hij ze misschien ook toen hij doof was componeren; en van Dostojevski wordt gedacht dat hij elke roman in één keer concipieerde. Met name door de vergelijking met Paulus en de profeet Mohammed – beslist de twee belangrijkste religieuze persoonlijkheden die sinds de dood van Jezus Christus op aarde zijn verschenen, al vereer ik hen niet zoals de volgelingen dat doen van de religies die de ene predikte en de andere stichtte – werd ik gesterkt in mijn geloof dat Ben goddelijk kon zijn, dat zijn visioenen van God konden komen en niet van een valse verschijning van God, en dat zijn aandoening eerder een vereiste was voor zijn potentieel dan een beletsel.

Ik keerde de volgende dag terug naar het ziekenhuis, maar ging eerst bij de synagoge langs om mijn assistent-rabbijn te vragen zich te belasten met wat normaal gesproken mijn verantwoordelijkheden zijn. Toen ik Bens kamer binnenkwam, zaten Jacob en Jeremiah tegenover Ben, die met zijn benen over elkaar op bed zat. Ze hadden allebei hun bijbels open en gaven hem de titels op van boeken met hoofdstuk- en versnummers, en zodra ze uitgesproken waren, zei Ben de tekst onmiddellijk voor hen op, in wat volgens mij een woordelijke weergave was. Jacob keek naar me op en begon iets te zeggen, maar Ben vertelde hem dat hij wilde dat ik bleef. Er waren geen andere stoelen, dus ging ik een meter van het voeteneind van Bens bed staan.

Wat ik te zien kreeg, was zonder meer verbijsterend. Jacob gebruikte een Oud Testament, waarvan de eerste vijf boeken, Genesis, Exodus, Leviticus, Numeri en Deuteronomium, ook bekend als de Vijf Boeken van Mozes, de Thora vormen, en Jeremiah gebruikte het Nieuwe Testament, dat vooral in het teken staat van het verhaal van Jezus Christus. Meer dan een uur lang beulden ze hem af. Ze bladerden vlug de pagina's door, kwamen bij een boek, hoofdstuk en versnummer terecht, en iedere keer zei Ben de bijbehorende tekst correct op. Tegen het eind was Jeremiah zichtbaar onder de indruk en opgewonden, ik zweeg en was op een bepaalde manier erg trots, maar Jacob leek erg ongerust en zenuwachtig. Hij liet Jeremiah stoppen, sloot zijn Oude Testament, en sprak.

Hoe kan ik weten dat je dit niet uit je hoofd hebt geleerd toen je weg was?

*Omdat ik je heb verteld van niet.*

Waarom zou ik je geloven?

*Het maakt mij niet uit of je het wel of niet gelooft.*

Waarom wil je me niet vertellen wat je al die jaren hebt gedaan?

*Omdat het er niet toe doet.*

Waar was je?

*Op drift.*

Waar?

*Doet er niet toe.*

Voor mij wel.

*Laten we stoppen met ons gesprek. Ik zou graag even met de rabbijn samen zijn.*

Vertel me wat je hebt gedaan en ik stop met het gesprek.

*Ik heb geleefd, gevoeld, geleerd, pijn gehad en ben één keer verliefd geworden, meestal was ik niet gelukkig maar soms wél, en ik heb nooit een stap gezet in een kerk, een synagoge, een moskee, een tempel of welke andere religieuze instelling ook en ik heb nooit één enkel boek ingekeken, laat staan het uit mijn hoofd geleerd.*

Je hebt mijn vraag niet beantwoord.

*Ik heb alleen niet het antwoord gegeven dat je wilde.*

Jacob stond op en zei dat hij over een uur terug zou zijn, waarop hij en Jeremiah de kamer uit liepen. Ben sprak.

*Ik hou van je, Jacob. En ik waardeer al je zorg en aandacht voor me.*

Jacob hield halt, keek om en hij glimlachte bijna, wat de eerste keer zou zijn geweest dat ik hem had zien glimlachen sinds hij me opzocht in mijn kantoor, en hij zei dank je, en hij en Jeremiah vertrokken.

Ben keek naar me.

*U heeft met mijn arts gesproken.*

Inderdaad. Het was heel interessant en heel informatief.

*Wat vindt u?*

De woorden van de wetenschap betekenen niets tegenover God.

Ben glimlachte.

*Het kan gewoon een disfunctie van mijn hersenen zijn.*

Wat weet je over Messias?

*De Messias?*

Messias. Niet iedereen gelooft dat het een persoon zal zijn. Velen geloven, net als ze met grote delen van de Thora doen, dat het verhaal en de profetie van Messias symbolisch is en niet over een echte persoon gaat die mogelijk heeft geleefd, nu leeft, of op een gegeven moment tussen ons rond zal wandelen, maar dat het over een bepaalde periode gaat, een messianistische tijd, waarin de joden en de rest van de wereld in vrede leven.

*Gelooft u dat?*

Nee.

*U gelooft in een persoon, een echte Messias?*

Messias, of Mosjiach, betekent *gezalfd*, of *de gezalfde*, in het Hebreeuws. Met het woord werden in de Thora allerlei dingen en allerlei mensen aangeduid, onder meer koningen, profeten, priesters en strijders. Sommige mensen geloven dat we misschien al vele messiassen hebben gezien, David, Salomo, Aäron en Saul zijn de belangrijkste. Op minstens drie momenten in onze geschiedenis was, volgens een heleboel joden, de Messias onder ons. In 132 van de jaartelling verenigde een davidische soldaat, Sjimon bar Kochba geheten, de legers van de stammen van Israël en leidde een opstand tegen het Romeinse bewind, waardoor Israël werd bevrijd. Hij installeerde een nieuwe regering in Jeruzalem en hij begon de Tempel van Salomo te herbouwen. Rabbijnen riepen hem tot Messias uit en verkondigden dat het messianistische tijdperk was begonnen. Dat duurde twee jaar, toen kwamen de Romeinen terug, ze verpletterden de joodse legers en doodden een groot deel van ons volk, ook Bar Kochba. Vijftienhonderd jaar later, in 1648, riep een Turkse rabbijn, Sjabtaj Tzwi geheten, zichzelf tot Messias uit, hij baseerde dat op een profetie uit de kabbalistische tekst Zohar, waarin de komst van de Messias in dat jaar werd voorspeld. Hoewel hij niet davidisch was en aan geen enkele vereiste voor het Messiasschap voldeed, was hij in 1665, toen hij zich nog eens tot Messias uitriep, in staat 80 procent van de toenmalige joodse wereldbevolking ervan te overtuigen dat hij werkelijk de Messias was. Uiteindelijk bekeerde hij zich tot de islam ten overstaan van Sultan Mehmet IV, waarmee hij zijn volgelingen vernederde en hij wereldwijd joden in verlegenheid bracht. Tegen iedere logica in heb je tegenwoordig mensen die zich sabbatanen noemen en geloven dat hij Messias was, en ze bidden om zijn terugkeer om het messianistische tijdperk aan te kondigen. De meest recente persoon die als Messias werd gezien, was Menachem Mendel Schneerson, de zevende Rebbe van Chabad Lubavitch in Brooklyn, hij leefde van 1902 tot 1994. Hij was ongetwijfeld een groot man, die zijn leven lang het orthodoxe jodendom verbreidde en zich inspande om joden te verenigen, maar zijn oproep tot gebed om Mosjiach te versnellen, was niet het uitroepen van zijn eigen Messiasstatus, ondanks de overtuiging van velen van zijn eigen volgelingen, door hem niet gesteund en niet verworpen. Je vraagt wat ik geloof, en zoals je weet ben ik als orthodoxe jood en als rabbijn verplicht als deel van mijn geloof de Dertien Geloofsartikelen te onderschrijven die Maimonides heeft geformuleerd. Het twaalfde beginsel stelt: ik geloof onwankelbaar in de komst van de Messias. Hoe lang het ook duurt, ik wacht elke dag op zijn komst. Ik zeg ook het Sjemoné Esré op, de achttien gebeden, drie keer per dag, tijdens de ochtend-, de middag- en de avonddienst, en in dat gebed bid ik dat de voorwaarden voor de Messias worden vervuld: de terugkeer van joodse ballingen naar Israël, een terugkeer naar religieuze rechtbanken en Gods rechtsstelsel, een einde aan het kwaad en de vernedering van zondaars en ketters, beloningen voor de rechtvaardigen, het herbouwen van Jeruzalem en het herstel van een koning die van David afstamt, en de bouw van de Derde Tempel van Salomo.

*En als dat gebeurt, komt de Messias?*

Of hij komt en dan gebeurt het, of bepaalde dingen gebeuren voordien en bepaalde dingen nadien, niemand weet het, en de profetieën zijn er niet duidelijk over. We weten alleen, of geloven, dat de Messias komt, en dat het ieder moment zover kan zijn, of misschien is het al gebeurd en is het ons ontgaan, of misschien gebeurt het nu of moet het nog gebeuren, en dat hoort bij het mooie aan Messias, het feit dat niemand het weet. Maar er wordt wel geloofd dat bepaalde gebeurtenissen de komst van de Messias aankondigen:

als alle joden op aarde één sabbat houden of als geen enkele jood op aarde ooit sabbat houdt, als de wereld zo goed is dat zij Messias verdient of als de wereld zo slecht is dat ze niet zonder Messias kan, als een hele generatie joden onschuldig is geboren of als een hele generatie joden de hoop heeft verloren. Maar dat is allemaal niet erg waarschijnlijk, daarom zijn wij rabbijnen, in elk geval sommige rabbijnen, ook ikzelf, in plaats van op deze dingen te wachten of te proberen ze te realiseren, op bepaalde, sinds eeuwen bekende, tekenen gaan letten, waarover Messias of de potentiële Messias zal beschikken.

*Zoals?*

De Messias, of potentiële Messias, zal zijn geboren op Tisja Beav, de dag van de verwoesting van zowel de Eerste als de Tweede Tempel in Jeruzalem. De Messias, of potentiële Messias, zal besneden zijn geboren, net als Adam, Noach, Jozef, Mozes en David, en naar sommigen geloven Jezus, hoewel joden die specifieke mythe niet geloven. De Messias, of potentiële Messias, zal in staat zijn over mensen te oordelen met zijn reukvermogen: zijn ze goed of slecht, eerlijk of onbetrouwbaar, verdienen ze de hemel of niet. De Messias, of potentiële Messias, zal ook wonderen verrichten. Al is de precieze aard niet geopenbaard, de meest gebruikelijke wonderen hebben te maken met gezondheid en medische kwesties, en het vermogen zichzelf of anderen te genezen.

Ik keek naar Ben om te zien of hij zou reageren op wat ik zei, want hij wist dat hij op Pascha was geboren. Ik wist, al wist ik niet of hij al dan niet op de hoogte was, dat hij besneden was geboren, een van de redenen dat ik, heel zijn leven, had geprobeerd een goede band met hem en zijn familie te hebben, en hem in de gaten te houden, te leiden en raad te geven wanneer ik dat kon, en ik geloofde, op basis van wat ik had gezien, dat hij het vermogen had verworven over mensen te oordelen met zijn reukvermogen. Het feit dat hij leefde was, met zijn verwondingen, duidelijk een wonder, al wist ik destijds niet of hij anderen kon genezen of andere soorten wonderen verrichten. Ik betwijfelde, omdat ik niet geloofde en niet geloof in het verhaal over Christus zoals dat staat geschreven, dat hij ooit over water had gelopen of water in wijn had veranderd. Hij reageerde niet, wat me verbaasde, want hij wist stellig dat hij over drie van de eigenschappen beschikte, en moet hebben vermoed, gezien de lastige situatie in zijn familie, waarbij het heel zijn leven om de omstandigheden van zijn geboorte had gedraaid, dat hij over de vierde eigenschap beschikte en dat hij was geboren zoals hij was.

Hij stond op, keek naar me en sprak.

*Ik moet iets doen.*

Zal ik hier op je wachten?

*Waarschijnlijk kunt u beter naar huis gaan.*

Is alles in orde?

Hij glimlachte en knikte.

*Ja.*

Hij draaide zich om en liep de kamer uit. Hij had zijn ziekenhuiskleding aan en een paar ziekenhuisslippers. Ik kon een glimp opvangen van de littekens op zijn rug en van de grote littekens achter op zijn hoofd. Ik denk vaak aan dat moment, of ik misschien iets verkeerds had gezegd, of ik iets van de informatie die ik hem verstrekte achter had moeten houden, of ik te voortvarend was geweest, of ik misschien iets had moeten aanvoelen toen hij tegen Jacob zei dat hij van hem hield. Ik denk vaak aan dat moment, en ik vraag me af of ik had moeten weten dat hij toen hij opstond en naar me glimlachte de kamer uit zou lopen, het ziekenhuis uit zou lopen en weer zou verdwijnen, en of ik als ik het had geweten iets had gedaan om hem tegen te houden.

# Matthew

Je hebt mensen die gewoon niet voor de wereld gemaakt zijn. De klotezooi niet aankunnen. Niet overweg kunnen met ma en pa, en op school leer je niets en een klotebaan met een of andere lul van een baas die erop los zwetst en rekeningen en buren en een of andere kutkerk en een goede kredietwaardigheid hebben en een hypotheek en gaan trouwen met kinderen erbij en een of ander raadselachtig lullig pensioenplan waar je alleen voortdurend meer in moet stoppen en niks van terugziet. Een heleboel mensen zijn er niet voor gemaakt. Dat zijn de lui die je op straat ziet, in vieze kleren, ze praten in zichzelf, ze schreeuwen op de hoek of ze bezeten zijn, mompelen en huilen, dat zijn de lui in je familie en in je stad voor wie je altijd bang bent, met wie je medelijden voelt en over wie je smoesjes bedenkt, de lui die je niet eens als mensen ziet. Dat zijn ze wel, ze zitten alleen anders in elkaar dan de rest van jullie en ze kunnen er niet mee overweg, daarom raken ze aan de drank en aan de drugs, worden ze crimineel en belanden ze achter de klotetralies, en zeggen ze alleen wie geeft er een reet om. Mensen denken dat ze gek zijn en een vorm van klotehulp nodig hebben, maar de hulp stelt niks voor want zo'n lullige soepkeuken of een soort opvanghuis met niet genoeg plek of een gekkenhuis waar we worden geslagen of liefdadigheid waarbij het eigenlijk draait om de vriendjes van zakken die weten hoe goed ze zijn en hoe zorgzaam, zijn pure kolder. En waag het niet te beginnen over die uit de duim gezogen zak die de mensen God noemen, want die zak bestaat niet eens, en begin niet over al die zogeheten huizen van God, want die hebben meer met moorden en haten te maken dan met helpen en liefhebben. Neem me niet kwalijk dat ik het lullige nieuws moet brengen als je het nog niet hebt gehoord, maar dit is het, lul, dit is het klotenieuws.

Ik heb verdomd lang onder de grond geleefd. Onder het klotecentrum van New York geleefd, waar je tunnels hebt, en waar je tunnels onder de tunnels hebt, en onder die tunnels heb je nog meer klotetunnels. Er zijn lege bij, er zijn er waar nog treinen door heen rijden, er zijn er voor de metro en er zijn er voor mensen. En dan heb je er die zo donker zijn, zo godverdomd donker, donkerder dan de donkerste nacht en zwarter dan wat je ziet wanneer je je ogen dichtdoet, dat de meeste mensen, ook mensen van onder de grond, er niet in gaan. En dat zijn de tunnels waar wonderen gebeuren, waar mensen zoals Yahya en Ben in gaan en een beetje anders uit terugkomen, waar zakken in gaan die de gave hebben en in de zwartheid zien ze. Ik weet dat het gek klinkt, maar degenen met de gaven gaan de zwartheid in, want daar leren ze zien.

Ik werd geboren in New Haven, Connecticut. Mijn pa was een respectabele zak die een universitaire graad had en zich kapot werkte als bankbediende. Mijn ma heeft de middelbare school afgemaakt en was heel haar leven zijn wijf. Hij was er nooit toen ik opgroeide, hij zei dat hij altijd moest werken om promotie te krijgen en met cliënten en met zijn baas moest uitgaan. Wanneer hij er was, dan dronk hij en schreeuwde en negeerde mij en mijn twee zussen en zei hij mijn ma dat ze niet mooi genoeg was, niet mager genoeg of niet goed genoeg gekleed waardoor ze geen uitnodigingen kregen voor de juiste feestjes met de juiste mensen en wanneer ze nu en dan iets terugzei, sloeg hij haar op haar smoel. Hij wijdde geen gedachte aan mij, alleen dan dat ik waardeloos was, wat ik prima vond omdat ik ook geen gedachte aan hem wijdde, alleen dan dat hij ook waardeloos was. Ze stuurden me naar allerlei verschillende scholen, in de gedachte dat een betere naam of méér scholen iets uit zou maken, maar het maakte niets uit, alleen werden ze heel kwaad. Toen ik zeventien was, verliet ik hen voorgoed. Liep verdomme zonder meer weg. Ik dacht dat ik het in m'n eentje best zou redden, en zelfs als dat niet lukte, zou ik het liever heel slecht doen op mijn eigen manier dan een zakkenwasser zijn die deed wat ik volgens andere mensen moest doen. Ik overtuigde mezelf ervan dat ik in de naam van een of ander soort klotevrijheid ontsnapte. Ik was er nog niet achter dat iedereen op een of andere manier zit opgesloten. Zo is het leven, we zijn allemaal de gevangene van iets.

Ik woonde een poos in een park. Woonde in een kartonnen doos. Woonde onder een snelweg. Kreeg op mijn donder, werd beroofd, raakte verslaafd, werd een paar keer opgesloten en werd meer dan eens verkracht. Kwam erachter wat ik al wist, dat de wereld een lelijk kloteoord is waar mensen op je spugen en je besodemieteren voor ze goed voor je zijn. Ik vond mijn weg naar de tunnels, alleen omdat ik potverdorie weg wilde komen, leefde als een kloterat, bietste om eten, at kloteafval, pakte wat andere mensen niet wilden en gebruikte het om te overleven. De eerste keer daarbeneden duurde drie jaar. Helemaal alleen. Woonde naast de treinen die naar Long Island gingen. Had een slaapzak, een zaklantaarn en een honkbalknuppel. Toen werd ik opgepakt omdat ik met een mes aan het vechten was vanwege een beetje pizza in een vuilnisbak en ik had een beetje crack in mijn zak en werd drie jaar naar de binnenlanden gestuurd. Kwam eruit, ging terug naar mijn tunnel en stuitte op een andere klootzak in mijn slaapzak en ik was niet in de stemming om maar te vechten en te vechten de hele tijd in het gevang en ging verder omlaag en vond een oud elektriciteitskastje op een verlaten IRT-spoor en bleef daar drie jaar. Ik raakte weer aan de coke en de drank, mijn dagen bracht ik door met bedelen en vuilnisbakken doorzoeken om te proberen wat troep te vinden om te verkopen. Op een dag kwam ik terug van boven, ik had wat goede coke en een fles wijn en ik zie twee klootzakken op de grond voor mijn kastje zitten. Ze waren niet in uniform en ze werkten beslist niet bij de MTA of Amtrak, dus ik veronderstelde dat het gore undercoverklootzakken waren die me weer naar de gevangenis wilden slepen omdat ik nooit naar mijn reclasseringsambtenaar ging, en ik denk erover weg te lopen maar veronderstel dat ze me dan neerschieten of zoiets zoals ze altijd doen met arme zogenaamd gekke dakloze klootzakken. Ik liep dus maar naar ze toe en vroeg hun wat er gvd aan de hand was en toen ik dichtbij was, zag ik heel goed dat het geen klotesmerissen waren, want ze hadden identieke littekens, het zag eruit of iemand twee lange plakken op allebei hun armen had gelegd en ze zeiden dat een of andere klootzak Yahya geheten mij wilde spreken. Ik vroeg hun wat Yahya gvd wilde, mij spreken zeiden ze. Ik vroeg hun wie gvd Yahya was en waar Yahya uithing en ze zeiden dat ze het me zouden laten zien. En dat deden ze. Ze namen me godverdomme mee omlaag de zwartheid in en lieten het me zien.

Ik was erbij op die eerste dag dat we Ben te zien kregen. We zaten net iets te eten en de meesten van ons waren er, we zaten aan de tafels wat macaroni en klotekaas te eten. Op dat moment was ik al bijna tien jaar bij Yahya, en het had godverdomd veel tijd gekost, een heleboel rotwerk en geduld, maar we hadden alles godverdomd goed geregeld: elektriciteit jatten we uit de stroomkabels van de gemeente, water kaapten we uit de waterleidingen van de gemeente, een tunnel die niet werd gebruikt sinds achttienhonderdzoveel die aan beide kanten dichtzat, afsluitbare gaten die op vier plaatsen omhooggingen naar andere tunnels, en één doorgang die we gvd konden afsluiten om de mensen weg te houden en die rechtstreeks op een steeg in de Lower East Side uitkwam. We hadden van restjes hout en bouwmateriaal dat mensen boven hadden weggegooid hokjes gebouwd. We hadden potten en pannen, lakens en handdoeken, oude bandrecorders voor muziek en radio's voor wanneer het slechte nieuws begon te komen, en we hadden duizenden en nog eens duizenden batterijen. We hadden genoeg eten in blikjes en pakjes om het een jaar vol te houden, en dat gold als we niet de ratten gingen opeten of de andere klotedieren die in de tunnels leefden, dan konden we het ongeveer eeuwig volhouden. Verder hadden we een wapenvoorraad aangelegd. Alles van antieke middeleeuwse troep, klotezwaarden, speren en schilden die we van oude metalen hadden gemaakt, tot troep uit de nieuwe school als 9-millimeters, aanvalsgeweren, stroomstootwapens en traangas. Er waren meer tunnels waarin mensen woonden, en er waren meer groepen die zich tot een soort gemeenschap of zoiets hadden georganiseerd, maar nooit zoals wij. Wij waren een beweging, een leger gvd, met een filosofie en een kloteplan. Wij waren klaar voor wat er komen gaat. Voor wat de mensheid gaat overkomen. Wij waren erop voorbereid te overleven wanneer verder iedereen eraan gaat.

Yahya had ons al een paar weken verteld dat hij dromen had over iemand die ons kwam opzoeken. Yahya was een profeet, een heilige man van de oude stempel, zoals die verdomde Mozes of Mohammed, of een andere lul uit de oude boeken, dus wanneer hij ons vertelde dat hij dromen had of visioenen namen we dat gezeik serieus. Yahya had drieëndertig jaar in de tunnels gezeten. Naar beneden gegaan toen hij veertien was, hij zat in een klotenachtmerrie van de wezenzorg, waar hij werd geslagen door de andere kinderen en werd verkracht door de man die geacht werd voor hem te zorgen. Hij werd het op een dag kotsbeu en stak het huis waarin ze woonden in de fik. De andere kinderen ontsnapten, maar de man verbrandde helemaal, precies wat die zak verdiende, en zodra hij de godverdomde lucifer had laten vallen, stapte Yahya het eerste het beste metrostation in, sprong het klotetourniquet over, liep het perron af, de tunnels in. Hij verzon iets om te leven zonder boven te zijn: hij at weggegooid eten uit de afvalbakken in de metrostations, vond kleren die mensen per ongeluk achterlieten, haalde water uit toiletten op de grote stations. Hij bleef dieper en dieper omlaaggaan, vond zelf zijn kloteweg, zoals alle profeten en grote mensen op aarde hun eigen kloteweg vinden, en uiteindelijk stuitte hij op onze tunnel waarin we nu wonen, bijna honderd godverdomde jaren ongerept en ongeopend, en hij woonde er tien jaar op z'n eentje in, tot hij onze gemeenschap begon op te bouwen. Hij ging er de hele tijd maar één dag per jaar uit, precies de dag van de brand. Hij gaat eruit, hij leest een krant, hij loopt door de stad rond en kijkt naar de troep die omlaaggaat, nooit iets goeds geweest en het wordt ieder godverdomd jaar slechter en slechter.

Hij had ons dus over zijn droom verteld, dat een of andere lul ons zou opzoeken, een man die over de wereld had gezworven, ellende had doorstaan waarvan niemand van ons zich ooit een voorstelling kon maken, dingen wist waarvan niemand van ons zich ooit een voorstelling kon maken, dat zijn komst een teken was dat het einde kwam, het definitieve kloteteken. En daar zaten we dan onze macaroni te eten en naar Yahya's preek te luisteren, toen deze lul de duisternis uit kwam lopen, zo mager als wat, zo wit als papier, over heel zijn klotelijf littekens, littekens waardoor de littekens die wij hadden, de littekens die Yahya in onze armen had gesneden als teken dat ons leven boven dood was en we in de tunnels waren om te leven, deze lul had littekens waardoor de onze leken op die aandoenlijke pleistertjes die ik vroeger kreeg toen ik een ettertje van vier was. Yahya, die elke avond bij het eten preekte, stopte en staarde. Als hij die dromen niet had gehad, had hij een proleet de lul laten vermoorden. Maar hij wist het, wist dat hij kwam, en wist wie hij was, wist waarom hij over de klotewereld liep, en Ben kwam gewoon aangekuierd, zonder een woord te zeggen, hij zag er niet menselijk uit, maar niet griezelig als een monster of zoiets, maar niet menselijk omdat het was of hij straalde, of er een soort licht uit hem kwam of zoiets. Hij kwam naar de tafel toe, vroeg of hij mocht gaan zitten, en Yahya knikte. We waren allemaal geschrokken en ik persoonlijk was bang, bang voor de lul die Yahya stil wist te krijgen. Hij ging dus aan het uiteinde van de tafel zitten, keek naar Yahya, en vroeg hem, heel beleefd en zo, of hij door wilde gaan met preken. Yahya glimlachte, en hij was niet het soort lul dat heel vaak glimlachte, en zei ja. En toen ging hij door met dat verdomde gepreek. En ik herinner me die preek omdat Ben bij ons kwam. 't Ging erover dat de regeringen van de wereld iedereen naar dood, verderf, ondergang en apocalyps leiden. En dat God en Jezus en de rest van de klootzakken en de debiele profetieën in de Bijbel er niks mee te maken hadden. Het kwam door de hebzucht en idiotie van de lui die de wereld leiden. Hun geloof in dwaze religies die moord en haat en verdeeldheid preken. Hun behoefte om over mensen te heersen die anders zijn dan zij en om hen te vermoorden als ze niet voor de wil van een of andere lul buigen. Dáárom komt er een eind aan alles, een of andere debiele oorlog vanwege religie en geld, en zij gaan aan alles een eind maken, de lullen die geloven en over de centen gaan.

Ben installeerde zich verdorie meteen. Hij nam een baantje zoals iedereen een klotebaantje had. De meesten van ons gingen naar boven, ofwel om te bedelen om geld dat we gebruikten om wapens te kopen en voorraden voor de lange termijn dan wel om vuilnis te doorzoeken op voedsel, bouwmaterialen en rotzooi die we beneden konden gebruiken. Een paar van ons regelden onze zaakjes in de tunnel, ze zorgden voor de elektriciteit of het water, beheerden de voorraden, verrichtten onderhoud, hielden het kloteoord schoon. Het rotste baantje was het stuk schoonmaken rond de wc's, twee diepe gaten die op een tunnel onder ons uitkwamen. We hadden toilethokjes rond de gaten gebouwd, en de mensen probeerden hygiënisch en zo te doen, maar het bleef een ellende, bleef een plek waar mensen pisten, scheten en godverdomd smerig roken. Ben werd de man van de wc, hij maakte schoon, zorgde voor het papier en gooide een emmer vol water het gat in om een beetje van die vieze troep te laten verdwijnen. Wanneer hij daar niet aan het werk was, ging hij wie er maar verder hulp nodig had helpen en deed wat er maar moest worden gedaan. Wanneer we aten, zat hij altijd aan het uiteinde van de tafel, en hij at praktisch niks. Twee, drie hapjes rijst of pasta misschien, een appel, een sinaasappel of een halve banaan misschien, één glas water, en dat was het dan voor heel de klotedag. En wanneer we sliepen, gingen we allemaal onze hokjes in, sommige waren godverdomd aardig, met matrassen, televisies en meer dan één kamer, en sommige waren simpeler, met misschien een slaapzak of een paar dekens.

Ben sliep op de grond aan een van de donkere uiteinden van de tunnel, helemaal in z'n eentje, met alleen zijn kleren, behalve wanneer het echt godverdomd koud werd, dan gebruikte hij dat superdunne dekentje dat een klotekakkerlak nog niet warm had gehouden. En hij sprak bijna nooit. Als je hem iets vroeg, dan knikte hij, schudde hij het hoofd of glimlachte. Als er meer woorden nodig waren, of het een ingewikkelder kwestie was, dan zei hij altijd alleen zo vlug mogelijk wat hij moest zeggen en hield dan zijn kop. En door de manier waarop hij keek, kregen wij allemaal het idee dat hij geen mens was, geen echt mens in elk geval, hij was iemand die daar godverdomme boven stond, iemand die anders was dan de rest van ons, zelfs anders dan Yahya.

Ongeveer een week nadat bij ons was gekomen, begonnen zijn toevallen. Tijdens het middageten viel hij zonder meer achteruit van tafel en met zijn lichaam liep het in het honderd. Hij beefde, tolde rond, er kwam troep uit zijn mond en hij gromde als een godverdomde hond. Er kwamen mensen overeind om hem te helpen maar Yahya zei laat hem, de man doet wat de man moet doen. Dus lieten de mensen hem verrekken. En de eerste keer duurde het zoiets als twee minuten. Toen het voorbij was, lieten we hem gewoon aan zijn lot over, en op een gegeven moment kwam hij wakker terug en ging hij weer aan tafel zitten of er godverdomme niets was gebeurd. Twintig minuten later gebeurde het nog een keer. Hij viel gewoon achterover en kreeg klotehallucinaties. Eentje van ons was arts voor hij crackverslaafde werd en in de tunnels terechtkwam, waar Yahya hem vond en hem redde, en hij zei dat we Ben niet zomaar aan z'n lot konden overlaten, maar Yahya bleef zeggen dit is wat de man moet doen. En het was een van Yahya's geloofsartikelen, een van de principes van onze klotegemeenschap: een man doet wat hij moet doen, hij leidt zijn leven zoals hij het wil leiden, andere mensen hebben het godverdomde recht niet zich ermee te bemoeien. Dus al waren we allemaal bang en konden we zien dat de toevallen hem naar de klote hielpen, we lieten hem aan zijn lot over. Hij deed wat hij moest doen.

In onze wereld, in onze samenleving, onze beschaving, onze cultuur, en ik heb het niet over die van u, die boven de klotegrond, ik heb het over onze natie, in de klotetunnel, het ondergrondse rijk, in dat domein onder de aarde, had je regels. Als je naar beneden werd gebracht, als je door Yahya werd gevonden en uitgekozen, je de kloteregels leerde en je die naleefde, en als je bij ons ging horen, was je gered. Yahya geloofde dat het eind van de klotewereld eraan kwam, en hij had gelijk, want het staat als een paal boven water, en het zal snel gebeuren. Als hij je vond, was je een van de mensen die niet boven kon leven, je was er uit het verkeerde klotehout voor gesneden, en hij geloofde dat je beneden kon leven, en hij geloofde dat je kon vechten. Je werd naar beneden gebracht, met een kloteblinddoek voor en zo, zodat je niet wist waar je was, de meesten van ons waren verslaafd dus we lieten ons overal heen brengen waar drugs waren, en we waren geïndoctrineerd. Je moest werken, je verdomde steentje bijdragen. Je moest je wil ondergeschikt maken aan het belang van de gemeenschap. Je kon drinken, gebruiken, neuken, gokken, lezen, schaken, koken, schrijven, schilderen, bouwen, doen wat je maar wilde, maar verslaving kon niet, alles wat je deed moest beheerst gebeuren. Je moest leven en laten leven, maar niet zoals de klootzakken boven het alleen zéggen, je moest het echt dóen. Er werd niet gestolen, gevochten, geoordeeld, gehaat. Er was geen God, geen godsdienstigheid, er werd geen tijd verspild aan uit de duim gezogen onzin. Je moest afstand doen van de klotewereld, jezelf bevrijden van het gezwam daar, aanvaarden dat er op een gegeven moment niets meer zou zijn dan wat in de tunnel bestond. En je moest daarvoor willen sterven. En wanneer je dat allemaal prima vond en je bereid was de verplichting aan te gaan, was je gvd gered. En wanneer je gered was, kreeg je die littekens. Yahya maakte de insnijdingen, twee lange japen over allebei je armen, die je dood boven en je geboorte beneden symboliseerden. En wanneer het bloed stroomde, wanneer je je armen optilde, en het van je wangen, je nek af begon te lopen, wanneer je het kon proeven, wanneer je het in je kloteschoenen kon voelen, was je vrij. Godverdomme nooit terug, alleen om troep te halen om beneden te leven. Godverdomme nooit meer hun regels, verwachtingen of zogenaamde moraal en zogenaamde normen aanvaarden. Wanneer het bloed stroomde, was je vrij.

Toen Ben kwam, waren we met z'n tweeëndertigen. Het was twee jaar zo geweest. Ook al had Yahya zijn komst geprofeteerd, hij moest dezelfde regels volgen als de rest van ons, moest een van ons worden als hij wilde blijven. Zijn toevallen maakten alles een beetje lastiger want de meeste van de normale dingen die wij deden kon hij niet doen. En wie hij was, waarom hij over de verdomde aardbodem liep, de gaven die hij had gekregen, verworven of wat je maar geloven wil, al weet ik wat ik geloof: dat maakte alles ook ingewikkelder. Er komt niet elke dag een lul als hij aankuieren in de rij voor het eten. Maar hij leek er niet mee te zitten. Yahya zette hem op vegen en vuilnis, wat wilde zeggen het kloteterrein aanvegen en het vuilnis afvoeren, dat wil zeggen het naar een andere tunnel brengen die ook leeg was, behalve dan dat wij er jarenlang troep in hadden gekieperd. Wanneer Ben een toeval kreeg, ging hij gewoon zitten en liet het gebeuren. Al had Yahya het als eerste in de gaten, de anderen gingen ook zien dat kort voor deze klotedingen hem opbliezen Ben naar een andere plek ging. Zijn ogen stonden dan heel stil, of hij dingen zag die niemand anders kon zien, ooit had gezien of ooit zou zien. Het duurde misschien maar een seconde of wat, maar op een of andere manier leken deze seconden een eeuwigheid. Toen iemand aan Yahya vroeg wat er gebeurde, zei hij dat de man met God sprak, naar het eeuwige keek. Iemand vroeg hoe hij met God kon spreken, als God niet bestond? Yahya zei dat God niet bestaat zoals de mensen op deze planeet geloven dat hij bestaat, een of andere grote machtige alwetende lul die op een stoel zit en zich druk maakt over wat hier op aarde gebeurt en ons persoonlijke lot regelt, dat is gewoon idioot gezwam, maar er waren antwoorden die we niet hadden, dingen die we niet wisten, dingen die de breintjes te boven gingen van mensjes die zo idioot waren om te denken dat er in het hele universum – zo oneindig in omvang, energie en maat dat het het menselijk begrip te boven gaat – verder niemand was, en dat alle idiote dingetjes waarmee wij ons bezighielden en waarover we ons enorme zorgen maakten er op een of andere manier toe deden. Ben ging naar die contreien toe, die oneindige contreien, en begreep ze, ook al kon of wilde hij er niet over praten wat hij godverdomme zag, voelde en ervoer.

De toevallen werden erger, godverdomd erger en godverdomd erger, en langer en godverdomd langer en godverdomd langer. Ze duurden tien, vijftien, twintig minuten. Begonnen een halfuur te duren, een uur, drie of vier uur, hij schudde, had stuiptrekkingen, braakte en gromde, je kon als het gebeurde zien hoe hij eronder leed, en je kon zien dat hij wanneer het ophield zo veel pijn had dat hij amper kon bewegen. De aan crack verslaafde arts zei dat Ben iets had wat status epilepticus heette, een toestand van aanhoudende toevallen, en dat hij eraan dood kon gaan, dat hij eraan dood zou gaan als we hem niet naar een behoorlijk ziekenhuis brachten. Maar Yahya zei laat hem, die man gaat niet dood, niet hierbeneden tenminste. Toen kreeg hij een toeval die een dag duurde, vierentwintig klote-uren achter elkaar. Iedereen werd er bang van en we gingen denken dat Yahya ongelijk had, dat Ben er godverdomme aan zou gaan. Het duurde en duurde en duurde. Erger dan we ooit hadden gezien. Geen idee hoe iemand zoiets kon doorstaan of overleven. En als je het al kon doorstaan, je móest toch godverdomme gek worden van de pijn, gewoon helemaal gestoord van de godverdomde lichamelijke pijn? Toen het ophield, lag hij daar maar, op zijn deken, op de vloer van de tunnel.

Sliep nog eens zo'n twee dagen. We gingen altijd naar hem kijken, wilden weten of hij nog ademde, en dat was altijd het geval, maar heel licht, en je moest van heel dichtbij kijken om het te zien. Toen hij wakker werd, zaten we na het eten met z'n allen in het rond. Yahya had een heftige preek voor ons gehouden, volgens zijn vaste patroon maar heel geïnspireerd, hij zei dat de wereld boven ons stervende was, dat hebzucht corruptie haat en intolerantie tot een oorlog gingen leiden die alles zou verwoesten, dat de oorlog spoedig kwam, dat we die wereld moesten afzweren en ons erop moesten voorbereiden te overleven, dat we van elkaar moesten houden, elkaar moesten laten leven, elkaar moesten helpen te leven en elkaar moesten respecteren. Waar we vandaan kwamen of wat we vroeger hadden doet er niet toe, onze kleur of onze religie doet er niet toe, het enige wat ertoe doet is leven, laten leven en liefhebben. Nadat hij klaar was, gingen we luisteren naar jazz uit de goeie ouwe tijd op de cassetterecorder, een paar van ons namen een drankje, een paar rookten prima wiet, een paar van ons dansten, heren met elkaar, heren en dames, alleen dames, allemaal op hun gemak hierbeneden, ze deelden hun liefde en verspreidden hun liefde zoals ze dat godverdomme wilden, zonder dat iemand hen veroordeelde. Ben sloot zich aan bij alle mensen die dansten, waarschijnlijk een stuk of twintig. Niemand zag hem aan komen lopen, het ene moment was hij er niet, het volgende moment wel. En hij bewoog heel langzaam, langzaam en volledig in het ritme, of hij een deel was van de muziek, een instrument of zoiets, er direct mee verweven. Zijn ogen waren gesloten, en hij had godverdomd lang niet gegeten, zijn huid was nog witter dan normaal, bijna doorschijnend verdorie. Zijn ogen waren gesloten en hij begon naar iedere persoon of ieder stel toe te gaan, en hij raakte hen aan, hield hen vast, bewoog met hen mee, vertraagde hen zodat ze de muziek net zo voelden als hij deed, hij hield hun handen vast, hield hun gezichten in zijn handen, trok hen naar zich toe zodat hun lichamen heel dicht tegen zijn lichaam kwamen, en hij kuste hen, zowel mannen als vrouwen, kuste hen langzaam en diep, en je kon aan hun gezichten, aan hun lichamen zien dat geen van hen ooit zoiets had gevoeld, zoiets zuivers, zoiets seksueels, zoiets extatisch, zoiets godverdomd heerlijks en moois, en het leek of hij hen neukte, hen neukte zoals ze nooit eerder waren geneukt, hoewel hij alleen aanraakte, kuste, bewoog, heel langzaam bewoog, heel heel langzaam, neukte hij hen allemaal. Ook degenen met wie hij niet was – die niet dansten, wij die toekeken, wij werden net zo opgewonden als de mensen die hij aanraakte – neukte hij. Toen ik als jongen in een wereld in mijn hoofd leefde om te ontsnappen aan de wereld waarin ik in het echt leefde, droomde ik vaak dat ik alles kon doen wat ik wilde met mensen en wat ik ook deed ze hielden van me, ze hielden zonder meer van me en bespaarden me alle ellende uit de wereld die ik haatte en die mij haatte. Toen ik ouder werd, hield ik op met dat soort dromen omdat ik besefte dat zulke dingen niet echt waren, niet mogelijk en nooit zouden gebeuren. Maar toen zag ik Ben, en ik geloofde dat het wel mogelijk was, dat godverdomme alles mogelijk was, omdat ik het zag en voelde en wist en geloofde, en ook al leek of voelde het niet echt het was het meest echte dat ik ooit had meegemaakt, dat ik ooit had gezien op deze klotehel van een aarde. Die liefde was het meest echte kloteding dat iemand van ons ooit had gezien. Toen hij bij iedereen die danste was geweest, liep Ben weg, de kant op van Yahya, die ook had toegekeken, gevoeld en geloofd. Hij zat aan het hoofd van de tafel waar hij altijd zat, en Ben knielde voor hem en bood zijn armen aan.

Yahya had altijd zijn mes bij zich of bij de hand, en hij pakte het, nam Bens armen en maakte de sneden. Normaal gesproken duurt het langer, een jaar of zo, voor je ze krijgt, en alleen wanneer Yahya het besluit, maar met Ben ging het anders. Zijn bloed stroomde, hij tilde zijn armen op en het bloed liep overal over hem heen. Toen hij ermee was overdekt en zijn kleren ermee waren doordrenkt, net als de grond onder hem, stapte hij naar voren en kuste hij Yahya. Ik had nooit eerder iemand Yahya zien kussen of ook maar aanraken, niet buiten zijn kamer, wat de enige plek was waar hij dingen deed met mensen, en dan alleen vrouwen. En Ben kuste hem langdurig, en toen hij zich terugtrok, had Yahya zijn ogen dicht en ademde hij heel langzaam en zwaar, en het leek of hij niet kon bewegen, of hij godverdomme verlamd was. En Ben liep weg, draaide zich om en liep de duisternis in.

Het duurde een hele tijd eer iemand bewoog. En toen we weer bewogen, gingen we stilletjes, niemand zei één klotewoord, terug naar onze hokjes waar de meesten van ons op onze slaapplaatsen gingen liggen en aan Ben dachten. We verwachtten hem de volgende morgen te zien, bij het ontbijt of op zijn slaapplek, maar hij was nergens te bekennen. De mensen waren erover begonnen waar hij kon uithangen toen Yahya ons vertelde dat hij weg was, dat hij afgelopen nacht een nieuw visioen over hem had gehad, dat Ben de tunnels in was gegaan, waar hij een paar dingen in zijn eentje moest doen, een paar dingen in zijn eentje moest uitvechten. Yahya zei laat hem gaan, laat hem doen wat hij moet doen, wanneer hij ermee klaar is komt hij wel terug.

Een week verstreek en hij kwam niet terug. Weer een week en nog steeds niets. De mensen begonnen zich een beetje zorgen te maken. Ik begon door de tunnels te zwerven, op zoek naar plekken waar ik nooit was geweest, nog lager gelegen plekken, plekken die de ware duisternis hebben, het zwart dat nooit licht te zien krijgt. Ik dacht ook al heeft Yahya dan zijn visioen gehad en ook al is er duidelijk iets bijzonders met Ben, hij blijft een mens, blijft iemand van vlees en klotebloed, blijft iemand met een hart dat klopt. En omdat hij een mens is, is hij kwetsbaar, en hij zwerft ergens rond met verdomd grote japen in zijn armen en een medisch probleem dat hem erger naar zijn moer helpt dan ik ooit heb gezien. Dus ging ik op zoek naar hem, op zoek naar de verborgen plekken die je geacht wordt niet te vinden, de plekken waar zoals ik eerder zei de magie aan het werk is, waar je in de duisternis leert zien.

Na vier of vijf dagen zoeken, door metrotunnels lopen, met treinen die op een paar centimeter afstand langs me heen denderen, door Amtrak- en LIRR-tunnels lopen, door PATH-tunnels lopen, door niet meer gebruikte tunnels lopen, van de vroegere IRT, door tunnels waaraan men begon zonder ze af te maken, niet meer dan lege klotegaten, ga ik een deur door in de lage tunnels onder het stadhuis. Normaal gesproken interesseren de klotedeuren me niet, want ze zitten allemaal op slot en door de sloten kapot te maken trek je maar aandacht waaraan niemand wat heeft, maar iets aan deze deur trok me aan. Ik voelde eraan en hij was open, ik kijk dus naar binnen en er is een gat met een ladder die recht naar beneden gaat, al kan ik godverdomme niet zien waar die heen gaat, hoe ver of waar die ophoudt. Met zoeken in het leven is niks mis, zoeken naar nieuwe dingen, plekken, gevoelens en overtuigingen, helemaal niks mis mee, dus begin ik naar beneden te klauteren, eens kijken wat ik vind. Ik ga naar beneden, het is zwart, verdomd stil en ook al had ik inmiddels een hele poos beneden gewoond, ik was heel bang, mijn hart bonsde als een gek en zo, ik hapte naar lucht, ik vroeg me af of er iets tevoorschijn zou komen en me zou grijpen, een klotemonster of zo, of dat ik godverdomme zou vallen en mijn vervloekte nek zou breken. Ik was heel bang.

Mijn voeten raakten de grond en ik kon voelen dat die nat en glibberig was, wat me duidelijk maakte dat ik ergens in het kloteriool zat, dat we gvd allemaal meden omdat het er wemelt van de ratten, ziektes en nog een hoop ellende waarmee geen mens te maken wil hebben. Ik begon meteen naar boven te klimmen maar toen mijn voeten omhoog begonnen te gaan hoorde ik iets wat als een schreeuw klonk. Ik bleef staan luisteren of er meer geschreeuw klonk en ik hoorde bijna onmiddellijk nog een kloteschreeuw. Ik ging naar beneden en begon naar de plek te lopen waar ik het hoorde, ik zette mijn voeten heel voorzichtig neer en bewoog heel langzaam omdat ik geen bal zag. Ook al waren mijn ogen er helemaal aan aangepast, ik kon geen bal zien.

Kostte me veel tijd om een paar honderd meter in die tunnel vooruit te komen, verdomd veel tijd. De hele tijd hoorde ik dat geschreeuw, en hoe dichterbij ik kwam hoe zekerder ik wist dat het Ben was, want het leek op geluiden die ik hem had horen maken als hij een toeval kreeg. Toen ik heel dichtbij was begon ik water te horen druppelen en begon ik te snappen dat het geschreeuw van onder mij kwam en dat het water ergens beneden stroomde. Mijn ogen hadden zich aangepast en ik zag een paar passen voor me dat er een groot gat zat, zoiets als een klotezinkput of een enorm gat in het wegdek zoals je dat een of twee keer per jaar in New York hebt, en Ben moest ín dat gat zitten, gewond misschien, en kon zichzelf er niet uit krijgen. Ik wilde hem net roepen, hem zeggen dat ik er was en hem zou helpen, als ik hoor dat hij begint te praten, heel langzaam en zorgvuldig, of hij een gesprek met iemand voert. Ik glijd dus naar de rand van het gat en kijk naar beneden, en daar is hij, een metertje of zes lager in een of andere kloteriooltunnel, en hij zit daar zomaar op de grond als de Boeddha, en ik zweer bij mijn kloteleven dat zijn huid straalde. Zijn armen waren al genezen, de littekens vermengden zich gewoon met de rest van zijn littekens, en hij sprak tegen de lege lucht pal voor hem, en als ik hem niet had gekend en niet had geweten hoe Yahya over hem dacht, was het voor mij een uitgemaakte zaak geweest dat hij stapelgek was.

Ik lag daar naar hem te kijken. Ik maakte me er zorgen over dat hij me zou zien, dus gluurde ik alleen over de rand van dat gat. Ik kon hem dingen horen zeggen als *ja of nee, ja of nee,* telkens weer, hij zei *waarom,* hij zei *hoe,* hij zei *nee, echt niet, echt niet.* Hij praatte zeg een uur, twee uur, en toen zag ik dat hij volkomen roerloos werd. Ik weet wat dat betekent en hij krijgt een toeval, erger dan ik ooit eerder heb gezien, zijn lichaam komt letterlijk van de grond, zo verdomd erg zijn de stuiptrekkingen. En ik werd bang van de geluiden die hij maakte, het klonk als iets wat ik me alleen kan voorstellen in de hel te horen, als die er is. En er leek iets mis, of daar nog iets bij hem was. Iets even duisters, slechts en ouds als de klotehemel, iets met macht die macht te boven ging, iets zo diep en zwart dat het macht te boven ging. Ik ging ervan beven, alle haren op mijn lichaam gingen erdoor overeind staan en ik piste mezelf erdoor nat, ik piste mezelf verdorie helemaal nat. Wat het ook was, áls het al iets was, ik werd er zo verdomd bang van dat ik me omdraaide en me zo snel uit de voeten maakte als ik kon.

Ik begon wanneer ik maar kon terug te gaan om naar Ben te kijken. Vertelde niemand dat ik hem had gevonden of wist waar hij uithing. Meestal had hij een toeval, en altijd erg. Zo niet, dan was hij aan het praten of soms aan het schreeuwen, in de duisternis aan het schreeuwen, in de kloteafgrond aan het schreeuwen. Soms wanneer ik naar beneden ging voelde ik dat ding, die enorm slechte kloteaanwezigheid, en dan draaide ik me om en maakte me meteen uit de voeten. Andere keren kwam het wanneer ik er was. Hooguit één, twee keer kwam het helemaal niet, en dan was Ben aan het schreeuwen, of hij het op een afstand hield of zo, of het geluid van zijn geschreeuw een of andere rechtvaardige kracht had.

Twee, drie, vier, zes weken was hij daarbeneden. Helemaal alleen in dat akelige klotehol. Voor zover ik kon zien, at hij nooit iets, dronk hij nooit iets, sliep hij nooit, ging hij nooit weg. Hij had ziek moeten worden of eraan moeten gaan van de klotehonger, maar dat gebeurde niet. Eigenlijk zag ik het omgekeerde. Hij leek sterker, nog steeds retemager, maar sterker. En het leek of hij op een of andere manier de toevallen kon regelen. Of hij zichzelf in en uit die toestand kon krijgen, wanneer hij in en uit die toestand wilde. Ik hoorde hem een vraag stellen of iets zeggen, zwaar gezwam als *wat gebeurde er voor de Big Bang*, of *wie waren dat, waarom waren die er, ga eens in op de kwestie van de kwantum zwaartekracht, kunnen we de vier fundamentele krachten verenigen.* Nadat hij het had gevraagd, sloot hij zijn ogen, haalde hij adem, opende hij zijn ogen en was hij op die plek, die eeuwigheidachtige plek, en dan kreeg hij een toeval. En heel de laatste week dat ik naar hem ging kijken, de zevende week dat hij in dat smerige stinkhol zat, had hij toevallen. En de hele tijd was die aanwezigheid bij hem, sterker, het ding maakte op een of andere manier een actieve indruk, of het aanviel en terugtrok, er sprake was van eb en vloed, iedere godverdomde keer werd mijn klotebroek er nat door, ik werd er doodsbang van. Aan het eind van de week ging ik naar beneden, maar hij was weg. Wat ik enorm klote vond, ik was bang dat er iets was gebeurd, dat het verdomde kwaad hem op een of andere manier te pakken had. Ik ging meteen terug naar onze tunnel, zou Yahya beetpakken, hem terzijde nemen en hem vertellen wat ik had gezien, wat ik met mezelf en Ben had gedaan, hem vertellen dat we hem moesten gaan zoeken en helpen. Ik ging zo vlug terug als ik kon, rende het duister in, rende het duister uit. En toen ik terugkwam, was Ben er, bij Yahya, hij zag er prima uit, of hij nooit weg was geweest, eerlijk gezegd beter dan ik ooit had meegemaakt, mager en zo, maar stralend als een of andere fluorescerende gloeilamp, ook al wist ik dat hij in zeven kloteweken niets had gegeten of gedronken. Hij was terug. En zoals Yahya had gezien in zijn visioenen, was het einde nabij. Het einde was verdomd nabij.

# John

Ik had gehoord dat er daarbeneden mensen woonden. Ze werden molmensen genoemd. Er was een boek geweest, een paar documentaires. Het was zoiets waarover mensen het hadden op feestjes. Eerlijk gezegd interesseerde het me helemaal niet. Het zei me niets. Als mensen onder de grond wilden leven, laat ze maar. Dan had de belastingbetaler geen last van ze, en het hield hen uit de instellingen weg. Zolang ze mijn pad maar niet op een of andere manier kruisten, kon het me geen bal schelen.

Mijn baan bestond vooral uit het traceren van wapens die New York City binnenkwamen, en het aanhouden en opsluiten van personen die ervoor kozen ze illegaal in bezit te hebben. Een vuurwapen in bezit of in eigendom hebben is wettelijk verboden binnen de gemeentegrenzen tenzij je een vergunning hebt, en vergunningen zijn heel moeilijk te krijgen. Wanneer we een wapen aantroffen, was onze eerste prioriteit uit te vinden hoe het de stad in was gekomen. Een wapenhandelaar in de staat New York leidde ons naar de personen in de tunnel. We grepen de wapenhandelaar toen een bendelid uit het zuidoosten van Queens, gearresteerd wegens moord, in bezit bleek van een illegaal handvuurwapen. De verdachte had nagelaten, wat een standaardprocedure is bij bendeleden en moordenaars, het serienummer van het wapen te verwijderen, dat stelde ons in staat het te traceren. Toen we de wapenhandelaar arresteerden wegens het verkopen van wapens aan personen die niet de vereiste vergunning hadden, gooide hij het met ons op een akkoordje om uit de gevangenis te blijven en hij begon ons de identiteit van andere personen te verstrekken aan wie hij wapens had verkocht. In dat verband vertelde hij ons over de groep in de tunnel die ongeveer zestig wapens van hem had gekocht en duizenden stuks munitie.

Ze waren niet makkelijk te vinden. Er zit een groot aantal niet meer gebruikte tunnels onder de stad, sommige ervan zijn in tientallen jaren niet meer betreden. In eerste instantie doorzochten we de tunnels, dat was vruchteloos. De wapenhandelaar had ons verteld dat de leden van de groep, door hem omschreven als apocalyptische mafkezen, hun geld verdienden met bedelen op straat, en dat ze allemaal lange littekens op hun armen hadden. We begonnen uit te zien naar personen die aan dit signalement voldeden, en na acht maanden vonden we er twee, een man en een vrouw. We lieten hen volgen en vonden de tunnel waar zij woonden, samen met omstreeks dertig andere personen.

We wisten heel weinig over hen toen we opsporingsbevelen tegen hen uitvaardigden. Er was enige zorg dat we in net zo'n situatie zouden belanden als met de Branch Davidians in Waco, Texas, waar een groep zwaarbewapende religieuze fanatici, volgelingen van een messianistische leider die David Koresh heette, de strijd aanbond met een federale politie-eenheid, die hen eenenvijftig dagen belegerde, tot het complex van de Davidians in brand vloog en tachtig mensen, onder wie zeventien kinderen, de dood vonden. Gelukkig was dit niet het geval. Omstreeks vijftig politiemensen gingen de tunnel binnen via vier verschillende toegangspunten. Bijna alle personen die in de tunnel verbleven sliepen, en de drie die niet sliepen werden zonder incidenten in hechtenis genomen.

Ik ontmoette Ben toen we de verdachten verhoorden, ze werden vastgehouden in het MCC, de federale gevangenis in het zuiden van Manhattan. We hadden in hun complex meer dan driehonderd vuurwapens aangetroffen en tienduizend stuks munitie, evenals kleine hoeveelheden cocaïne en hasj. Ze waren ook in het bezit van een groot aantal messen, zwaarden en speren. Toen we hun vingerafdrukken naliepen, konden we, op twee uitzonderingen na, van hen allemaal de identiteit vaststellen, en ze hadden allemaal een strafblad, de meesten voor zaken als drugsbezit en diefstal, maar een paar waren ook veroordeeld wegens geweldpleging. Van de twee die we niet konden identificeren, stond de ene bekend als Yahya, hij werd door hen allemaal als hun leider beschouwd. De ander identificeerde zichzelf als Ben Jones.

Yahya weigerde te praten. Hij beantwoordde letterlijk niet één vraag die we hem stelden, hij vroeg ook niet om een advocaat. Hij staarde recht in de ogen van mij en de andere agent die hem ondervroeg en zei nooit iets. We namen aan dat het een trucje was om ons te intimideren, maar omdat ik in één kamer heb gezeten met drugsbaronnen, seriemoordenaars en terroristen, vond ik hem niet bijster angstaanjagend of afstotelijk. Ben regelde ik zelf. Net als bij Yahya leverden zijn vingerafdrukken en DNA helemaal niets op, en hij zat in geen enkel bestand van de politie. En hoewel de media uitgebreid verslag hadden gedaan van de inval, moesten we nog foto's van de arrestanten verspreiden aan de media en nog hulp van het publiek krijgen om tot een identificatie te kunnen komen.

Voor ik het vertrek in ging waar Ben werd vastgehouden, met zijn enkels aan de vloer geketend en met zijn polsen aan de tafel, keek ik naar hem door een raam waar je maar van één kant doorheen kon kijken. Een van mijn collega's stond hem bij het raam te observeren. Hij zat volkomen roerloos, zijn ogen gesloten. Hij had een overall aan, dus ik kon zijn armen of zijn lichaam niet zien, maar zijn hoofd en gezicht zaten vreselijk onder de littekens. Zijn haar was aan de korte kant, zwart, vuil en slordig. Hij was ongelooflijk dun, je kon de aderen in zijn nek, op zijn voorhoofd en zijn wangen gewoon zien. Doorgaans zijn mensen die voor de eerste keer worden verhoord ongelooflijk zenuwachtig en bang. De enigen die kalm zijn, zo kalm als hij was, zijn doorgaans geharde criminelen. Ik vroeg mijn collega of hij iets ongebruikelijks had gezien. Hij zei de man lijkt een mafkees en hij heeft het afgelopen uur helemaal niet bewogen, en als ik niet beter wist zou ik zeggen dat hij niet ademde. Ik lachte en ging het vertrek in.

Ben bewoog niet en reageerde op geen enkele manier op me. Ik wachtte een paar ogenblikken, in de veronderstelling dat hij het wel zou doen, maar het gebeurde niet. Hij zat volkomen roerloos, griezelig roerloos, roerloos zoals grote wateroppervlakken roerloos kunnen zijn, niet lijken te bewegen, niet lijken te leven, terwijl je weet dat het wel zo is. Ik nam het woord.

Mijn naam is agent John Guilfoy. Ik zou u graag een paar vragen stellen.

Hij deed langzaam zijn ogen open. Ik had geen enkel contact met hem gehad tijdens de arrestaties en had zijn ogen niet gezien toen ik hem observeerde, maar ik had nooit zoiets gezien. In elk geval niet als natuurlijke kleur. Ze waren zwart, obsidiaanzwart, het zwart van de stilte, het zwart van de dood, het zwart van hoe het denk ik voor de geboorte moet zijn. Ze bezorgden me schrik, angst. Ik wachtte tot hij iets zou zeggen, en ik wachtte tot ik over de schok van zijn ogen heen was en toen nam ik weer het woord.

Begrijpt u waarom u hier bent?

*Ja.*

Bent u goed behandeld?

*Doet er niet toe.*

Ik zal u maar zonder omhaal zeggen dat hoe meer u met ons meewerkt, des te makkelijker alles voor u zal verlopen.

Hij glimlachte, lachte bij zichzelf.

Is daar iets grappigs aan?

*Ga door met uw vragen.*

We hebben geprobeerd u te identificeren, en u bent in niet één van onze computerbestanden opgedoken. Ik vraag me af of u ons op enige manier kunt helpen.

*Ik heb u mijn naam gegeven.*

Is het uw echte naam?

*Zo zie ik het wel.*

Is er nog een naam die we zouden moeten natrekken?

*Er zijn er een paar geweest.*

Zoals?

*U zult aan geen van alle iets hebben.*

Stel me eens op de proef.

Hij glimlachte weer, zei geen woord, wachtte op me. Ik staarde hem aan, probeerde hem te intimideren. Ik had net zo goed een rots aan kunnen staren. Hij zweeg en zat volkomen roerloos. Ik nam weer het woord.

Begrijpt u waarvan u wordt beschuldigd?

*Ja.*

U begrijpt dat het buitengewoon ernstig is?

*Als u het zegt.*

U kunt op jaren, misschien tientallen jaren gevangenis rekenen.

*Ja.*

Dat deert u niet?

*Nee.*

Waarom niet?

*Ik kan overal vrij zijn, net zo goed als iemand overal gevangen kan zijn.*

Is dat iets wat uw leider u heeft geleerd?

*Ik heb geen leider.*

Nee?

*Nee.*

Yahya was uw leider niet?

*Mijn vriend.*

Een gevaarlijke vriend.

*Als u het zegt.*

Hij en zijn volgelingen, tot wie we u rekenen, waren in het bezit van honderden wapens en duizenden stuks munitie.

*Ik bezit niets.*

Wist u van het bestaan van de wapens?

*Ja.*

Dan bent u volgens de wetten van de overheid van de Verenigde Staten in het bezit ervan.

Hij glimlachte weer.

*Als u het zegt.*

Vindt u dit grappig?

*Ja.*

Waarom?

*Ik vind uw wetten dwaas.*

Hoezo?

*Je zou mensen zelf moeten laten bepalen hoe ze leven en wat ze doen.*

Niet als ze hinderlijk of gevaarlijk zijn voor andere mensen.

*Niemand in die tunnel was gevaarlijk of hinderlijk voor iemand.*

Daarmee ben ik het niet eens.

*Dat is uw recht.*

Jullie woonden illegaal op openbaar terrein en verzamelden wapens die bedoeld zijn om mensen te doden.

*Als het terrein openbaar is, waarom kunnen wij het dan niet gebruiken?*

Omdat het voor andere doeleinden was bedoeld.

*En hoe kan de zwaarst bewapende, meest gemilitariseerde regering in de geschiedenis van de beschaving haar eigen burgers voorhouden dat ze zich niet mogen bewapenen ter voorbereiding op de komende vernietiging?*

De komende vernietiging?

*Ja.*

De Apocalyps?

*Als u het zo wilt noemen.*

U gelooft dat die komt?

*Ja.*

De zegels zijn verbroken en de tekenen verschijnen?

*Nee.*

Zo staat het toch in de Bijbel?

*Inderdaad, maar die woorden zeggen mij niets.*

Christus komt terug om met de duivel te strijden?

*Dat gelooft u?*

Wat ik geloof, is irrelevant. Ik wil weten wat u gelooft.

*Dat heb ik u verteld.*

Heeft dit iets met Allah te maken?

*Het heeft niets met religie te maken.*

Hoe weet u het dan?

*Kijk om u heen.*

En wat zie ik dan?

*Dat het op z'n eind loopt.*

En u kunt het zien?

*In zekere zin.*

En dat gebeurt snel?

*Ja.*

Ik ademde eens diep in. Ik wist niet of hij een fanaticus was of een geestelijk gestoorde. In beide gevallen heeft ondervragen praktisch geen nut. Fanatici breken niet tenzij extreme methodes worden gebruikt, en dergelijke methodes waren verboden in mijn tak van de overheid, en alles wat een geestelijk gestoorde zegt, wordt als onbetrouwbaar gezien en is voor de rechter meestal onbruikbaar. Hij sloot zijn ogen en begon diep in te ademen door zijn neus. Ik vroeg hem of hij in orde was en hij knikte langzaam. Ik vroeg hem of hij iets te eten of te drinken moest hebben, en hij schudde langzaam zijn hoofd. Hij ademde alleen, en ik wachtte. Na een minuut of wat dacht ik erover hem alleen te laten, een kop koffie te nemen, en dan terug te komen om het nog eens te proberen. Toen ik opstond, opende hij zijn ogen en sprak hij.

*Ik kan het weghalen.*

Sorry?

*Ik kan het van je weghalen.*

Waar heb je het over?

*Het spijt me. Heel erg.*

Wat spijt je?

*Je verlies.*

Waarover heb je het verdorie?

*Je hebt een kind verloren.*

Ik was perplex. Er was op me geschoten toen ik dienst had in mijn eerste jaar bij de politie, in de schouder geschoten met een .38 revolver. De kogel drong in mijn schouder binnen en kwam er in mijn rug uit. Bens opmerking schokte me, verwondde me, verwarde me, beangstigde me meer dan dat schot, meer dan iets in mijn leven, afgezien van het feit waarnaar hij verwees. Hij kon het onmogelijk hebben geweten. Hij had me nooit gezien of van me gehoord voor ik het vertrek binnenkwam. Ik had al mijn collega's gevraagd er niet met me over te praten. We hadden geen overlijdensbericht geplaatst, dus was het nergens in de media verschenen. Destijds dacht ik dat hij het absoluut niet kon hebben geweten, maar ik ben er beslist anders over gaan denken.

Ik ging weer zitten. Ik keek naar hem. Hij had zich niet verroerd. Hij staarde alleen naar me en wachtte tot ik iets zou zeggen. Ik kon niet praten, en als ik het had geprobeerd zou ik zijn ingestort. Ik staarde naar de tafel, hield mijn tanden op elkaar en dacht aan mijn kleine jongen, aan de eerste keer dat ik hem zag, meteen na zijn geboorte, aan de eerste keer dat ik hem vasthield, twee minuten later, aan een foto waarnaar ik niet kon kijken tot ik Ben ontmoette, een foto van mij, hem en zijn moeder, met wie ik niet meer samen ben, vlak nadat we met hem thuiskwamen gemaakt. Ik denk aan zijn kamer in ons huis, aan zijn eerste stap, aan zijn eerste woord, pappie. Ik speel zijn leven nog eens af in mijn hoofd, en ik bedenk hoe gelukkig we waren in de twee jaar dat we samen waren. En toen begon hij te trillen en kreeg hij problemen met lopen, hij ging het ziekenhuis in om er nooit meer uit te komen, en mijn leven stortte in elkaar, behalve dan mijn leven op het werk, het enige waaraan ik me vast kon klampen om niet gek te worden. Ik raakte ook verder alles kwijt toen ik mijn kleine jongen kwijtraakte. Ik raakte alles kwijt wat ik belangrijk vond.

Ben wachtte tot ik opkeek. Ik kan me nauwelijks voorstellen hoe mijn gezicht eruit moet hebben gezien, beslist niet de rustige kalme FBI-man die probeerde een intelligente, overtuigende en intimiderende ondervrager te zijn. Hij sprak.

*Maak een van mijn handen los.*

Dat kan ik niet doen.

*Dat kun je wel.*

Ik doe het niet.

*Dan kun je je voordeur door lopen zonder te huilen. Dan kun je 's nachts slapen. Dan kun je haar bellen en zeggen dat je haar mist, en dan kun je weer liefhebben en weer leven.*

Sodemieter op.

*Ik weet hoeveel pijn het doet.*

Je weet niets!

*Maak mijn hand los.*

Je weet niet waarover je het verdorie hebt, halvegare.

*Wist ik het maar niet, maar ik weet het wel.*

Lul dat je bent.

*Ik kan het weghalen.*

Je bent stapelgek.

*Lucht je hart maar over me.*

Ik wil weten hoe je het weet.

*Door naar je te kijken.*

Vertel me hoe je het verdorie weet.

*Ik weet het.*

Dit is godverdomme geen grap.

*Ik probeer je alleen te helpen.*

Jij mij helpen? Met je boeien, je overall en twintig jaar boven je hoofd?

*Als je mij laat helpen.*

Ik staarde hem aan. Ik wist niet wat ik moest zeggen. Ik was verward, boos en had pijn. Ik was bang van hem. Ik was banger van hem dan van iedereen met wie ik ooit in één vertrek had gezeten, iedereen die ik ooit had ontmoet, iedereen die ik ooit had gezien. De meeste mensen, hoe gevaarlijk of gewelddadig ze ook zijn, kun je gemakkelijk doorgronden. Ze komen ergens vandaan, ze hebben ervaringen die hen hebben gevormd, en ze hebben zachte plekken, zwakheden, innerlijke gebieden waar je hen open kunt krijgen. Ben was anders dan iedereen die ik ooit had ontmoet, gezien of ondervraagd, hij was anders dan iedereen over wie ik ooit had gehoord. Hij was volkomen onaantastbaar. Tegelijk kwam hij niet met verweren, die leek hij helemaal niet te hebben. Hij deed me denken aan iets wat ik toen ik op de universiteit zat over Boeddha had gelezen, iets waarin zijn lichamelijke aanwezigheid en zijn gemoedstoestand werden beschreven. Er stond dat hij zo zacht was als staal, zo hard als regen, zo kalm als onweer en zo roerloos als een orkaan. Onze docent legde de paradox van de beschrijving uit: dat staal een van de hardste materialen op aarde is maar ook buigzaam genoeg om tot alles wat we wensen te worden gevormd, dat water vloeibaar is en meegeeft, maar sterk genoeg om ravijnen uit te snijden. Dat onweer weliswaar de aarde schudt waarop we lopen, maar een onweersbui tegelijk een vredig en sereen gebeuren is, en dat orkanen weliswaar tot de meest verwoestende krachten horen die we kennen, maar het oog van een orkaan een ongelooflijk kalme plek is, een griezelig en bijna bovenaards kalme plek. Ben staarde ook mij aan. Hij bewoog niet, en als hij al knipperde dan zag ik het niet. Hij nam me op met zijn ogen, die bodemloze zwarte ogen. En onze sessie als agent en verdachte was voorbij, terwijl ons gesprek als twee mensen begon, twee mensen die probeerden in leven te blijven, te leven en hun weg te vinden, in feite het enige wat ieder mens kan doen in dit leven. Hij sprak.

*Geloof je in God, ondanks wat je eerder verklaarde?*

Jawel.

*En je bent naar God toegegaan om iets aan je verdriet te doen?*

Zeker.

*Je bent op je knieën gegaan en hebt gehuild, je hebt gesmeekt, en gevraagd om troost en om antwoorden?*

Ja.

*Heeft God je verhoord?*

Nee.

*In welke versie van God geloof je?*

Ik ben christen. Anglicaans.

*Heeft je priester je raad gegeven?*

Ja.

*En hij bedoelt het goed, maar hij heeft je toch leeg gelaten?*

Ja.

*Heeft hij het met jouw God over jou gehad?*

Hoe bedoel je?

*Heeft hij met hem gepraat zoals ik met jou praat, zoals jij met andere mensen praat?*

Zo spreekt niemand met God.

*En je blijft het toch proberen, omdat je gelooft dat God op een gegeven moment je gebeden verhoort?*

Dat hoop ik.

*Hoop is een illusie, een bungelende wortel.*

Hoop houdt me op gang.

*Op gang waarheen?*

Ik weet het niet.

*Jouw God biedt je hoop. Hoop heeft je niets te bieden. Je zou een andere weg moeten zoeken.*

Wat dan?

*Dat heb ik je gezegd.*

Jou laten gaan.

*Het maakt mij niet uit of je mij laat gaan. Het maakt mij niet uit of ik voor de rest van mijn leven in een cel zit. Ik zeg je dat als je een van mijn armen losmaakt en je gelooft in wat ik je zeg, en je mij éven vertrouwt, ik kan doen wat jouw fantasiegod, jouw sprookjesgod, een God die geen mens ooit heeft gezien of mee heeft gesproken, en die jouw pijn niet heeft verlicht of de antwoorden heeft verschaft waarnaar je op zoek bent, niet kan.*

Het zou me mijn baan kunnen kosten.

*Als dat belangrijker voor je is.*

Hij zat daar en wachtte. Ik keek weg, de kant van het glas op, en vroeg me af of mijn collega naar ons keek of luisterde. We nemen ook alle verhoren op, dus moest ik rekening houden met de video. Politiemensen krijgen een zekere speelruimte met verdachten. Als we denken dat een verdachte de gelegenheid geven om te bewegen helpt om hem aan de praat te krijgen, dan mogen we dat doen. Als we denken dat iets te eten of te drinken geven hen motiveert, dan mogen we dat doen. Maar dit was iets anders. Dit was volkomen persoonlijk. En er kwam lijfelijk contact bij kijken, wat uitdrukkelijk verboden was. Het was tegen de regels. Maar ik had zo lang zo veel pijn gehad. Ik was achtervolgd, geterroriseerd en vernietigd door beelden van mijn stervende kind, van de pijn die hij voelde toen hij ging, van de angst die hij moet hebben ervaren toen zijn lichaam hem in de steek liet, van de verschrikking van het moment dat hij stopte met ademen terwijl mijn vrouw en ik zijn handen vasthielden. Ik wist dat ik nooit zou herstellen van de dood van mijn jongen en ik betwijfelde of de pijn ooit zou minderen, maar ik besloot dat als Ben me er een minuut, een uur of een dag van kon bevrijden, het iedere prijs waard was die ik ervoor zou moeten betalen.

Ik stak mijn hand in mijn zak en haalde er een sleutel uit. Ik leunde over de tafel heen en maakte de boei los waarmee zijn rechterarm aan de tafel zat. Hij bewoog niet toen ik het deed, maar toen zijn arm eenmaal vrij was en ik nog over de tafel leunde, schoot zijn arm overeind. Hij greep me en trok me zijn kant op met een kracht waarover niemand die eruitzag zoals hij had moeten beschikken. Ik voelde mijn voeten van de grond loskomen. Hij hield me vast met mijn hoofd op zijn schouder en hij begon in mijn oor te fluisteren. Ik weet niet welke taal het was, maar ik geloof dat het oud-Hebreeuws of Aramees was. Ik was doodsbang, en ik wist niet of hij me voor de gek had gehouden en me kwaad ging doen, of dat hij werkelijk deed wat hij zei te kunnen doen. En in zekere zin deed het er niet toe, want hij was zo sterk dat ik niet had kunnen ontsnappen als ik had gewild.

Hij bleef fluisteren, en mijn lichaam verslapte. Het leek of iemand het van alles had geledigd, zoiets als naar ik me voorstel mensen die sterven en terugkomen zeggen te voelen wanneer ze dood zijn en naar het licht drijven. Mijn emoties, mijn ziel en mijn lichaamskracht, mijn pijn, zorgen en ellende, het was allemaal weg. Ik voelde me helemaal leeg. Ik voelde me zoals ik altijd had gewild me te kunnen voelen: vredig, simpel en ongecompliceerd. Ik wilde dat het altijd zo bleef, altijd bij hem blijven, mijn hoofd op zijn schouder, zijn stem in mijn oor. Ik hoorde de deur achter me opengaan en ik hoorde mensen het vertrek in komen rennen. Iemand had naar ons gekeken en gemeend dat hij me kwaad deed en ik wist dat het ophield. Ben stopte met te praten in welke taal hij ook had gebezigd en net voor ik werd weggetrokken zei hij *ik hou van je*.

Ik werd het vertrek uit gedragen. Het laatste beeld dat ik van hem heb voor de deur dichtsloeg is hoe een van mijn collega's traangas in zijn gezicht spoot. Ik kreeg later te horen dat hij ook met stroomstootwapens werd bewerkt en met gummiknuppels geslagen, en toen de kloppartij was afgelopen, werd hij het vertrek uit gedragen, bloedend en bewusteloos. Ik werd naar een ziekenhuis gebracht, waar alles normaal met me bleek. Een paar uur later ging ik naar huis en voor de eerste keer sinds de dag dat mijn zoon naar het ziekenhuis moest, sliep ik lekker. Ik werd van de zaak gehaald en Ben kwam twee dagen later op borgtocht vrij. Ik heb hem nooit meer gezien, al heb ik geprobeerd hem te vinden. Ik wilde hem bedanken voor wat hij gedaan had wat het ook was, dat hij me een nieuwe kans had gegeven om te leven, dat hij me had geleerd lief te hebben zoals hij mij had liefgehad. Ik was niet verbaasd toen ik hoorde wat hem was overkomen. We leven in een wrede en onzalige wereld. Hoe langer ik erop rondloop, hoe meer ik geloof dat hij gelijk had. Hoop is een illusie, een bungelende wortel, iets om ons op gang te houden, maar waarheen? Het loopt allemaal op z'n eind. Zijn einde, wreed, onnodig, en gehuld in een sluier van religie en gerechtigheid, zoals zoveel van wat er mis is met wat wij hebben gebouwd, is maar het begin.

# Luke

Ik ben een blanke man, broeders en zusters. Uit de grote staat Mississippi. Geboren als christelijke blanke man en opgegroeid met een sterk besef van mijn erfgoed uit de Zuidelijke staten en de overtuiging dat ik behoorde tot een door God gezonden groepje: het groepje dat dit land heeft gesticht, dit land heeft opgebouwd en dit land leidt, ook wanneer het lijkt of iemand anders het doet. Ik groeide op in Jackson, Mississippi. Een prachtige stad, broeders en zusters, een prachtige stad. Mijn familie zit al tweehonderd jaar in de staat, en de meesten van ons hadden nooit aanleiding gezien ergens anders heen te gaan. We zijn kolonisten geweest, soldaten, plantage-eigenaren, slavenhandelaren, slaveneigenaren. We hebben voor de Zuidelijke staten gevochten in de Burgeroorlog, en flink wat van ons hebben hun leven voor het Zuiden gegeven. We zijn gokkers geweest, boeren, indianenjagers, sheriffs, dieven, advocaten, dranksmokkelaars, congresleden en senatoren. Mijn pa zat in de olie. Zocht heel zijn leven naar het zwarte goud, dat dikke, donkere, ongrijpbare geldsap. Hij kocht wat land in Laurel, Mississippi, en boorde erop. Het was raak, broeders en zusters, erg raak en hij verdiende een hele hoop. Toen ik een jochie was, woonde hij doordeweeks in Laurel, hij werkte er en sliep er 's nachts met zijn zwarte minnares. Mijn ma en ik woonden in Jackson, en mijn ma sliep 's nachts met de golfleraar, de tennisleraar, de plaatselijke politieagent en zo'n beetje ieder ander die met haar naar bed wilde. In het weekend werden mijn ma en pa dronken, en deden ze of ze van elkaar hielden. Ze gingen naar cocktailparty's en naar paardenraces. Ze speelden golf en gingen naar evenementen in de club. Af en toe gooiden ze dingen naar elkaar, en af en toe sloeg mijn pa haar. Het leek me volkomen normaal. Ook nadat mijn ma de hand aan zichzelf had geslagen, mijn broeders en zusters, leek het me volkomen normaal. Ik dacht gewoon dat de duivel mijn ma misschien te pakken had genomen, of dat ze een aanval van een of andere vrouwenwaanzin had gehad. De Heer weet hoeveel mensen geloven dat dit soort dingen gebeuren. De Heer weet het.

Terug naar mij. Ik moet zeggen dat ik opgroeide als een prinsje. Ik kreeg luxe kleren en luxe eten en ging naar de meest luxueuze scholen in Jackson. Ik deed wat ik wilde, ik gedroeg me zoals wilde en ik kreeg wat ik wilde. Ik had zwarte vrouwen die voor me zorgden, kookten en schoonmaakten, en al beweerde mijn ma dat ze mij grootbracht, in feite waren zij het. En zo ging het met alle blanke kinderen die ik kende, en we dachten gewoon dat het zo hoorde. Na de middelbare school ging ik naar de University of Mississippi in Oxford, waar ik als een echte prins leefde. Ik ging bijna nooit naar college, omdat ik wist dat er een baan op me wachtte. Ik was de voorzitter van mijn studentensociëteit, waar we elke avond bier dronken, kaartspeelden en de vlag van de Confederatie bij onze voordeur lieten wapperen. En als ik niet aan het drinken en gokken was, deden ik en al mijn vrienden alles wat we konden om meisjesstudenten ons bed in te krijgen, óók hen daartoe dwingen. Het waren vier jaar van wat ik als geluk zag, broeders en zusters, voor ik wist wat geluk was. Ik was geen verantwoording schuldig aan mezelf, mijn familie of enige vorm van hoger gezag. Mijn loyaliteit en vertrouwen zaten in mijn eigen ego en in de banden die op de sociëteit werden gesmeed, waar we trouwens zwarte vrouwen voor ons lieten werken, ze maakten onze kleren schoon en kookten ons eten. En jawel, broeders en zusters, af en toe probeerden we met hen naar bed te gaan, en als ze bij God nee zeiden, dwongen we hen.

Na de universiteit ging ik voor mijn pa werken, ik had de supervisie over zijn bronnen. Ik trouwde met een leuk blond meisje, haar pa zat in de oliesector in Louisiana en kende mijn pa al twintig jaar. We gaven een groot bruiloftsfeest in het plantershuis van haar ouders, waar iedereen dronken werd, te veel at en zich in alle opzichten zo gedroeg of we zuiderlingen waren voor we de oorlog verloren. We gingen in Gulfport wonen, want dat was dichter bij haar familie, en binnen een halfjaar was ze zwanger. We kregen een meisje, en toen nog een. Het waren schatjes, broeders en zusters, geloof me, ze waren allebei zo knap als wat. Ik verviel in hetzelfde ritme als mijn pa. Ik werkte in Laurel en kwam in het weekend naar huis. Hoewel ik had gezegd een paar dingen niet te zullen doen die mijn pa deed, gebeurde dat toch. Ik kreeg een zwart vriendinnetje en ging 's avonds met haar naar bars en naar bed. Ik kaartte wat en verloor wat geld. Ik reed in een grote snelle auto en schreeuwde tegen de mensen die voor me werkten, ook al verdienden ze dat niet, en ik ontsloeg hen wanneer ik er zin in had, ook al was er geen goede reden voor. Ik leidde een heel slecht leven en ik wist niet beter. Sommigen zouden zeggen, en ik heb het op bepaalde momenten zelf gezegd, dat ik zong met Satan, met de duivel mee rende, het donkere vuile pad afliep van de demon Beëlzebub. Maar ik meende dat je als mijn slag man, een rijke blanke man uit het Zuiden, broeders en zusters, geacht werd zo te leven.

Zoals dat in het leven gaat, moet wat stijgt vallen. De machtigen worden de sukkels. Reuzen worden geveld en imperiums worden verwoest. En ook al denken ze allemaal dat het hun nooit overkomt, het is verdomd zeker dat het toch gebeurt, broeders en zusters, en daar kan ik van getuigen. Mijn val was snel en meedogenloos, net een doos stenen die van de achterkant van een wagen af valt. Ik begon met het roken van crack, heel modieus toen, met een van mijn vriendinnetjes. Ik kon er om de dooie dood niet mee stoppen. In dezelfde tijd als dat ondeugdje vielen de bronnen van mijn pa droog en kreeg hij bonje met mijn schoonvader. In dezelfde tijd verdween de effectenmakelaar van mijn pa naar Brazilië met een minnares en al ons geld. Ik bleef in Mississippi met als dekmantel mijn gezin helpen de lastige en woelige wateren van het financiële armageddon door te loodsen, maar intussen zat ik de hele tijd in een goedkoop motel met een aansteker en een pijpje, en een stroom hoeren. Toen ik naar huis ging, werd ik opgewacht door mijn schoonvader – hij had een privédetective ingehuurd – met een geweer en echtscheidingsdocumenten. Hij zei me dat mijn vrouw en mijn mooie dochters in Louisiana zaten, en als ik probeerde hen nog eens op te zoeken of contact met hen te leggen zou ik worden opgeknoopt en gecastreerd. Broeders en zusters, als jullie de blik in zijn ogen hadden gezien, hadden jullie geweten dat het geen grapje was.

Ik ging dus terug naar Laurel en verrookte alles wat ik over had. En toen verrookte ik een hele smak geld die ik niet had. En toen begon ik dingen te stelen die niet van mij waren om te verroken. Broeders en zusters, ik daalde af in de diepten van de hel waar ik lachte met Lucifer en de liefde bedreef met zijn lafhartige leerlingen. Ik bleef daar drie jaar, rook en dope, hoeren en snoeren, ritselen, sjacheren en jatten. Toen het moment nabij was dat ik geloofde de pijp uit te gaan en mijn aardse lichaam te verlaten, kreeg ik een openbaring, broeders en zusters, een fantastische openbaring, en ik werd wedergeboren, wedergeboren in het hart, de ziel en de geest van de man die mijn beste vriend en mentor werd, de man die naar ik geloofde de kracht en de heerlijkheid had, de machtige Almachtige zelf, de Profeet en de Zoon, onze Rechter en Verlosser, de Heer en Heiland Jezus Christus.

Het gebeurde in een verrotte oude kelder van een verrot oud verlaten hok dat een stel crackrokers gebruikte om zich in te verschuilen en high te worden. We waren net een stel ratten. Goor, stinkend en smerig, gulzig en hongerig, tot alles bereid om iets te eten te krijgen.

Ik had pijn in mijn borst door te weinig behoorlijk eten en te veel drugs, en had met een andere man gevochten vanwege cocaïne die ik hem volgens hem schuldig was. Hij daagde boos op en wilde knokken. Ik niet, dus probeerde ik de man te negeren, wat hem pisnijdig maakte. Hij pakte een baksteen op en gooide die recht tegen mijn hoofd, waardoor ik letterlijk en figuurlijk in het komende koninkrijk belandde. Toen ik wakker werd, broeders en zusters, stroomde er licht door een gebroken raam, het scheen pal over mijn gezicht. Ik hoorde de woorden, met een diepe, sterke zuivere stem, je moet worden wedergeboren. Ik wist niet wie het was dus vroeg ik wie is dat en de stem zei Jezus Christus en ik vroeg hoe weet ik dat u het bent en hij zei kijk in je hart, mijn zoon, en ik vroeg wat wilt u dat ik doe, Heer, wat wilt u dat ik doe en hij zei je moet worden wedergeboren. Ik zei dat ben ik, Jezus, dat ben ik, wat wilt u dat ik doe en hij zei verspreid het woord van God de Vader, predik de waarheid van de Evangeliën van de Zoon, en vervul de harten van de zondaars met de kracht van de Heilige Geest. Ik zei dat zal ik doen, Jezus, dat beloof ik.

Het licht ging weg, ik stond op, borstelde mezelf af, verliet het helse oord, ging linea recta naar de dichtstbijzijnde kerk, viel op mijn knieën en bad. Ik bad twee dagen. Geen eten, geen water en geen slaap. Toen de geestelijken van de kerk naar me toe kwamen, wuifde ik hen weg en zei ik heb een onderhoud met de Heer, broeder, ik praat met u wanneer ik klaar ben. Soms leek het of de Heer daar pal naast me at en in mijn oor babbelde. Op andere momenten vroeg ik me af waarom de stiltes zo lang waren. Tegen het eind geloofde ik dat de Vader zelf, de almachtige, de schepper van alles wat we kennen, me vertelde dat ik naar de ene stad op aarde moest met het grootste aantal zondaars en de grootste hoeveelheid zonde, om een kerk te beginnen en te beginnen met het redden van zielen. Dus daar ging ik, broeders en zusters, naar New York, New York.

Ik liep de hele weg. Liep met de schoenen aan mijn voeten, de kleren aan mijn lijf en een bijbel in mijn hand. Ik was afhankelijk van de vriendelijkheid van vreemden om het vol te houden. En, broeders en zusters, hoe wreed en lelijk deze wereld ook kan zijn, er is nog steeds een heleboel goedheid in te vinden. Binnen een dag had ik een volle maag. Binnen twee dagen had ik nieuwe schoenen en nieuwe kleren. Binnen drie dagen had ik wat dollars in mijn zak. Op de vierde dag werd ik geknipt en geschoren. Ik kreeg alles van gezegende vreemden, die ik allemaal voor vermomde engelen hield, engelen die uit de hemel waren gezonden om me te helpen en me te leiden, waren gezonden, broeders en zusters, om te zorgen dat mijn missie succes had. Elke nacht bad ik een paar uur, sliep drie, vier uur, en de rest van de tijd liep ik. En onder het lopen zei ik, om de paar minuten, op een manier die ik luid en duidelijk zou noemen, Heer, ik houd van u, ik ben een nederige man en een nederige dienaar en ik houd van u met heel mijn hart. Na tweeëntwintig dagen onderweg te zijn geweest, liep ik de George Washington Brug over.

Het was erger dan ik had gedacht. Ik vond het een paradijs voor zondaars, broeders en zusters, een enorme hoerenkast die door de duivel werd bestierd. Ik vond een plek in een tehuis voor daklozen. Ik stond op straathoeken en predikte het evangelie van de Heer. Ik ging naar Central Park, destijds een akker voor zondaars, waar je straffeloos kon drinken en drugs gebruiken, roven en stelen, alle vormen van sodomie en seksuele perversiteit bedrijven, en probeerde mensen tot de weg van de Heer te bekeren. Ik predikte op Union Square. Op Wall Street. In de Greenwich Village. Ik stond midden op Times Square, broeders en zusters, uit volle borst het woord van de Heer te schreeuwen. Het leek of er daar zo veel zielen vielen te redden, zo veel zondaars, perverselingen, homo's en aanbidders van de duivel die op het rechte pad moesten worden gebracht of in Jezus' kudde gedreven. Ik predikte de hele dag, iedere dag, en ik moet zeggen, broeders en zusters, omdat ik met heel mijn hart geloofde in wat ik zei, was het echt heerlijk.

Ik begon de andere wijken van New York in te trekken, ik zocht wijd en zijd naar mensen die bereid waren te worden wedergeboren. Ik kreeg op Staten Island een pak slag van een paar mannen in een Cadillac die dreigden dat ik eraan ging als ik ooit terugkwam. Geen mens in de Bronx sprak Engels, en als ze het wel deden, keken ze naar me of ze me wilden vermoorden. Door alle joden in Brooklyn kreeg ik het gevoel of daar geen plaats voor me was. Dus bleef ik in Queens, en redde één mens, toen twee, en toen drie. Broeders en zusters, binnen een paar maanden had ik mijn eigen kudde. Een prima kudde. Mensen die geloofden in de gerechtigheid van mijn woorden en geloofden dat ik het ene ware woord predikte. We begonnen elkaar te treffen in de achterkamer van een stomerij, de eigenaar was een man die ik in Jezus' armen had gedreven. Ik begon na elke preek geld in te zamelen om een echte kerk te beginnen. Mensen begonnen andere mensen te vertellen over mijn relatie met God en zijn Zoon, de Heer en Heiland Jezus Christus, over mijn kennis van zijn woorden en zijn Evangeliën, over mijn persoonlijke band met de hemel boven ons, en mijn kudde groeide tot de stomerij te klein werd. En het lag niet alleen aan de aantallen, broeders en zusters, de stomerij was te klein voor de kracht van hoe wij de Heilige Geest vereerden en aanbaden, de stomerij was te klein voor onze liefde voor God en zijn Zoon, en te klein voor de gebeden die we naar boven zonden. De Heer hebbe genade, het waren dagen van gerechtigheid.

Ik verplaatste de kerk dus. We kregen ons eigen pand, een pand waar vroeger een zaak voor autobenodigdheden in zat. Fraai was het niet, maar bij het aanbidden van de Heer gaat het niet om schoonheid, het gaat om bezieling en vroomheid, en daaraan ontbrak het niet, broeders en zusters, eerbied en vroomheid waren er bij ons in overvloed. Omstreeks die tijd ontmoette ik Jacob en zijn familie. Jacob was op zoek, een man die probeerde zijn weg te vinden naar het hart van de Heer. Hij wist alleen niet hoe, waar hij heen moest, of had niemand om het hem te tonen. Hij was joods opgevoed, en het joods-zijn had zijn hart leeg gelaten en zijn ziel verward. We ontmoetten elkaar toen ik op een straathoek predikte. Hij liep naar me toe, vroeg om een brochure en ik gaf hem er eentje over de Wederkomst van Christus, ik vertelde hem te geloven dat die aanstaande was. Hij vroeg me hoe ik dat wist, en ik zei alleen de Vader kent de dag of het uur, ook de engelen des hemels niet of de Zoon zelf, maar dat het mijn plicht als christen was waakzaam te zijn, en dat mijn hart me ingaf dat ik spoedig iets te zien zou krijgen. Jacob vroeg me of ik de Messias wilde ontmoeten, want hij kende hem. Het was of een bliksemstraal me trof, broeders en zusters, of de hand van God mijn hart bereikte en zei ja, ja, ja, of de missie van mijn leven en mijn kerk ineens aan mij was onthuld, net zoals de missie van hun leven aan zo velen van de heilige mannen uit de Bijbel was onthuld. Ik vroeg hem wie deze Messias was, zijn broer zei hij. Ik vroeg hem hoe hij het wist en hij zei dat zijn broer sinds zijn geboorte door orthodoxe rabbijnen als de Messias was herkend, en dat hij aan alle criteria beantwoordde en alle tekenen vervulde. Ik zei hem dat de joodse Messias en de wedergekomen Christus verschillende dingen waren, en zijn reactie was dat Christus de Koning der Joden was en dat het logisch was dat wanneer hij terugkeerde hij als Koning der Joden terug zou keren. De redenering was simpel en solide, en ik begreep in mijn hart dat hij gelijk had, omdat God me dat voorhield. Christus zou terugkeren zoals hij leefde, stierf en werd opgewekt door de Heilige Vader, als Koning der Joden. Ik vroeg hem waar die broer was, en hij zei het niet te weten, dat hij verdwenen was, maar dat hij op een dag terug zou keren. De meeste mensen in mijn plaats zouden hebben gedacht dat deze knaap gek was. Maar ik geloofde in de Vader en zijn boodschappen, en zijn geschiedenis bij het kiezen van profeten, en ik geloofde dat hij op raadselachtige en onkenbare manieren te werk ging. Ik geloofde dus, broeders en zusters, en ik opende mijn hart voor Jacob, en haalde hem en zijn familie mijn kerk binnen. Ik bracht hun daar traditionele christelijke waarden bij en hielp hen zich van hun joodse geloof en hun joodse tradities te ontdoen. Hij werd als een zoon voor me, mijn trouwste adviseur en mijn partner in de kerk, die maar bleef groeien en maar zielen bleef redden uit de hel van eeuwige verdoemenis. En jarenlang zochten we naar Ben Zion Avrohom. We zochten in heel New York, in heel Amerika, en een paar keer meenden we zijn spoor overzee te hebben gevonden, een keer in India, een keer in Afrika en een keer in China. We verloren nooit de hoop en ik geloofde geen moment dat de Vader en zijn Zoon, Jezus Christus, me op een reis zouden sturen die geen einde kende. Ik wist dat we Ben Zion zouden vinden, of dat hij naar zijn familie terug zou keren. En ik geloofde dat hij ons naar rechtvaardige heerlijkheid zou leiden.

En hij keerde terug. Hij keerde terug, en Esther vond hem. En het was een grootse, grootse dag. Alleen de ouderlingen van de kerk wisten van ons geloof in en onze zoektocht naar Ben. We hadden bijna zestien jaar lang dagelijks gebeden, en jawel, broeders en zusters, we geloofden dat onze gebeden waren verhoord door de machtige Vader zelf. De Messias was gekomen. Jezus Christus, onze Heer en Heiland, was teruggekeerd. Toen ik Ben voor de eerste keer zag, wist ik wat hij was en wie hij was. Reken maar dat het geweldig was om hem te aanschouwen. Het maakte niet uit dat hij kunstmatig in leven werd gehouden, en dat er overal draden en slangen uit hem kwamen. Hij straalde, broeders en zusters, hij had Gods glans op zich, de glans van engelen, de glans van de hemel, de glans van de Heilige Geest, de glans van de eeuwigheid. Ik viel op mijn knieën, ik bad en ik dankte de Here God dat hij mij bij zijn plannen betrok en vroeg hem om de kracht om zijn wensen uit te voeren. En hoe kon er enige twijfel zijn, broeders en zusters, toen hij het ongeluk op deze manier overleefde, zoals alleen een goddelijk wezen het had gekund, en toen hij zijn toevallen begon te krijgen en sprak met wie naar wij geloofden de Heilige Vader zelf was, en toen hij Bijbelverzen begon op te zeggen en de alleroudste heilige talen beheerste, zonder in dwaze tongen te spreken, zoals de Heilige Geest sommige mensen laat doen, maar in de heilige talen zelf sprak? Wanneer iets zo overduidelijk is, je het met je eigen ogen ziet en je het diep in je hart voelt, gelooft alleen een dwaas niet dat het waar is. En mijn ma mag dan van alles hebben grootgebracht, maar geen dwaas.

We baden voor Bens herstel, al bestond daar nooit enige twijfel over. We lieten de joodse rabbijn hem bezoeken, omdat Ben daarop stond. We geloofden dat Ben het ziekenhuis uit zou gaan, naar het huis van zijn familie terug zou keren en zich bij de kerk zou aansluiten, zoals naar wij geloofden door de Vader was beschikt. Zowel Jacob als ik hadden er met God gesprekken over gehad, en we geloofden dat Gods woord waar was. Toen Ben verdween tijdens een gesprek met de joodse rabbijn, geloofden wij dat de rabbijn hem ergens heen had gebracht. Er was geen reden dat de Messias, de wedergekomen Christus, de Heer en Heiland zelf, de armen van een liefhebbende familie en een liefhebbende kerk zou ontvluchten, tenzij iemand hem daartoe dwong. Joden hadden al tweeduizend jaar, en in vele gevallen met succes, geprobeerd de wereld te beheersen. Ze doodden onze eerste Messias, hadden hem aan het kruis genageld en gedood, al deed hij dit gelukkig om ons te verlossen van onze zonden. Ik geloofde dat in hun handen de macht van Christus naar alle waarschijnlijkheid voor een duivels doel zou worden gebruikt. Tegelijk weet iedere goede christen die een knip voor de neus waard is dat de christenen afhankelijk zijn van de joden om het Einde der Tijden te laten aanbreken. Om het Einde der Tijden te laten plaatsvinden, moeten ze in Israël wonen en moet Israël bestaan. De tempel van Salomo moet worden herbouwd. De oorlog van Armageddon zal zich in hun land afspelen. De bazuinen zullen schallen, de vier ruiters zullen voortrijden over de kale vlakte, en de

Opname begint. Voor al die dingen zijn de joden noodzakelijk. Ten kwade, geloofde ik, maar noodzakelijk. We hielden dus de joodse rabbijn in de gaten. We lieten mensen hem volgen. We probeerden zijn telefoon af te luisteren, maar kregen dat niet voor elkaar. Er gebeurde niets bijzonders. Hij deed zijn werk op een kennelijk normale manier. We baden extra lang en extra intens, en we vroegen de Heilige Vader om een teken dat ons kon helpen zijn Zoon te vinden, en we beloofden dat als we hem terugkregen we hem niet weer zouden laten gaan. We lazen kranten van de Grote Media en keken naar nieuwsprogramma's van de Grote Media, ook al wisten we dat ze van de leugens en propaganda aan elkaar hingen, ook al wisten we dat ze door joden en homo's werden beheerst, in de hoop op een aanwijzing.

Ik zag het krantenartikel over de neger en zijn apocalyptische tunnelcultus. Ik werd kotsmisselijk van het idee. Ik geloofde dat mensen het voortbrengsel waren van Gods heerlijkheid en naar zijn beeld waren geschapen, en ik kan jullie zeggen, broeders en zusters, dat God het niet zou goedkeuren dat mannen en vrouwen als wormen in het slijk leefden, ook al waren het zondaars. Maar nadat het bekend werd, begon de joodse rabbijn zich anders te gedragen. Hij ging naar een bank, had lange gesprekken met een advocaat en ging naar de federale gevangenis. De privédetective door wie we hem lieten schaduwen, deed wat onderzoek en ontdekte dat naast de gekke neger een man werd vastgehouden die aan Bens signalement beantwoordde. We geloofden dat het het werk van de duivel moest zijn, die nooit slaapt, nooit rust, en altijd bezig is om de zonde en het kwaad in de wereld aan te wakkeren. De neger was ongetwijfeld een werktuig van Lucifer, bedoeld om de Zoon gevangen te nemen en te houden, in een poging hem tot verderf te brengen, en wanneer dat mislukte, want niets en niemand kan de Messias, de Zoon van God, de Heer en Heiland tot verderf brengen, hem te doden.

We gingen meteen naar een borgtochtbureau. We hadden geld inge-zameld voor een nieuwe kerk, deels om de komst van de Heer te vie-ren, en wisten dat het nergens op sloeg als de Heer in de gevangenis zat. We geloofden ook dat wanneer de rechtszaken die Jacob namens Ben had aangespannen werden geschikt of zouden voorkomen, onze schatkist overvol zou zitten. We gaven dus ons geld en het gebouw dat we bezaten waarin destijds de kerk was gevestigd als onderpand voor de borgstelling. Een paar van de ouderlingen maakten zich zorgen, maar ik hield hun voor: waar kun je geld nog voor gebruiken als je het niet kunt gebruiken voor de heerlijkheid van God en zijn Zoon? En we moesten en zouden de joodse rabbijn verslaan, die naar wij geloof-den met hetzelfde bezig was, al hadden zijn bronnen de zaak vóór ons aan het licht gebracht. Zo ging dat naar ik geloofde met joden. Dat ze alles als eersten wisten. En dat was een van de manieren waarop ze probeerden de planeet te beheersen.

We gingen dus naar de federale gevangenis in het centrum, een poel van zonde en verloedering. We gingen erheen met een advocaat en vroegen om inlichtingen over de gedetineerde die ze Pietje Puk nr.4 noemden. Kunnen jullie het je voorstellen, broeders en zusters? De Messias, de Zoon van God, de wedergekomen Christus Pietje Puk nr.4 noemen? Het was schandalig. Het was walgelijk. En hoewel we aan de autoriteiten, die naar ik geloofde het boze waren en samen-spanden met de joden en de duivel, niet konden vertellen wie Ben was, heb ik hun beslist iets laten merken van mijn gerechtvaardigde woede. We kregen Ben voor het eerst in een bezoekruimte te zien. Jacob, ik en onze advocaat, Caleb, een goede christen die geloofde in de woorden van de Vader en de Evangeliën van de Zoon. Hij werd naar binnen geleid met zijn benen en armen in ketens, of hij een slaaf was. Zijn gezicht was gezwollen en vertoonde blauwe plek-ken, een van zijn ogen was zwart en er zat een snee op zijn lip. Hij zag eruit of hij in een maand geen maaltijd had gekregen.

We probeerden met hem te praten. Hij was heel beleefd, maar heel afstandelijk. Ik nam aan dat hij een of ander middel kreeg om zijn geest te beheersen, het is bekend dat de overheid dat heeft en het gebruikt tegen mensen die ze bedreigend achten. En de Messias zou zeker een bedreiging zijn. De Messias gaat aan alles een eind maken, of kondigt het eind in elk geval aan. Jacob omhelsde hem en zei dat we voor hem zouden zorgen. Ben zei dat hij best voor zichzelf kon zorgen. Jacob zei dat we hem er zo snel als we konden uit zouden krijgen, en Ben zei dat hij volmaakt gelukkig was waar hij zat. Jacob vertelde hem dat we ongerust waren geweest en naar hem hadden gezocht, en Ben sloot alleen zijn ogen en glimlachte. Toen ik hem vroeg of hij met ons wilde bidden, zei hij dat het me vrijstond om te bidden, maar dat hij er niet aan deed. Ik vroeg hem of ik hem goed had verstaan, dat hij niet bad, en hij zei ja, je hebt me goed verstaan. Het was verbijsterend. We verwachtten een grootse ontvangst door een heilige man die heel graag de wereld in zou trekken om Gods woord te verspreiden. Een heilige man in de traditie van de Bijbelse heilige mannen. Een heilige man zoals Mozes, Jesaja of Johannes de Doper. Ik verwachtte Jezus voor me te zien. Het liep anders.

We regelden toch de borgtocht. Ik ging naar de rechtbank en we verpandden alle middelen van de kerk, evenals de akte voor het onroerend goed van de kerk. Een paar andere ouderlingen van de kerk vonden dat we te veel riskeerden, maar ik geloofde dat als je niet in staat bent alles te riskeren voor de Heer, en dan bedoel ik ook alles, broeders en zusters, je leven, je geld en je familie, je dan onmogelijk waarlijk in de Heer kunt geloven. Want als je in dit leven waarlijk in iets gelooft, of het nu God is, liefde, geld, hebzucht of wat dan ook, zul je er alles voor riskeren. En dat deed ik, halleluja, ik geloofde en verpandde het allemaal. Ik aarzelde niet, geen seconde, en op die manier dankte ik de Almachtige Heer voor de kans die ik kreeg hem te dienen. De rechter vaardigde een vonnis uit waarin werd bepaald dat ik en zijn familie de hoede kregen over Ben. Hij eiste dat een enkelband werd aangebracht zodat Ben kon worden opgespoord. Ik maakte bezwaar, omdat ik geloofde dat het signaal door de jood en diens bondgenoten zou worden gebruikt om Ben op te sporen en gevangen te nemen, dat het apparaat stellig onderdeel moest zijn van het plan van de joden, en daarmee van het plan van Lucifer. Caleb zei dat ik mijn mond moest houden, dat de rechter ook een jood was. Toen wist ik dat het een hele strijd zou worden om te zorgen dat Ben ongedeerd bleef. Joden, negers, zondaars en perverselingen – we moesten het tegen hen allemaal op gaan nemen.

Toen we Ben daadwerkelijk in handen kregen, in een kamertje in de gevangenis, was ik in het gezelschap van Caleb. Ook Caleb was een goed evangelisch man, een lid van onze kerk, een man van Christus die geloofde in traditionele Amerikaanse familiewaarden. Hij was anglicaan geweest, maar had wat naar ik geloofde een geperverteerd geloof was achter zich gelaten – een geloof waar vrouwen en homo's hun zegje mogen doen terwijl hun dat niet toekomt, een geloof dat niet strookt met de ware waarden van de Heer en zijn Zoon – en de ware Christus gevonden. Hij was alcoholist geworden, al bezocht hij elke week de dienst van zijn geperverteerde kerk, voor ons een bevestiging hoe zwak en blasfemisch het geloof van zijn kerk was, en begon zonder aanleiding zijn vrouw en kinderen te slaan. Hij werd wedergeboren nadat hij een auto-ongeluk kreeg. Hij draaide zich om tijdens het rijden om een van zijn kinderen tot de orde te roepen. Toen hij zijn arm naar het kind uitstak, verloor hij de macht over het stuur en klapte tegen een boom. Hij kwam bij in het ziekenhuis en gelukkig, broeders en zusters, was met zijn vrouw en kinderen alles in orde. Met hem ging het nog beter. Hij zei dat de Heer met hem had gesproken in de seconde voor hij die boom raakte. En de Almachtige Heer had hem in al zijn goedertierenheid, wijsheid en genade verteld dat hij hem zou sparen als hij zijn leven wijdde aan zijn ene en enige Zoon, de Heer en Heiland Jezus Christus. En dat deed hij, broeders en zusters. Hij ging weg bij het kantoor waarvoor hij werkte op Manhattan, wat wij het Duivels Eiland noemden, en begon een praktijk die zich op christelijke zaken richtte. Hij streed voor de ongeboren kinderen die in abortusklinieken worden vermoord, hij streed tegen wetten waarin flikkers en nichten de rechten krijgen die normale, gezonde mensen toekomen, hij streed ervoor dat op scholen wordt gebeden en in de biologieles het scheppingsverhaal wordt onderwezen, hij streed voor het recht van christelijke mannen om alle wapens die ze wensen te dragen om hun gezinnen te beschermen. Hij was een schrikbeeld voor de American Civil Liberties Union, die zich naar wij geloofden alleen bezighield met het aanwakkeren van zonde en perversiteit, en probeerde christenen te overheersen en op te ruien ten bate van de joden.

Ben liep naar binnen, geketend. Zowel Caleb als ik vielen op onze knieën en bogen. We bogen voor de Messias, zoals je dat altijd moet doen, broeders en zusters. We hadden Ben eerder gezien zonder voor hem te buigen. We wisten, voor onze eerste ontmoeting, niet goed hoe hij zou zijn. Niemand, zelfs niet de allervroomste, zelfs niet de meest rechtvaardige en zuivere uit de kudde van de Heer had de zoon van God eerder gezien. Hij was niet wat wij hadden verwacht, en toen we er later over spraken, zagen we in dat we niets hadden mogen verwachten. God is God. Alvermogend en almachtig. De Schepper van hemel en aarde. Die oordeelt en verlost. Wij kenden Gods wegen en bedoelingen niet. Wij kenden Gods plan niet. Alleen hij kon het weten. En hij openbaarde wat hij wilde openbaren. En wij geloofden, en ik geloof nog steeds, dat Ben zijn geliefde Zoon was. En wij keken ook terug, broeders en zusters. Wij keken terug naar Jezus Christus, de Heer en Heiland, de man die zichzelf offerde aan het kruis voor de zonden van de mensheid. We keken terug naar de man die, geloofden wij, was wedergeboren in het heilige vat van Ben Zion Avrohom. Christus werd bemind door twaalf mannen, twaalf gelovigen, twaalf discipelen, twaalf apostelen. Hij zwierf door het Heilige Land en predikte Gods woord. De wereld had nooit zoiets als zijn boodschap te horen gekregen. Zijn boodschap was zuiver, mooi en waar, en kwam rechtstreeks van de Heilige Vader zelf. Zijn boodschap was de toekomst, en de wereld is niet altijd klaar voor de toekomst. De wereld is niet altijd klaar voor de waarheid. Hij was een radicaal, broeders en zusters. De wereld had nog nooit zo'n radicaal gezien, een door de hoogste macht over de mens verwekte radicaal voor de mens. Christus werd door velen als een gek beschouwd. Hij werd bespot en veracht. De rabbijnen van Israël lachten hem uit en verwierpen hem. Zijn boodschap werd verkeerd begrepen en verkeerd uitgelegd. Er waren er maar twaalf die hem in hun hart kenden toen hij de aarde sierde. Het duurde duizenden jaren, broeders en zusters, duizenden jaren eer hij werd gevonden door zijn ware volgelingen, eer mensen zoals ik en mijn kudde werden wedergeboren in de boezem van zijn liefde. Duizenden jaren met een onnoemelijk aantal valse kerken met verkeerde boodschappen. Duizenden jaren met pausen, predikers, geestelijken, dominees en voorgangers die dolende, ketterse preken spuiden en nietszeggende edicten uitvaardigden. Misschien hadden ze het goede voor en waren hun bedoelingen zuiver, maar dat maakt hun rol als afvalligen niet minder erg. Wij stelden vast, na veel overleg en dagen van gebed, en na een onnoemelijk aantal gesprekken met God en met Christus, en na een heleboel innige ervaringen met de Heilige Geest, dat Ben werkelijk de Messias was. Wij moesten hem als zodanig aanvaarden, hem als zodanig behandelen, hem als zodanig beschermen, hem als zodanig begeren en hem als zodanig vereren.

Hij kwam dus binnen, en wij knielden en bogen. Ik heb mij nooit zo verootmoedigd, broeders en zusters, zelfs niet op het ogenblik dat ik mijn hart en ziel aan de Heer schonk en werd wedergeboren. Terwijl de bewakers zijn ketenen afdeden, baden we allebei en dankten de Vader voor zijn Zoon, en dankten hem voor de gelegenheid hem te dienen. De bewakers vertrokken maar vroegen Ben te blijven wachten op de enkelband. Hij stond boven ons, wij beiden nog steeds op onze knieën, nog steeds gebogen. Hij sprak.

*Jullie hebben mijn borgtocht geregeld?*

Ik sprak.

*Ja, mijn Heer.*

Bedankt.

Wij zijn ootmoedig en vereerd, mijn Heer.

*Waarom knielen jullie?*

Wij knielen voor u, de Profeet, de Zoon, de Messias, onze Heer en Heiland. Wij knielen voor u, wedergeboren Christus.

*Kom alsjeblieft overeind.*

Wij keken allebei op en kwamen overeind. En daar was hij, broeders en zusters, de Profeet, de Zoon, de Messias, onze Heer en Heiland. Daar was hij, de wedergeboren Christus. Ik zou woorden kunnen gebruiken om hem te beschrijven, maar er bestaan géén woorden die iets zouden zeggen. Bij de meest diepgaande ervaringen in ons leven en in de wereld zijn woorden niets waard. Kun je liefde beschrijven? Of de dood? Kun je beschrijven wat je precies voelt als je de eerste keer je kind ziet? Of als je hart voor de eerste keer wordt gebroken? Je kunt het proberen, broeders en zusters, maar je beschrijving blijft ver achter bij hoe het werkelijk was, of hoe het werkelijk voelde. Zo was het ook met Ben. Hij stond voor ons, gewond en geslagen, ziek en uitgehongerd, het Lam Gods, het Licht der Wereld, de Heerser van het Nieuwe Verbond, Koning der Koningen, en wij waren vol ontzag. Ik sprak.

We zijn hier om u te dienen, machtige God.

*Ik ben een mens.*

Zoals Christus.

*Ja.*

Bent u geboren uit God?

*We zijn allemaal eender geboren.*

Bent u niet de Profeet, de Zoon, de Messias. Bent u niet onze Heer en Heiland?

*Geloof je dat?*

Jawel, mijn Heer, jawel.

Hij staarde me aan, een glimlachje op zijn mooie gezicht, zijn ogen zwart en bewegingloos. Het was een vredige glimlach, stil en kalm, net als de glimlach die ik op zo veel afbeeldingen van Christus had gezien. Voor ik nog iets kon zeggen, kwamen twee mannen binnen met een enkelband, ze vroegen Ben te gaan zitten. Ze deden hem de band om en legden uit hoe die werkte, vertelden hem dat de rechtbank gebieden zou aanwijzen waar hij mocht komen en dat de band zijn bewegingen zou volgen. Als hij afdwaalde uit de aangewezen gebieden zou hij worden gearresteerd en zou zijn borgtocht worden ingetrokken. Ik werd er kotsmisselijk van. Woedend en gegriefd. Het idee dat de overheid en de joden de bewegingen konden beperken van de Messias, de man op wie de wereld tweeduizend jaar had gewacht, zijn bewegingen konden volgen of hij een hond was! Ik had iemand willen vermoorden, broeders en zusters, en ik zag uit naar de afrekening bij de Opname. Ze zouden allemaal branden. Branden in de hel, waar ze thuishoorden. Branden, terwijl ik aan de rechterhand zat van de Almachtige Heer. Branden terwijl ik genoot van het heerlijks van de hemel als de voorganger die de Messias uit de handen van Gods vijanden voor de dood in de gevangenis had behoed. Ik geloofde dat ze allemaal zouden branden.

De mannen gingen weg en wij waren alleen met Ben. Hij had vodden aan. Een loshangende zwarte broek, een zwart T-shirt en zwarte plastic sandalen. Vodden die ik de ergste zondaar niet wilde zien dragen, ongeacht of ze het nu verdienden of niet. We hadden een prachtig wit kostuum voor hem meegebracht. Eentje dat we met middelen van de kerk hadden aangeschaft bij de beste kleermaker in Queens. Hij weigerde het te dragen, zei dat hij de kleren zou dragen die hij had. Ik zei hem dat zijn familie op hem wachtte. Hij glimlachte en zei niets. Ik zei hem dat we tot zijn beschikking stonden, en dat we hem wilden helpen Gods woord op aarde te verspreiden.

Hij stond op en vroeg of we klaar waren om te gaan. We openden de deur en gebaarden dat hij ons moest voorgaan. Hij liep naar voren, we gingen een gang door en namen een lift naar de begane grond. Ben zei niets. Toen we de gevangenis uit liepen, stonden er drie mannen voor de deur. Eentje droeg een overhemd en een das. Hij had een vuurwapen, dus moet hij een of andere federale agent zijn geweest. De andere twee droegen de uniformen die alle gevangenis-functionarissen droegen. Ze wachtten duidelijk op Ben. Ik dacht onmiddellijk dat het moordenaars moesten zijn. Ik was bereid de Messias te verdedigen en voor hem te sterven. Bereid om mijn liefde voor hem en voor zijn Vader te bewijzen. Ben glimlachte naar hen en liep hun kant op. Hij bleef bij alle drie even staan en omhelsde hen. Ze hielden hem stevig vast. Zoals je iemand vasthoudt die naar het front gaat, of iemand die naar de gevangenis gaat en er nooit meer uit komt. Zoals je iemand vasthoudt van wie je houdt maar die je naar je weet nooit meer zult zien. Hij sprak zachtjes met alle drie. Zachtjes, zodat alleen zij konden horen wat hij zei. En ik zweer, broeders en zusters, ik zweer op mijn leven dat ik hen zag verande-ren. Ze veranderden lichamelijk. Of er eerst iets zwaar op hen woog en ze vervolgens op de lucht gingen zweven. Of ze ziek waren ge-weest en ineens gezond werden. Toen Ben zich bij de laatste van hen lostrok, liet hij hen staan en hij keek niet achterom.

We hadden een auto klaarstaan. We waren in stijl gekomen. Een lange zwarte limousine, met een chauffeur in uniform en met een pet. Net zoals mijn pa vroeger soms rondreed. We hadden binnen drie bijbels en hoopten op de terugrit met Ben te lezen. We hadden gekoeld water en sapjes. Het was erg luxueus, maar Ben wilde de auto niet in. Hij wilde teruglopen naar Queens. Hij wilde over het Duivels Eiland lopen, de vervuilde lucht inademen en zich mengen onder de abnormale burgers. We probeerden het uit zijn hoofd te praten, maar hij liep gewoon weg. Er zat niets anders op dan met hem mee te lopen.

Het was een geweldige ervaring, broeders en zusters. Door de straten van het speelterrein van de duivel lopen met een van de twee ooit geschapen mensen die machtig en zuiver genoeg waren om de strijd met hem aan te gaan. Hij liep langzaam. Hij zei geen woord. We liepen aan weerszijden van hem. Hij bewoog zijn ogen langzaam terwijl hij liep en keek alle kanten op. Het was duidelijk dat hij alles zag, alles hoorde, alles wist. Zo nu en dan sloot hij zijn ogen en haalde hij diep adem door zijn neus. Zo nu en dan zette hij een stap in iemands richting, doorgaans iemand die arm en smerig was, meer dan eens een dakloze dronkaard of drugsverslaafde. Hij hief dan zijn hand heel licht in hun richting. Ik zag het hem in de richting van een huilende vrouw doen. Een man in een kostuum die met zijn mobieltje belde. Een smeris midden op straat. Een vrouw in verpleegsterskleding die over het trottoir rende. Een Arabische hotdogverkoper en een paar Afrikanen die namaakhandtassen verkochten. Hij deed het bij kinderen. Bij alle kinderen die hij zag.

Het lopen leek uren en uren te duren. Broeders en zusters, mijn voeten en benen deden zeer. We liepen door de oostkant van het eiland. We gingen Chinatown door, de Lower East Side, de East Village. Er waren overal mafkezen en zondaars. Drugsverslaafden en homoseksuele perverselingen. Caleb en ik hielden allebei onze bijbel in onze rechterhand. We droegen kruisen om onze nek. We bleven dicht bij Ben. Hij zei niets, dus zeiden wij niets tegen hem. We liepen Union Square over, via Park Avenue, het Grand Central Station door, waar hordes zondaars uit treinen stapten om zich aan hun smerigste fantasieën over te geven. Hij bleef zijn hand opheffen, een klein beetje maar. Altijd in de richting van mensen van wie ik moest walgen, mensen die duidelijk bondgenoten waren van Lucifer. Mensen die ik zou hebben gemeden, mensen die naar ik geloofde door de Heer verworpen zouden zijn. Ik was blij toen we het station verlieten, dat leek wel het diepst van de hel. Ik was dol van vreugde toen ik Gods licht weer op mijn gezicht voelde en Gods lucht kon inademen.

We sloegen naar het oosten af en begonnen de kant van de Queensborough Bridge op te lopen. Er kwam een harde wind van de East River, of die de kwade dampen weghield van Queens en Brooklyn. We liepen het voetpad naar de brug op in Second Avenue en begonnen aan de oversteek. Het pad bevindt zich aan de zuidkant, met uitzicht op heel het zuiden van Manhattan, de flats tekenen zich hoog af, vol Satans dreiging. Je loopt over een simpel trottoir. Er is een stenen muurtje van omstreeks één meter, met een gazen hek erbovenop dat zo'n drie meter hoog is. De wind blies hard, broeders en zusters, en floot. Caleb zei dat het volgens hem de echo was van de bazuinengelen van de Heer die de terugkeer aankondigden van zijn Zoon naar de ene ware kerk, onze kerk. Zo voelde het ook. We staken de rivier over. De Messias, de Zoon van God, die we zojuist hadden gered uit de klauwen van de overheid en de joden, en die door de stad had gelopen, een nieuwe versie van het dal van de Schaduw van de Dood, om zegeningen en genade te verspreiden, ging ons voor. Natuurlijk kondigde de hemelse Vader, de Almachtige Heer, de Heerser van alles wat er was en ooit zal zijn, onze terugkeer aan. Het was een moment van gerechtigheid, van ware gerechtigheid. Een van de krachtigste momenten die een man, vrouw of kind op deze aarde heeft ervaren. Ik kan me niets groters voorstellen. Lof zij de heerlijkheid. Lof zij, broeders en zusters.

Toen we het midden van de brug naderden, de stank van Manhattan vervaagde en de bazuinen van de Heer schalden, liep Ben naar de muur toe. Voor we een woord konden zeggen, was hij boven op het gazen hek geklommen. Ik zweer dat ik hem de muur op zag springen en in het hek zag klimmen, maar later, na al het andere, zei Caleb dat hij omhoog zweefde, of een vlaag uit de hemel hem had opgetild en daar neerzette. Daar stond hij dan. Op een metaaldraad van een halve centimeter dik die over de bovenkant van het hek liep. Hij bevond zich enkele tientallen meters boven de rivier. Zijn handen hingen naast zijn lichaam. Hij sloot zijn ogen en stond daar zomaar.

We wisten niet wat we moesten doen. Ik was erg bang dat hij zou vallen, al geloofde ik ook dat hij niet zou sterven als het gebeurde. Caleb ging neer op zijn knieën en begon te bidden, hij zei: God de Vader, ik kniel ootmoedig voor u in Jezus' naam, dank u dat u mij toestaat u te dienen, God de Vader, en toon mij alstublieft een teken, God de Vader, zodat ik u kan dienen naar uw wens. Hij staarde naar Ben, zei het nog eens en nog eens. Er was een windvlaag, en ik ging ook op mijn knieën, en Ben stond daar zomaar. Het had onmogelijk moeten zijn dat hij op dat hek stond. Het had onmogelijk moeten zijn dat hij zijn evenwicht bewaarde. De wind had hem weg moeten blazen. De lucht was blauw boven hem, wolken dreven langzaam voorbij. Auto's raasden achter ons langs over de brug en we konden ze horen toeteren en mensen uit de raampjes schreeuwen. De kalme beweging van de rivier fluisterde onder ons. En de wind, die er nog steeds stond, kondigde zijn aanwezigheid aan. Het was het mooiste moment van mijn leven.

Ik weet niet hoe lang hij daar bleef. Het kan twee minuten of twee uur zijn geweest. Net als Caleb ging ik ook bidden en ik verloor mezelf in de kracht van de Heilige Geest, die we om ons heen konden voelen, zoals je tijdens een bruiloft vreugde of tijdens een begrafenis pijn kunt voelen. Toen hij naar beneden kwam, zei hij niets. Hij begon gewoon weer te lopen. We stonden op en volgden, en geen van ons zei iets. Zoals ik zei, broeders en zusters, soms werken woorden nu eenmaal niet.

Zijn familie wachtte op hem in hun flat. Onze broeder in Christus Jeremiah was bij hen. De vrouwen hadden, zoals hun plicht was, een maaltijd bereid. Een eenvoudige maaltijd. Precies zo'n maaltijd als de Grote Man, jc in persoon, zou hebben gebruikt: rijst, vis, brood, water en wijn. Caleb en ik waren doodmoe toen we daar aankwamen. Aan Ben merkte je niets, hij was zo fris als een hoentje. Ik had hem graag in mooiere of schonere kleren gezien, maar de Heiland maakt zijn eigen keuzes. Ik geloofde niet dat het aan mij was die te betwisten.

Hij greep naar de deur, die altijd met drie sloten was afgesloten, en de deur ging open. Hij stapte naar binnen. Het was de eerste keer in zestien jaar dat hij in het huis van zijn familie was geweest. Zijn moeder begon meteen te huilen. Hij liep naar voren, sloeg zijn armen om haar heen en zei *ik hou van je, moeder*. Ze begon te snikken. Ze legde haar hoofd op zijn borst. Hij legde zijn handen op de zijkanten van haar gezicht, tilde haar gezicht op en keek in haar ogen. Hij zei het nog eens: *ik hou van je, moeder, en ik ben blij dat ik thuis ben*. Hij stapte weg, naar zijn zus toe. Ze maakte een heel, heel zenuwachtige indruk. Haar handen beefden en haar lippen trilden. Hij glimlachte en zei: *dag, Esther, ik hou van je*. Hij kuste haar op het voorhoofd en omhelsde haar langdurig. Hij stapte weg en keek naar Jacob. Jacob was heel zwaarmoedig en heel ernstig. Hij leek heel sterk, broeders en zusters, op Gods jongeling die hij was. Hij had een pak en een stropdas aan. Hij wist dat hij zijn broer begroette, zijn vlees en bloed, maar hij wist ook dat hij de belangrijkste persoon begroette die sinds tweeduizend jaar over de aarde liep. Hij begroette de Zoon van God. Ben stapte naar voren, omhelsde hem en zei: *dag, Jacob, ik hou van je*. Jacob sloeg zijn armen om hem heen en omhelsde hem ook. Omhelsde hem strak en stevig, zoals een man de Heer moet omhelzen. Het was de eerste keer, in al die jaren dat we samen hadden gebeden, gediend en de Bijbel bestudeerd, in al die jaren, broeders en zusters, dat Jacob en ik samen het evangelie predikten dat ik hem een ander dan Jezus Christus genegenheid zag betonen. Ben trok zich terug en vroeg of hij een bad kon nemen. Zijn moeder zei natuurlijk en ging hem de badkamer wijzen. Jacob stuurde ons de woonkamer in, waar hij en ik, Caleb en Jeremiah gingen zitten. We vertelden Jacob wat er die dag was gebeurd, en toen gingen we neer op onze knieën, vormden een kring en baden.

Ben kwam even later naar beneden. Hij droeg dezelfde kleren. Ik weet dat Jacob zijn moeder en zus nieuwe voor hem had laten kopen. We kwamen overeind toen we hem zagen. Jacob vroeg hem of alles in orde was. Hij glimlachte en zei *jazeker, dank je*. Hij liep naar de eettafel en ging zitten.

Iedereen volgde hem. Mevrouw Avrohom en Esther begonnen het eten op tafel te zetten. Jacob drong erop aan dat hij aan het hoofd van de tafel ging zitten. Ben zei dat het niet nodig was, dat zijn plaats prima was, aan het uiteind van een van de zijden. Toen iedereen zat, stond ik op en sprak.

Zevenduizend jaar geleden schiep de Almachtige God Hemel en Aarde. Hij maakte de mens naar zijn eigen beeld en plaatste Adam in de Hof van Eden. Hij maakte Eva uit de rib van Adam, en de eerste vrouw verscheen in het Paradijs. Satan verleidde hen en de mens viel. Vijfduizend jaar lang was de wereld gevuld met ellende en zonde. Tweeduizend jaar geleden zond de Almachtige Vader zijn eerstgeboren Zoon, de Heer en Heiland Jezus Christus, naar de aarde, waar hij stierf aan het kruis om ons te verlossen van onze zonden. Hij werd opgewekt en nam zijn plaats in ter rechterhand van zijn Vader. Tweeduizend jaar hebben we gewacht tot Christus bij ons terugkeert om te strijden met de Antichrist voor de redding van de mensheid en de Opname te bewerkstelligen, waarbij 144.000 van Gods ware volgelingen ten hemel zullen worden geheven. Het wachten heeft lang geduurd. En velen, de joden, de verdorven leugenachtige katholieken en hun paus, de lutheranen, de presbyterianen en de baptisten, velen hebben geloofd en geloven nog steeds dat ze tot de heilige familie behoren. Dat is niet zo, is nooit zo geweest en zal nooit zo zijn, en ze zullen allemaal naar de hel worden gestuurd vanwege hun laster, daar horen ze thuis, tot in alle eeuwigheid. Voor ware christenen, voor degenen van ons die werkelijk naar Gods woord in de Bijbel leven, voor degenen van ons die leven naar het voorbeeld van het leven van de Heer en Heiland Jezus Christus, voor degenen van ons die de Heilige Geest in hun binnenste hebben, is het wachten voorbij. Christus is wedergeboren en de Messias is gekomen. En de hemelse Vader is zo grootmoedig geweest om deze vrouw, een waardig lid van onze kerk, het voorrecht te geven zijn Zoon te dragen, en deze jongeman, voorganger in onze kerk, en deze jonge vrouw, ook lid van onze kerk, het grootse geschenk te geven met hem te leven toen hij een kind was. En aan ons, broeders, heeft hij de verantwoordelijkheid gegeven zijn Zoon te beschermen en te begeleiden terwijl hij de boodschap verspreidt van de Evangeliën en het ware woord van God zoals dat in de boeken van de Bijbel is te vinden. Laten we ons verblijden. Laten wij de Heer loven. Laat ons bidden. Iedereen boog het hoofd en bad. Ben niet. Ik was verbaasd, maar bedacht toen dat het logisch was dat de Zoon van God niet tot zichzelf bad. Na een paar minuten stil gebed hief ik mijn hand en sprak.

Ben, zou je een gebed willen uitspreken voor we gaan eten?

Hij sprak.

*Je wilt dat ik een gebed uitspreek?*

Ja, we zouden allemaal vereerd zijn.

Iedereen keek naar hem. Hij stak zijn handen omhoog en nam die van zijn zus en zijn moeder, die aan weerszijden van hem zaten. De rest van ons volgde zijn voorbeeld, we namen elkaars handen en vormden een ononderbroken kring van vertrouwen, liefde en geloof in de Heilige Vader. Ben glimlachte en hij sprak.

*Allemaal bedankt dat jullie hier zijn om dit maal met mij te delen. Dank je, moeder, en dank je, Esther, voor het koken. Ik hou van jullie allebei, en dat is altijd zo geweest en zal altijd zo zijn. Smakelijk eten.*

Er viel een lange stilte, we wachtten op hem. Ik en alle anderen verwachtten méér. Hij dankte de Heer niet, dankte de Heilige Geest niet, dankte alleen zijn moeder en zijn zus. Het was schokkend, broeders en zusters. We waren allemaal geschokt. Hij glimlachte en trok zijn handen weg. Ik deed mijn ogen open. Ik keek naar Jacob, Caleb en Jeremiah. We leken allemaal ergens op te wachten. Ben stond op, pakte de schaal met vis en vroeg of hij ons kon bedienen. Ik lachte en zei dat de Heer beslist raadselachtig te werk gaat. Het was het enige wat ik kon zeggen, broeders en zusters. Nu weet ik dat het leven gewoon zo is. Het leven zit raadselachtig in elkaar. Ben bediende ons allemaal. Hij gedroeg zich of hij een soort ober was. Hij vroeg ons hoeveel we wilden en legde de vis op onze borden. Hij deed hetzelfde met de rijst en het brood. Hij legde amper iets op zijn eigen bord. Te weinig voor een klein kind. Twee hapjes vis, een of twee hapjes rijst, geen brood. Het was of hij geen eten nodig had. Hij was het eten voorbij. Wat hij at, at hij uit beleefdheid. Zodat zijn moeder en zus niet gegriefd waren. Iedereen keek naar hem. Hij leek het niet te merken. Als hij van zijn bord opkeek, kauwde hij langzaam zijn eten en glimlachte. Niemand zei iets. Ik wist dat ik eindeloos veel vragen voor hem had. Dit was de man die met God sprak, van God was, dingen wist die tweeduizend jaar lang niemand op aarde had geweten. Ik stelde me voor eenvoudig te beginnen. Altijd goed om moeilijke dingen heel aangenaam en eenvoudig te beginnen, broeders en zusters. Klein beginnen en naar het grote toe werken. Ik nam het woord.

Hoe voel je je, Ben?

*Ik leef.*

Goed zo. Beter dan dood, dat staat vast. Prijs de Heer dat Hij ons dit leven gaf.

Hij glimlachte.

Wil je iets, heb je iets nodig?

*Nee.*

We zien er erg naar uit je morgen onze kerk te laten zien.

Hij glimlachte weer. Verder niets.

Vind je het goed dat ik een paar vragen stel?

*Vraag wat je wilt.*

Hoe voelt het?

*Wat?*

Om Gods Zoon te zijn.

*Ik ben een mens, net als jij.*

Maar wel goddelijk.

*Als jij het zegt.*

Je kunt met hem spreken?

*Hem?*

God.

*Ja, in zekere zin spreek ik met God.*

Hoe gaat dat? Hoe klinkt zijn stem?

Hij glimlachte.

*Het is niet wat je zou verwachten. Het is anders dan wat geschreven staat in de achterhaalde boeken die jullie lezen.*

De boeken van de Bijbel?

*Ja.*

Achterhaald?

*Ja.*

De Bijbel is eeuwig, broeder. Vandaag nog net zo relevant als op de dag van schrijven.

*De Bijbel werd tweeduizend jaar geleden geschreven. De wereld is inmiddels veranderd. Verhalen die toen zin hadden, zijn inmiddels zinloos. Overtuigingen die toen misschien geldig waren, zijn inmiddels niet geldig. Naar deze boeken moet je net zo kijken als naar alles wat zo oud is, met belangstelling, met oog voor het historische belang, maar je moet niet denken dat ze enige waarde hebben.*

Broeder, hoor je wat je zegt?

*Ja.*

Het is dwaas.

*Dwaas is om naar een of ander boek te leven dat is geschreven door iemand die zich geen voorstelling van je leven kon maken.*

Ik ben zo vrij het er niet mee eens te zijn. Naar mijn gevoel is de wereld heel weinig veranderd.

*Woon je soms in een modderhut van tweeduizend jaar oud, zonder elektriciteit, zonder verwarming, zonder stromend water, en pis en schijt je in een gat in de grond? Ga je naar een openluchtmarkt in een houten karretje met wielen van steen, voortgetrokken door een os? Betaal je voor je eten door te ruilen met iets wat je in je achtertuin hebt verbouwd? Maak je je maaltijden klaar op een open vuur met hout dat je hebt gesprokkeld en dat je met een vuursteen hebt aangestoken? Kijk eens om je heen. Deze wereld is niet die wereld. Die wereld is dood. Die boeken waren voor die wereld geschreven. Die boeken zijn dood. Ze moeten uit elke kerk op aarde worden verwijderd en worden gerecycled, zodat ze uiteindelijk nog enig nut hebben voor deze wereld. De oudste en mooiste exemplaren zijn historische curiositeiten en moeten in museums worden gelegd.*

Er viel een stilte aan tafel. We waren allemaal geschokt. Broeders en zusters, het ging verder dan schokkend. Het was lasterlijk. Recht uit de mond van de Heer en Heiland Zelf. Ben zat er kalm bij, wachtte tot iemand van ons iets zou zeggen. Niemand zei een woord. Het leek het moment nadat er iemand is gestorven, en net voor iedereen in het vertrek begint te weeklagen. Geladen, broeders en zusters, uiterst geladen. Uiteindelijk nam Jacob het woord.

En dit zegt God je?

*God zegt me andere dingen. Dit zegt mijn gezond verstand me.*

Gezond verstand is niets vergeleken met Gods woord.

*En volgens jou is Gods woord in de boeken van de Bijbel te vinden?*

Dat weet ik zeker.

*Schreef God die boeken dan?*

Het gaat om zijn woord.

*Het is het woord van schrijvers. Mensen die vertalen vertellen. Net zoals vandaag de dag schrijvers misdaadverhalen verzinnen, avonturenverhalen, oorlogsverhalen of verhalen over het wereldeinde. De Bijbelverhalen werden tientallen jaren, soms eeuwen, na de gebeurtenissen geschreven waarover ze zogenaamd gaan, gebeurtenissen waarvoor geen enkel historisch bewijs bestaat. Zoiets als Gods woord op aarde bestaat niet. En als het wel bestaat, is het niet in boeken te vinden.*

Waar is het dan wel te vinden?

*In de liefde. In de lach van kinderen. In een geschenk dat wordt gege-
ven. In een leven dat wordt gered. In de rust van de ochtend. In het holst
van de nacht. In het geluid van de oceaan of het geluid van een auto.
Het is overal, in alles te vinden. Het is het weefsel van ons leven, onze
gevoelens, de mensen met wie we leven, dingen waarvan we weten dat
ze echt zijn.*

Ik ben ervan overtuigd dat de boeken waar zijn, en ik geloof dat
ik voor die overtuiging zal worden beloond.

*Dat is jouw keuze.*

Ik ben ervan overtuigd dat de verhalen in de boeken waar zijn.

*Dat is ook jouw keuze, maar het is de keuze van dwazen.*

Geloof is iets voor dwazen?

*Geloof is het voorwendsel van dwazen.*

Geloof is een geschenk van God.

*Geloof is wat je gebruikt om te onderdrukken, te ontkennen, te recht-
vaardigen, te oordelen in naam van God. Geloof is wat gebruikt werd
als middel om meer kwaad in de wereld goed te praten dan wat ook in
de geschiedenis. Als er een duivel bestond, zou geloof zijn grootste uit-
vinding zijn. Laat mensen geloven in wat niet bestaat, en laat ze dat
geloof gebruiken om alles van waarde in de wereld te vernietigen. Laat
ze in het idee van iets onechts trappen, en gebruik dat idee om voor conflicten, geweld en dood te zorgen. Als je je ogen opende, zou je zien dat
het einde komt, dat onze wereld ten einde loopt. En dat gebeurt allemaal vanwege het geloof.*

Het einde komt omdat God het heeft voorzegd.

*Omdat de mens het zal veroorzaken.*

Omdat jij bent gezonden om het te versnellen.

*Ik zal het aankondigen, maar niet als gevolg van een valse profetie
dan wel de wilde fantasie van een mens of meerdere mensen die in een
samenleving uit het Stenen Tijdperk een boek schreven. Ik zal het aankondigen omdat ik het voor me zie. Omdat alle voorwaarden ervoor*

*aanwezig zijn. Er is haat, agressie, hoogmoed, een gebrek aan liefde en geduld, een gebrek aan begrip, en er zijn wapens, wapens die aan alles een eind kunnen maken, wapens die in een seconde miljoenen mensen kunnen doden, en er zijn mensen, leiders van naties, die bereid zijn ze te gebruiken. De Apocalyps zal plaatsvinden door de mens, niet door een God die niet bestaat.*

Je bent dus niet de Messias uit de Bijbel? Je bent niet de wedergekomen Christus?

*Geloof je dat dan?*

Ik zou het liever niet geloven, maar je hebt gaven gekregen. Je beweert namens God te spreken. Je bent davidisch. Geboren onder omstandigheden die op goddelijkheid wijzen. Besneden geboren. Je hebt wat niet te overleven is overleefd. Je spreekt de oude talen. Je kent alle woorden uit de heilige boeken zonder die te hebben gelezen. En ik heb gehoord dat je wonderen verricht.

Ben keek naar hem, net zoals hij altijd was, simpel en direct, kalm. Jacob wachtte op een reactie en kreeg er geen. Hij sprak.

Is het waar?

*Ja.*

Laat het me dan zien.

*Volgens mij zou het wonder dat ik hier wil verrichten je niet bevallen.*

Laat me je een wonder vragen dat ik graag zou zien.

*Als dat je gelukkig maakt.*

Hij hield zijn glas omhoog.

Verander dit water in wijn.

*En vervolgens ga ik op water lopen, mijn gezicht laten stralen of verander ik het eten en drinken op deze tafel in mijn vlees en bloed.*

Als je dat kunt.

*Dat zijn trucjes, geen wonderen.*

Christus deed het.

*Dat klopt, dat staat tenminste in jullie heilige boek. En elke casinogoochelaar in Las Vegas kan dit ook. Wonderen veranderen het leven van mensen. Bevrijden ze van welke band ze ook kluistert. Geven ze het geschenk volgens hun dromen te kunnen leven.*

Laat het me maar zien.

Ben glimlachte. Hij keek de tafel rond. Hij nam ons allemaal op, of hij probeerde te beslissen wat hij ging doen en met wie. We waren allemaal zenuwachtig. Een van ons zou voor altijd anders worden. Ik geloofde dat een van ons door de Heer zou worden gezegend met een wonder uit de hemel. Begunstigd door de kracht van de Almachtige God, door zijn ene en enige Zoon. Ik wilde het zijn. Ik wilde de schoonheid van de hemelse Vader in me voelen. Ik wilde veranderen, op welke manier God en Ben me ook maar wilden veranderen. Ik bad stilletjes om verlost te worden in Gods handen. Nooit had ik iets liever gewild in het leven.

Hij stond op, duwde zijn stoel weg en liep om de tafel heen. We keken allemaal. We wachtten allemaal. En, broeders en zusters, we hoopten allemaal. Hij hield halt voor de jonge broeder Jeremiah, de laatste die hij naar ik had gedacht zou kiezen. Jeremiah keek naar hem op. Ik kon zijn lippen zien trillen en zijn handen beven. Hij leek heel bang. Hij zou zo het grootste geschenk krijgen waar je als mens in dit leven om kunt vragen. Hij zou zo een wonder krijgen. Ben stak zijn handen uit en legde die op Jeremiahs wangen. Jeremiah glimlachte. Ben stond daar met zijn handen op zijn wangen en staarde in zijn ogen. Hij bewoog niet. Hij staarde alleen naar hem. Staarde recht in zijn ogen. Dat moet tien minuten hebben geduurd. Geen enkele beweging. Alleen staren. En wij wachtten. En het had saai moeten zijn geweest, maar het was prachtig en fascinerend, en ik zweer op mijn leven, broeders en zusters, dat Jeremiah veranderde toen Ben naar hem staarde. Hij kreeg een blozende huid. Zijn houding verbeterde. Het was of hij van een kind in een volwassene veranderde, van een jongen in een man. Maar we wisten allemaal dat er iets meer ging gebeuren. We wisten alleen niet wat. Eerlijk gezegd had het me niet verbaasd als Ben en Jeremiah van de vloer omhoog waren gekomen en waren gaan vliegen.

Dat gebeurde niet, broeders en zusters. In de verste verte niet. Ben stond daar te staren, en toen begon hij omlaag te buigen. Hij boog heel langzaam en staarde de hele tijd in Jeremiahs ogen. Er was geen aarzeling en geen onzekerheid. Hij ging er zo op af en kuste Jeremiah. Kuste hem zo op de lippen. En het was niet het soort kus dat je je oma geeft. Het was een echte kus. Het begon langzaam, maar werd heel verhit, heel snel. Binnen een paar seconden waren ze als dronken tieners aan het vrijen. Ben legde zijn handen op Jeremiahs schouders, schoof zijn stoel terug en ging op zijn schoot zitten. En ze gingen toch tekeer. We waren allemaal te geschokt om iets te doen. Destijds begreep ik niet wat er gebeurde of waarom. Voor mij was het alleen een schokkende en walgelijke vertoning van homoseksuele perversie en abnormaliteit. De ene man bij een andere man op schoot, aan het kussen of ze verliefd waren. Zoals het werd afgekeurd door de Bijbel, Gods woord, het waarste van het ware, het goddelijkste van het goddelijke.

Ik hoorde een vuist op tafel neerkomen. Hárd, broeders en zusters, het klonk als een vuurwapen. Iedereen draaide zich om, behalve Ben en Jeremiah, die leken het niet te merken en hielden niet op met waarmee ze bezig waren. Jacob kwam overeind. Hij schreeuwde zo hard hij kon ophouden, maar ze hielden niet op. Erger, Bens handen streken inmiddels over Jeremiahs borst en bewogen omlaag naar delen die ongepast zijn voor een eetkamer. Jacob schreeuwde nog eens ophouden, en Ben trok zich terug. Hij draaide zich naar Jacob toe en sprak.

*Je wonder, broer.*

Je bent een smeerlap.

*Als jij het zegt.*

Jacob begon om de tafel heen te lopen.

Je bent niet goddelijk. Je bent geen man van God. Je bent een vuile smeerlap die zal branden in de hel. Ben stond op en draaide zich naar hem toe.

*Als jij het zegt.*

Jacob ging de kant op van Jeremiah, die nog steeds zat.

En jij. Ik heb je uit een hol van zonde getrokken, uit de diepten van de hel, uit de greep van homo's en zondaars. Ik heb je gered. Je in de liefhebbende armen van de Heer en Heiland Jezus Christus gebracht.

Hoe dichterbij hij kwam, hoe bozer hij leek. Zijn kaak was dicht geklemd en de aderen in zijn nek waren opgezwollen.

Hoe hebben jullie het lef, flikkers! Walgelijke, smerige idioten.

Hij viel Jeremiah aan, raakte hem als een rugbyspeler. Hij sloeg hem over zijn stoel heen, begon zijn keel dicht te knijpen en zijn hoofd tegen de vloer te smijten. Esther en mevrouw Avrohom begonnen te schreeuwen. Caleb en ik bleven waar we waren. We wisten dat je Jacob niet kon tegenhouden wanneer hij iets in zijn hoofd had. En even dacht ik dat het met Jeremiah was afgelopen. Dat Jacob hem zou vermoorden. Toen greep Ben de achterkant van Jacobs overhemd en trok hem weg. Hij sleepte hem een meter achteruit en duwde hem omlaag. Jeremiah bloedde, had sporen van verwurging in zijn nek en bleef op de grond liggen. Jacob kwam overeind en wilde op hem af. Ben duwde hem weg. Jacob schreeuwde naar hem.

Blijf van me af.

Ben keek naar hem, heel kalm.

*Blijf van hem af.*

Ik doe met hem wat ik wil.

*Nee.*

Jacob ging weer op hem af en Ben duwde hem weg.

*Als je iemand pijn wilt doen, moet je mij pijn doen. Hij gaat hier weg om het leven te leiden waarvoor hij in de wieg was gelegd.*

Jacob duwde tegen Ben. Jacob ademde zwaar en tierde.

Hij gaat dood aan aids en zal branden in de hel. Jullie allebei.

*De liefde wordt onze dood?*

Jeremiah kwam overeind, hij huilde, bloedde, ademde zwaar. Esther en mevrouw Avrohom ontfermden zich over hem. Ik keek naar Caleb en weer naar Ben en Jacob, alsof we iets moesten doen. Caleb schudde zijn hoofd. Jacob zette een stap in Bens richting.

Gods geschenk aan jou en de rest van jouw slag wordt je dood.

Hij duwde hem. Ben glimlachte alleen.

*Je kunt me geen pijn doen, Jacob. Wat je ook doet.*

Jacob duwde harder tegen hem. Jeremiah stond op zijn benen, hij huilde nog steeds. Esther en mevrouw Avrohom hielpen hem weg te komen. Ben nam weer het woord.

*Je hebt me altijd gehaat. Dit is je kans. Laat Jeremiah vertrekken en ik zal me niet verzetten. Reageer je gevoelens over hem maar op mij af. Laat de toorn van je machtige God maar de vrije loop.*

Jacob duwde harder tegen hem. Ben wierp een blik achterom, zag dat Jeremiah het vertrek uit werd geleid. Hij keek Jacob aan, glimlachte. Jacob gaf hem weer een duw.

*Dat is het?*

Hij deed het nog eens, harder nu.

*Dat stelt niet veel voor van een machtige man van God.*

En nog eens, harder.

*Lijkt eerder een duw van een flikker. Weet je zeker dat je geen...*

En Jacob viel weer aan. Hij gooide Ben op de grond, klom boven op hem en begon hem in het gezicht, op het hoofd en op zijn lichaam te beuken. Ben bood geen enkel verzet. Voor zover ik kon zien, leek het haast of hij glimlachte. Jacob schreeuwde luidkeels flikker en bleef hem maar slaan. Caleb en ik kwamen allebei overeind, we beseften dat we Jacob op een gegeven moment moesten tegenhouden, anders zou Ben eraan gaan. We liepen om de tafel heen en Ben was duidelijk bewusteloos. Zijn lichaam was slap en zijn gezicht was met bloed bedekt. Het zat ook overal op Jacob en overal op de vloer. En Jacob bleef hem slaan. Broeders en zusters, er zijn grenzen aan wat een mens kan verdragen. Er zijn grenzen aan wat een mens kan aanzien. Waarmee Jacob bezig was, ging niet meer over God. Ik begreep homoseksueel gedrag niet en keurde het niet goed. Om eerlijk te zijn vond ik het misselijkmakend en fout. Maar Jacob was zijn broer aan het vermoorden vanwege een kus. En kussen, en liefhebben, op welke manier ook, is niet iets waarvoor de Heilige Vader iemand ter dood zou veroordelen. Ik ben in mijn leven op het punt gekomen dat ik geloof – eigenlijk wéét ik het, broeders en zusters – dat voor God liefde, ook tussen mannen en mannen, en vrouwen en vrouwen, nog steeds liefde is. En het is iets moois, het mooiste wat er is in deze wereld. Laat er meer van zijn. In iedere vorm. Ik zeg halleluja. We trokken Jacob dus van hem af. Zijn handen, zijn gezicht en zijn overhemd dropen. Hij schreeuwde nog steeds en wij worstelden met hem. Hij gilde hij verdient de dood, ik ben een soldaat van God, hij verdient de dood. We brachten hem de kamer uit, naar zijn slaapkamer en overtuigden hem ervan dat het beste wat we konden doen was tot de Heer boven bidden om leiding en kracht. Ik wist dat Ben een arts nodig zou hebben. Ik ging dus de kamer uit om te telefoneren. Caleb en Jacob zaten op hun knieën hand in hand te bidden. De telefoon was in de keuken en ik moest door de eetkamer lopen om er te komen. Ik wilde naar Ben kijken, nagaan of hij nog wel ademde. Toen ik de eetkamer binnenkwam, was die leeg. Er was een silhouet op de grond. En waar de voeten zouden zijn geweest, lag de enkelband. Ik pakte die op en de band werkte nog. Was niet kapot, was niet doorgesneden. Men meende dat het ding onmogelijk viel te verwijderen. Maar het was verwijderd, broeders en zusters, het lag daar op de grond. Ik begon terug te lopen naar de andere kamers, om te zien of Ben een ervan binnen was gegaan. Intussen wierp ik een blik op de tafel. En broeders en zusters, ik zeg jullie, broeders en zusters, ik zeg het jullie omdat ik het met mijn eigen twee ogen heb gezien, in alle glazen op tafel, glazen waarin een minuut eerder water had gezeten, zat nu wijn. Ze waren tot de rand gevuld, en ze waren gevuld met dieprode wijn.

## 11 *Mariaangeles*

Ik was thuis. Mercedes keek tv. Ik was net terug uit het ziekenhuis, waar mijn ma op sterven lag. Alberto zat in Rikers omdat hij een of andere klootzak had vermoord. Ik hoorde op de deur kloppen. Dacht dat het de smerissen zouden zijn of een of andere tang van de kinderbescherming. Zou allebei op hetzelfde neerkomen, een of andere blanke met dreigementen voor mij en mijn kindje, een of andere blanke die kwam vertellen dat ze de bevoegdheid hadden om mij te vertellen hoe ik mijn leven moet leiden en mijn meisje moet opvoeden. Of zij het beter kunnen. Met al hun macht en overheidsgeld. Moet je zien wat zij met de wereld hebben gedaan. Ze kunnen het echt niet beter.

Ik deed de deur open. Daar stond Ben. Of een of andere verknolde versie van Ben. Ik had hem ruim een jaar niet gezien. Toen hij weg was, vroegen we ons af wat er was gebeurd. De ene dag was hij er, dronken en met zijn videospelletjes, helemaal van de kaart in de club, en de volgende dag was hij verdwenen. We wisten niet waar hij heen was. Dachten dat hij het beu was geworden bij zwarten te wonen en was verdwenen. Dat gebeurt. Mensen worden het beu bij mensen te wonen die anders zijn dan zij en ze gaan terug naar hun eigen soort. En dat is soms het beste. Soms denk ik dat zwarten en blanken niet zijn gemaakt om bij elkaar te zitten. En je kunt nog zo mooi lullen, dat zal niet veranderen.

Hij glimlachte naar me. Zei *hallo*. Hij had een paar kapotte tanden en overal op hem zat bloed. Zijn gezicht zat vol wonden en zwellingen, rond zijn ogen was het overal paars aan het worden. En onder het bloed en de zwellingen kon ik overal littekens zien zitten, of hij tegen twintig man met messen had gevochten. En zijn kleren waren goor, iets wat ik zelfs hier in de buurt niet zie bij mensen die zich geen kleren kunnen veroorloven. Hij stak zijn hand omhoog, legde die op mijn wang en zei *het is fijn je te zien, Mariaangeles*. Ik had godverdomme de hele tijd mannenhanden op me. Mannen die aan mijn reet zaten, mijn tietjes. Mannen die hun vingers overal bij me binnen probeerden te krijgen. Nooit had een man zijn hand zo op me gelegd. Alleen om lief te zijn. Alleen om aardig te zijn. De meeste mannen zijn op zoek naar een poesje en iemand die voor hen zorgt, hun eten kookt en hun was doet. Daaruit bestaat liefde volgens hen. Maar Ben raakte alleen mijn wang aan en zei *het is fijn je te zien, Mariaangeles*. Het fijnste wat ooit een man voor me heeft gedaan.

Ik vroeg me af wat hij kwam doen. Zijn flat was zijn flat niet meer. Na zijn vertrek was die een paar maanden leeg blijven staan. Mijn broer brak in om de tv, de videospelletjes en al het bier uit de koelkast te stelen. Zei dat hij het terug zou geven als Ben weer opdook, maar verkocht het uiteindelijk allemaal om een wapen te kopen. Na een poos doken er blanken op met klemborden en telefoons aan hun riemen en openden de flat. Er trok een oude man in die zo'n twee maanden later stierf. Ging slapen en werd nooit meer wakker. Toen trok er een gezin in. Vrouw, zes kinderen en haar echtgenoot, die alleen maar schreeuwde, ze allemaal in elkaar sloeg en al zijn eigen ellende aan de joden weet. Hij werd voor iets gearresteerd, doet er verdorie niet toe waarvoor, want het was maar de zoveelste broeder in de bak, en de vrouw en hun kinderen gingen terug naar Porto Rico, waar ze vandaan kwamen. Inmiddels zat er een meisje zoals ik. Achttien en drie kinderen bij drie verschillende vaders, die het geen van allen iets kon schelen. Volgens mij wilde zij hem niet binnen, ze zou hem er waarschijnlijk hebben uitgetrapt, zeker zoals hij er nu uitzag. Ik dacht na wat ik moest doen, toen hij glimlachte en sprak.

*Ik moet ergens onderdak hebben.*

En dat onderdak wil je hier?

*Ja.*

Hoe kom je erbij dat ik je hier onderdak ga geven?

*Omdat ik van je houd en ik je kan helpen.*

Waarover heb je het godverdomme, Ben?

*Vertrouw me maar.*

Ik keek naar hem. Ik had vooral met hem te doen. Hij was er duidelijk ellendig aan toe. Ellendiger dan ik, hij zag er ellendiger uit dan iemand die ik ooit had meegemaakt. Hij was een hoopje ellende en broodmager. Ik was niet bang dat hij me kwaad zou doen. En ik voelde me een beetje schuldig dat ik destijds in de club al zijn geld had gepakt. Ik deed de deur dus open. Hij glimlachte, zei *bedankt* en stapte naar binnen.

Mijn huis was een puinhoop. Als ik niet aan het werk was, was ik high aan het worden. Als ik niet aan het werk was of high aan het worden, probeerde ik voor Mercedes te zorgen. Ik had geen tijd om te koken en schoon te maken. Ik probeerde soms op te ruimen, maar er kwam niets van terecht. Er lagen schalen in de gootsteen, er lag afval in de keuken. Had alleen melk, water, oude macaroni en kaas uit de winkel in de koelkast. Ik bewaarde mijn drugs en mijn pijpen in de oude kamer van mama, en hield die op slot zodat Mercedes er niet bij kon. Zij en ik sliepen in de slaapkamer die ik heel mijn leven met Alberto heb gedeeld. Ik had lang de was niet gedaan, dus lagen er overal kleren. Mercedes zat op onze bank naar een of ander tv-programma over misdaad te kijken, wat ze voortdurend deed. Ben liep naar binnen, ging naar de bank en kuste haar op het voorhoofd. Ze besteedde geen aandacht aan hem. Hij draaide zich naar mij toe en vroeg of hij ergens kon slapen. Ik zei hem dat hij kon slapen waar hij wilde.

Hij liep naar mama's kamer toe. Ik zei hem dat hij daar niet in mocht. Hij vroeg waar mijn moeder was en ik zei hem dat ze in het ziekenhuis lag. Hij vroeg waarom en ik zei hem dat ze een vorm van kanker had waaraan ze dood zou gaan. Hij zei *wat erg* en hij voelde aan de deur en ik zei hem dat het privé was en hij er niet in mocht. Hij opende de deur en liep de kamer in.

Ik wist niet wat ik moest doen. Moest ik hem tegenhouden, zou hij mijn drugs afpakken of was hij gewoon stapelgek? Ik liep naar de deur. Mijn drugs lagen op mama's commode, waar ik ze altijd legde. Ben was in de badkamer, hij gebruikte de wasbak en begon zijn gezicht te wassen. Ik kon zien dat hij het heel zachtjes deed omdat hij helemaal verrot was geslagen. Toen hij een beetje water in zijn mond nam en het uitspuwde, zag alles rood. Toen hij zijn hemd uittrok, was hij zo mager dat ik al zijn ribben en aderen kon zien, en zijn hele lichaam was overdekt met kneuzingen, helemaal bont en blauw, of iemand hem met een honkbalknuppel te lijf was gegaan. Hij keek naar me toen ik bij de commode stond, waar ik een flacon had met een stukje cocaïne dat ik in veiligheid probeerde te brengen, en verder een pijpje en een aansteker. Hij glimlachte en zei *het geeft niet, Mariaangeles, ik zal je niet veroordelen.* Nadat hij klaar was met zijn wasbeurt, kwam hij weer de kamer in. Hij deed zijn broek uit, ging op bed liggen en deed zijn ogen dicht. Hij bewoog zich helemaal niet.

Hij sliep twee, drie dagen. Ik bleef hem in de gaten houden omdat hij eruitzag of hij dood was. De enige keer dat ik hem zag bewegen waren een paar keer dat ik binnenkwam, zijn ogen waren een beetje geopend, hij lag op zijn rug te schudden en te beven en een soort gegrom voort te brengen, maar het was heel zacht als van een baby. Ik begon high te raken in mijn kamer en liet hem verder maar. Ik wist dat hij op een gegeven moment wakker zou worden of dood zou gaan, en ik dacht dat hij in beide gevallen uit mijn flat zou verdwijnen.

Op donderdag werkte ik soms dubbel zo lang. Alle blanke jongens uit Manhattan kwamen dan omdat het pal voor het weekend was, zodat ze dronken konden worden maar ze hun vrouwen en vriendinnen konden vertellen dat ze zakendiners hadden. Ze begonnen meteen na de lunch binnen te komen, op zoek naar zwarte meisjes, en ze dachten allemaal dat we met ze zouden neuken. Na het werk bleef ik en draaide helemaal dol, ik rookte om de dag te vergeten, en daarna ging ik op huis aan. Ik liet mijn buurvrouw op Mercedes passen, ik betaalde haar en dan bracht ze haar naar bed en deed de deur op slot. Ik vertelde haar dat Ben in mama's kamer sliep en dat ze niet op hem moest letten.

Deze keer was het werk erger dan meestal, en het was altijd erg. Kreeg een man die de manager kende, het waren oude vrienden, een of andere rijke blanke met een pak die in een groot huis in Connecticut of zo woonde. De manager gaf hem gratis een privékamer zonder een champagnefooi, en ik moest mee, had er niets over te zeggen. De man was gierig en lomp, en ik moest alles doen wat hij wilde. Pijpte hem, liet hem me neuken, zijn vingers stoppen waar die niet thuishoorden. Ging vier uur lang door en toen hij eindelijk vertrok, zat er niet anders op dan aan de slag gaan, me haasten en proberen alsnog het geld te krijgen dat ik had gemist toen ik bij hem was. Ik ging nog drie keer de achterkamer in. Liet de mannen doen wat ze maar wilden en kreeg er klotegeld voor. Toen ik klaar was, verdween ik naar een rustig plekje achter een vuilcontainer en de volgende zes uur raakte ik lekker high.

Ik wist dat als ik thuiskwam Mercedes zou huilen, zoals altijd wanneer ze honger had en te lang alleen was geweest. Ik was er niet bepaald voor in de stemming. Wilde alleen wat water drinken en gaan slapen. Toen ik de sleutel in het slot stak, kon ik gelach horen. Ik wist niet wat er verdorie aan de hand was. Ik deed de deur open en ging naar binnen, en het leek niet eens meer op mijn flat. Het hele huis was schoongemaakt. Alles leek te blinken. Er stond spaghetti op in de keuken. En Ben en Mercedes waren ook allebei fris gewassen, hun stonden midden in de woonkamer samen te lachen en te dansen. Ben keek naar me en glimlachte.

*Welkom thuis, Mariaangeles.*

Wat is er hier verdorie gaande?

*Ik leer Mercedes dansen.*

Ze weet al hoe ze moet dansen. Ik heb haar geleerd hoe ze moet dansen.

*Dan leer ik haar lachen.*

Ze weet ook hoe dat moet.

*Nee, dat weet ze niet.*

En wat is er verdorie met mijn flat gebeurd?

*Je leven gaat veranderen, Mariaangeles.*

Ik wil niet dat het verandert.

*Ja, dat wil je wel.*

Nee, dat wil ik niet.

*Ja, dat wil je wel.*

Hij liep naar me toe, met Mercedes aan de hand. Ik wist niet wat ik moest doen. Hij glimlachte alleen naar me. En mijn kleine meid glimlachte naar me, een heel brede glimlach. Ik had haar lang niet zo zien glimlachen. Heel heel lang niet. Brak mijn klotehart. Niets zo mooi in de wereld als de glimlach van een kind. En daar was mijn kleine meid, die heel breed glimlachte naar een moeder die zoiets niet verdiende. Een moeder die het idee had dat ze niet eens het leven verdiende dat ze had gekregen. Een leven waarvan ze inmiddels weet dat het iets kan zijn wat ze wil, met al die momenten zoals de glimlach van een prachtig kind. Ben had gelijk, ook al wilde ik niet dat hij gelijk had. Het leven ging veranderen.

Toen ze naar me toe liepen, leunde Ben voorover en fluisterde iets in Mercedes' oor. Ze glimlachte en rende op me af, en ik boog voorover, nam haar in mijn armen en gaf haar een grote knuffel, een grote knuffel zoals ik die nooit aan iemand geef, niet eens aan haar. En terwijl ik haar vasthield, zei ze ik hou van je, mama. En ik zei ik hou van jou, kindje, en ook al wilde ik het niet begon ik te huilen. En toen kwam Ben en sloeg zijn graatmagere armen om ons beiden heen. En hij zei *ik hou van je, Mariaangeles.* En voor de eerste keer in mijn leven dat een man zei ik hou van je, geloofde ik het. Ik geloofde het met heel mijn hart. En hij stond daar maar, hij hield me vast terwijl ik mijn dochter vasthield, en ik huilde.

Toen we ophielden met knuffelen, liep Ben met me naar mijn slaapkamer en zei dat ik me moest opfrissen en klaarmaken voor het middageten. Ik nam een douche en bleef daar lang, ik dacht over mijn nacht, over het gevoel dat Mercedes me bezorgde. Als ik tevoorschijn kom, heb ik mijn beste trainingspak aan en de tafel is zo mooi gedekt als maar kan en er ligt spaghetti op de borden en naast mijn bord liggen mijn pijpje en mijn drie flacons cocaïne. Ben en Mercedes zitten op me te wachten. Ik kijk naar de pijp en de flacons en kijk naar Ben.

Waarom stal je dat zo uit?

*Is er een reden dat je het niet uitgestald wilt zien?*

Ik ging zitten en stopte alles in mijn zak.

Mijn dochter hoeft dat niet te zien.

*Waarom niet?*

Je bent compleet gestoord, man. Je weet best waarom niet.

*Volgens jou weet ze het niet.*

Ze is te jong om iets te weten.

*Als jij het zegt.*

Ik zeg het.

*Schaam je je ervoor?*

Wat denk je?

*Dat je moet stoppen.*

Je snapt er geen bal van, blanke jongen.

Hij glimlachte en zei niets. We begonnen te eten. Hij hielp Mercedes met haar vork. Ik keek alleen naar haar, en door naar hem en haar te kijken kreeg ik een nog grotere hekel aan mezelf, omdat ik wist wat ik in mijn zak had. Ik kon het voelen zitten. Zwaar en uitpuilend. Ik deed altijd of Mercedes vond dat ik gewoon een normale mama was. Dat ons leven een normaal leven was. Of in elk geval normaal voor waar we woonden, voor waar we vandaan kwamen. Ik was gewoon het zoveelste meisje met een kind dat probeerde er het beste van te maken en me weerde. En op een bepaalde manier was dat ook zo. Maar ik wist ook dat het fout was. Wist dat ik het beter kon. Zelfs binnen onze omstandigheden.

Toen we ons middagmaal op hadden, zei Ben tegen Mercedes dat het tijd was voor haar slaapje en hij bracht haar naar mama's kamer. Ik bleef aan tafel en dacht aan wat er in mijn zak zat, want dat was het enige wat ik wilde ook al deed het pijn eraan te denken. Ik hoorde Ben een of ander slaapliedje voor Mercedes zingen. Daardoor moest ik denken aan hoe ik vroeger voor haar zong, voor ik in de club werkte, voor Alberto werd gearresteerd, voor mama ziek werd. Nadien deed hij de deur dicht en kwam hij de kamer uit. Ik zat nog steeds, hij ging tegenover me zitten en staarde me maar aan. Zijn ogen zagen er anders uit dan toen ik vroeger met hem omging. Zwarter. Het zwartste wat ik ooit zag. En onder het slapen was hij opgeknapt. De blauwe plekken op zijn gezicht waren vrijwel verdwenen en zijn wonden genazen goed. Het effect was dat de littekens meer opvielen. Dat ik ze beter zag. Dat ik pas goed besefte hoe sterk hij was veranderd. Hij moet vijftien à twintig kilo magerder zijn geweest. En hij was bleker. De meeste bleekscheten zie ik niet eens. Het lijkt of ze allemaal dezelfde huid hebben. Gewoon bleek. Ben was bleek-bleek. Zo bleek als een vaatdoek. En zijn littekens waren nog bleker. Net glansverf op gewone verf. En hij staarde me maar aan. Die zwarte ogen maakten me kalm zodat ik echt mijn hart voelde vertragen. En toen ik heel kalm was en niet eens meer wílde roken, sprak ik.

Wat is er met je gebeurd, Ben?

*Ik ben veranderd.*

Geen geleuter. Wat is er gebeurd?

*Niet belangrijk.*

Voor mij wel.

*Belangrijk is wat ik ben geworden.*

En dat is?

*Iemand die van jou houdt.*

Je kent me niet goed genoeg om van me te houden.

*Je moet jezelf kennen om liefte hebben, geen anderen.*

Je klinkt als een dominee.

*Dat ben ik niet.*

Je gaat proberen me te redden?

*Je gaat jezelf redden.*

Hoe ga ik dat doen?

*Geef me je pijpje, je drugs.*

Wat ga je ermee doen?

*Leg ze op tafel.*

Ze zijn van mij.

*Ja.*

Ik heb ze nodig.

*Nee.*

Wel hoor.

*Waarom?*

Dat is godverdomme zo.

*Leg ze op tafel. Ik ga je iets laten zien.*

Als je ze probeert te gebruiken, dan doe ik je wat.

Hij glimlachte, staarde naar me, wachtte. Als ik hem op straat had gezien, had ik gedacht dat hij een rasechte crackverslaafde was. Maar nu ik bij hem zat en met hem praatte, dacht ik dat niet. Ik had geen reden om hem te vertrouwen, afgezien van hoe hij naar me keek, maar toch vertrouwde ik hem. Zoals ik nooit een man of nooit een blanke had vertrouwd. Ik haalde mijn coke dus uit mijn zak en legde die op tafel. Ben keek er niet eens naar. Bleef maar naar mij kijken. En toen stond hij op, liep om de tafel heen, leunde voorover en begon me te kussen. Eerst heel langzaam, heel licht, alleen met zijn lippen tegen de mijne strijken. En het voelde fijn, het voelde goed. Dus begonnen we meer te kussen en gebruikten we onze lippen of we het meenden, gebruikten we onze tongen. We kusten of we het meenden, of we verliefd waren. En hij tilde me uit die stoel op, of ik niks woog. En hij trok mijn kleren uit. En hij legde me op tafel. En hij likte me en befte me en neukte me tot ik niet meer uit mijn ogen kon kijken. Ik lag pal naast mijn drugs. Hij liet me zien hoe je high moet worden. Hij liet me zien wat het inhoudt om je fijn te voelen. Hij neukte me en hij beminde me, en toen hij in me kwam, vervulde dat meer dan in mijn leven een mens, school, kerk, boek of God had gedaan. Hij fluisterde *ik hou van je* in mijn oor en hij kwam in me en het voelde in mijn binnenste of het wel goed zat. Het voelde hoe het geacht wordt te voelen wanneer je in al die andere dingen gelooft.

Na die eerste keer bleef hij lang in me. Bleef in me, kuste me en hield me vast. En toen tilde hij me op, hij bleef in me, en droeg me naar bed. En hij legde me op dat bed neer met zijn armen om me heen en we gingen slapen. Ik dacht er niet aan dat ik arm was. Ik dacht er niet aan wat ik deed voor geld. Ik dacht niet aan mijn broer die wegrotte in een klotecel. Aan mijn moeder die aan het doodgaan was in een kloteziekenhuis waar het niemand wat kon schelen. Aan zwart zijn in een land waar het betekent dat ik geen kans krijg. Aan mijn dochter die ook geen kans zou krijgen. Aan een heel leven voor me waarin het nooit beter zou worden. Het gevoel van armen om me heen, van liefde in mijn hart was sterker dan alle negatieve dingen die me naar ik wist in de wereld wachtten. Door dat gevoel van liefde verdween het allemaal.

Toen ik wakker werd, was hij weg. Ik ging naar binnen om naar Mercedes te kijken en ze sliep nog. Ik werd geacht aan het werk te zijn, dus begon ik me klaar te maken. Nam een douche en maakte me op in de badkamer. Toen ik naar de keuken ging, lagen mijn drugs daar nog op tafel. Ik werd kotsmisselijk van de aanblik, ik werd misselijk van de gedachte: daarmee ben ik het afgelopen jaar bezig geweest. Ik werd misselijk van de gedachte waarom ik het had gedaan en waarom ik me gewoon aan het klaarmaken was. Voor geld. Voor geld dat geen verschil maakte. Waarmee ik mezelf of mijn dochter helemaal nergens uit kreeg. Waarmee ik niet veranderde hoe ik me diep in mijn hart voelde of hoe ik me voelde wanneer ik in de spiegel keek. Het was alleen iets wat ik in mijn hand kon houden. Geld betekent niets wanneer je hart leeg is.

Ik pakte die troep dus op en gooide het het raam uit. Veronderstelde dat een of andere crackverslaafde het zou vinden en verrast zou zijn, er liepen er genoeg rond. En ik ging niet naar mijn werk. Nam niet eens de moeite te bellen. Ze zouden me niet missen. Misschien zouden ze niet eens merken dat ik was verdwenen. Ze konden moeiteloos een nieuw meisje vinden, want je hebt er altijd te veel die zich voor het geld willen vergooien. Ik oordeel niet, want ik heb het ook gedaan. Zo is het leven. Je benut wat je hebt gekregen, en voor te veel vrouwen is dit het enige wat ze hebben gekregen.

Ik wachtte op Ben. Mercedes werd wakker, ik pakte haar beet en gaf haar een grote lange knuffel. We gingen de kamer uit en begonnen te spelen in de woonkamer, we zongen liedjes en kietelden. Ik begon een beetje misselijk te worden, begon te beseffen dat ik de crack die ik naar buiten had gegooid misschien nodig had. Ik liep naar het raam, keek naar beneden en het lag daar nog. Was een soort wonder dat het niet was opgepakt. Ik weet dat ze in de Bijbel zeggen dat het een wonder is om een klotevijgeboom te laten verwelken of zulke kolder, maar in de wereld waar ik leef, de echte klotewereld, is het een wonder dat in een Amerikaans woningbouwproject een flacon met crack meer dan drie kloteminuten onaangeroerd op de grond ligt. Maar de crack lag er nog. Me te verleiden. Me te roepen. Niet eens te roepen, de crack lag naar me te schreeuwen. Ik kon Mercedes achter me horen. Ik begon mezelf wijs te maken dat liefde sterker is dan drugs, sterker dan wat ook, liefde is sterker, maar als je jezelf iets wijsmaakt geloof je het nog niet altijd. Je kunt jezelf wijsmaken wat je wilt, maar zolang je niet gelooft wat je jezelf wijsmaakt, ben je woorden aan het verspillen. Ik stond op het punt naar beneden te gaan. Op het punt, dus draaide ik me om en liep naar de deur. Toen ik die opendeed, zat Ben op de grond. Hij glimlachte. Ik begon te praten.

Wat doe je?

*Zitten.*

Hoe lang zit je hier al?

*Een poosje.*

En wat doe je dan?

*Zomaar zitten.*

Ik keek naar hem. Hoe hij zomaar op de grond zat. Hij glimlachte naar me en sprak.

*Je wilt weer naar binnen.*

Ik glimlachte.

Ja.

*Mag ik binnen komen?*

Ja.

Hij stond op en volgde me weer naar binnen. We speelden lang met Mercedes, we zongen en speelden met haar speelgoed, en de hele tijd wilde ik roken. Het was tijd voor het avondeten en Ben diende ons nog eens spaghetti op. We aten aan tafel. Nadien voelde ik me heel beroerd, ik beefde en wilde het kloteraam uit springen. Ben liet me Mercedes naar bed brengen en toen ik nadien tevoorschijn kwam, wachtte hij op me. Hij bracht me naar mijn kamer, legde me neer en ging de rest van de avond door met likken, beffen en neuken. En elke keer wanneer ik de misselijkheid voelde opkomen, deed hij het weer, tot ik uiteindelijk in slaap viel.

En zo gaat het een paar dagen door, misschien een week. Ben gaat er 's morgens op uit, terwijl ik slaap, en zoekt ergens iets te eten. Wanneer ik wakker word, is hij bij Mercedes, en wanneer ze een dutje doet of slaapt, of wanneer ik me beroerd voel gaat hij met me naar de slaapkamer, naar de grond of naar de tafel. En hij zei altijd dat hij van me houdt. Dat ik mooi ben. Dat ik kan leven zoals ik wil leven. Dat het leven mooi kan zijn. Dat Mercedes van me houdt en ik een goede mama kan zijn. En ik hoor het niet meer. Ik begin het te geloven.

En dan word ik op een dag wakker en weet ik het. Dat ik het wel red en het goed met me zal komen, of zo goed als het kan waar ik zit. En ik zeg het tegen Ben en hij glimlacht. En ik houd op met alleen aan mezelf denken en vraag hem meer over waarom hij hier bij me is. Hij vertelt me over het leven in de tunnels en dat hij werd gearresteerd, hij vertelt me hoe hij wegging bij zijn familie. En hoe hij zijn borgtocht brak. Hij vertelt me dat hij met God kan spreken. Hij vertelt me dat hij dingen over de wereld weet, en dat hij weet dat aan de wereld een eind komt als we die niet veranderen. Dat de mensheid ziek is. Dat de leiders van de wereld ons allemaal om zeep helpen. Ons wijsmaken dat we vooruitgang boeken, terwijl ze ons om zeep helpen. En er zit niet een of ander grootscheeps plan achter, het is gewoon hun onwetendheid. Hun hebzucht. Aan zichzelf denken. Aan hun goden denken. Christenen denken dat zij God hebben. Moslims denken dat zij God hebben. Joden denken dat zij God hebben. Ze denken allemaal dat God aan hun kant staat. Dat God wil dat ze doden, oordelen en de baas spelen. En ze zitten allemaal fout. Ze doen allemaal wat ze doen in naam van iets wat niet op die manier bestaat. Dat sprookjes de wereld beheersen. Dat God niet op die manier bij de wereld hoort. Dat God niet oordeelt. Dat God geen macht verleent. Dat God iets is wat het begrip van mannen en vrouwen op aarde te boven gaat. Dat God niet het geschenk van het eeuwige leven geeft. Het geschenk is het leven dat we hebben gekregen, en als het voorbij is, is het ook echt voorbij. Geen hemel. Geen feestjes met verwanten en mensen van wie we houden terwijl de engelen zingen en op de harp spelen. Geen tweeënzeventig maagden die op ons wachten om hen te leren neuken. Helemaal niets. Geen God zoals die waarin wij geloven. Alleen het einde. En het enige wat we op de wereld hebben zijn andere mensen. En het enige wat we met hen hebben is liefde. En dan niet liefde zoals in een of ander stompzinnig popliedje. Liefde is niet meer dan voor elkaar zorgen, elkaar neuken, elkaar laten leven zoals we willen leven. En elkaar behoeden voor alle ellende die het leven ons brengt. Daarmee krijgen we te maken omdat het kloteleven zo is, niet omdat een of andere dwaze nep-God probeert ons op de proef te stellen, ons op het hiernamaals voorbereidt of omdat hij denkt dat we sterk genoeg zijn om ermee om te gaan. Ellende is gewoon onvermijdelijk. Enkel en alleen omdat het bij het leven hoort. Er is geen klotegod. En alles wat hij zegt, lijkt me zinnig. Zinniger dan alles wat ik verder op de wereld hoor. Zinniger dan wat de waardeloze politici, predikers en pausen elke dag te berde brengen. Zinniger dan de onzin in schoolboeken, kranten en op nieuwsprogramma's op tv. Zinniger dan de waardeloze wetten die onze regering probeert ons te laten naleven. De regering die zegt Eén Natie Onder God, maar onder welke God? De oude-blanke-man-met-een-baard-God die zegt dat zwarten geen rechten hebben, Hispanics geen rechten hebben, vrouwen geen rechten hebben, homo's geen rechten hebben, alle mensen die niet zo zijn als hij en niet geloven zoals hij geen rechten hebben. M'n rug op. En m'n rug op met die God. En m'n rug op met alle gekken die in deze God geloven. Ze kunnen mijn zwarte reet komen kussen, want dat is niet zoiets als Natie Onder God, het is gewoon idiote kolder.

Het leven werd rustiger voor mij, Mercedes en Ben. Ik begon inhaalonderwijs te volgen en bracht Mercedes naar de dagopvang in het complex. Het was niet allemaal rozengeur en maneschijn, maar het was beter dan tv zitten kijken. Ben ging overdag weg. Zei dat hij zomaar door New York rondzwierf. Wandelen of met de metro mee en uitstappen waar het hem beviel. Zei dat hij zomaar mensen wilde ontmoeten, met hen praten, hen helpen en hen beminnen. Ik weet dat hij met sommigen neukte, want dat rook ik op hem wanneer hij terugkwam. Soms vroeg ik hem met wie, en soms was het een vrouw, soms een man. Ik vroeg hoe hij mensen had geholpen en hij zei precies zoals ze het nodig hadden. Ik vroeg hem hoe hij hen had bemind en hij zei precies zoals ze het nodig hadden. Ik wist dat hij met sommigen van hen besprak dat hij met God kon praten, wat God in feite is, hoe hij de wereld zag. Hoe die zou eindigen. En de mensen geloofden hem. Ze begonnen in mijn flat op te dagen. Soms brachten ze cadeaus mee, brachten ze eten of kleren mee, soms brachten ze geld mee. Soms huilden ze. Soms waren ze helemaal van de kaart door drugs of drank. Als hij thuis was, liet hij ze binnen. Sommigen van hen nam hij in zijn armen en hij fluisterde dingen in hun oor. Met sommigen ging hij op de bank zitten, hij pakte hun handen en staarde hen aan. Soms ging hij met hen bij het raam staan en sprak heel zacht. Sommigen nam hij mee naar de slaapkamer, mannen en vrouwen, hij deed dan de deur dicht, en ik wist dat hij met hen neukte, hen beminde, zorgde dat ze zich beter voelden, net als hij met mij deed. Bij sommigen legde hij zijn handen op hun wangen en kuste hen heel licht. Ik weet niet wat hij allemaal met die mensen besprak of deed, maar ze gingen beter weg. Ze gingen anders weg. Ze gingen weg met dat ware geloof in hun hart. En ze vertelden het aan andere mensen. Dus begon Ben mensen te krijgen die dingen over hem zeiden. Dat hij krachten had. Dat hij wonderen kon verrichten. Dat hij je kon redden, je veranderen of je een beter leven bezorgen. Dat hij een profeet was. Dat hij een heilige man was. Dat Christus was teruggekeerd. Dat hij de Messias was.

De Messias op wie de wereld had gewacht, voor wie de wereld had gebeden en die de wereld had verheerlijkt, dat hij de man was die kwam om ons te redden of ons allemaal te laten sterven. Hij zei nooit een woord over al die dingen. Mensen hadden het er met hem over, dan glimlachte hij en zei helemaal niets of *als jij het zegt*. Wat hij mij vertelde was dat het belangrijk voor hem was van alle mensen te houden en te zorgen dat ze beter vertrokken dan ze waren toen ze kwamen. Dat was wat God was. Zorgen dat mensen die hun leven in deze wereld bleven leiden zich beter voelden. Verder waren het allemaal uit de duim gezogen verhalen.

Wanneer we onder elkaar waren, was het of we waren getrouwd, maar dan zonder elkaar te haten zoals de meeste getrouwde mensen doen. Was het of we een stelletje waren. Hij leek van mij niet meer of niet anders te houden dan van alle anderen, maar we waren samen, en hij kwam altijd terug, ook als hij een paar nachten weg was geweest, en ik wist altijd dat hij terug zou komen en had nooit ergens twijfels over. Het maakte niet uit dat ik pas negentien was en hij eenendertig, en het maakte niet uit dat we een ander kleurtje hadden, dat we anders waren opgevoed of dat onze ouders uit andere landen kwamen, andere talen spraken en in andere goden geloofden. We hielden gewoon van elkaar. Wilden niet dat de een net zo was als de ander. Zeurden niet over wat de een niet aan de ander beviel. Aanvaardden elkaar verdorie als mensen. Die hetzelfde voelden. Dezelfde soort pijn hadden. En wisten dat liefde het enige wapen tegen die pijn was. Verder kan niets de pijn laten ophouden of stoppen. Dat is wat Ben me boven alles heeft bijgebracht. Dat we dit geschenk van het leven hebben gekregen, één keer, en dat we in dat leven en door dat leven pijn ondervinden, en dat liefde het enige is wat de pijn kan wegnemen of verminderen. En bij onze liefde hoorde neuken. Ben vond neuken heerlijk. Hij vond het heerlijk me te kussen, mijn lichaam te likken en aan alles te zuigen wat ik had. Als Mercedes sliep en niemand op de deur klopte, neukten we de hele tijd. Neukten we uren aan een stuk. Hij was het neuken nooit zat. Zei dat klaarkomen voor ieder mens op aarde het dichtst het ervaren van de hemel benaderde. Dat je geen met parels bezette poorten had, geen trompetgeschal, geen man die klaarzat met een of ander boek over alle goede en slechte dingen die we zogenaamd in ons leven hadden gedaan, al helemaal niet omdat het meeste wat we doen niet goed en niet slecht is, alleen saai. Dat er niemand is die over ons zal oordelen en zal besluiten of we naar dat eeuwigdurende feest mogen of we zullen branden. Dat er niet zo'n feest bestaat, net zoals er geen bal voor Assepoester en haar zussen bestaat, of een schoolbal voor Barbie, of een labyrint met een stier die je met huid en haar opvreet. Wél bestaat het gevoel dat je krijgt wanneer je klaarkomt. Wanneer alles verdwijnt. Wanneer je lichaam je vertelt dat het van je houdt en alles in de wereld volmaakt, veilig en zeker is. Wanneer je je beter voelt dan je je verder ooit in je leven voelt. Dat gevoel waarvan je wilt dat het nooit ophoudt. Hij zei dat mensen die proberen te zeggen dat het fout is gewoon stom zijn. Dat mensen die zeggen dat neuken fout is gewoon stom zijn. Die zeggen dat je alleen onder bepaalde door God vastgestelde omstandigheden mag neuken gewoon oerstom is. Niemand mag andere mensen vertellen hoe ze moeten neuken. Zei dat mensen die de gelofte afleggen het niet te doen zichzelf een van de grootste geschenken ontzeggen die we op de wereld hebben. Dat mannen in gekke gewaden die liederen zingen in dode talen en in hun leven nooit zijn geneukt beslist geen gelijk hebben. Dat ze als ze neukten God misschien op een manier zouden begrijpen die ze nooit van een boek, een kardinaal en een paus konden leren. Hij zei dat als iedereen die naar de kerk, de tempel of de moskee ging al die verspilde tijd aan neuken zou besteden in plaats van aan bidden tot een verzinsel, er niet binnenkort een eind aan de wereld zou komen. En hij heeft gelijk. En je weet dat hij gelijk heeft. Als je in je hart kijkt en je ooit in je leven bent klaargekomen, weet je dat hij volkomen gelijk heeft.

Na mijn lessen en voor ik Mercedes ophaalde om naar huis te gaan, ging ik bij mijn mama langs. Ze hadden haar naar een of ander oord gebracht waar mensen haar in de gaten hielden en probeerden te zorgen dat ze zich goed voelde. Ze lag in een bed en haar lichaam kwijnde zomaar weg. Ze had heel veel pijn. Haar lichaam at zichzelf op. At alle organen en alle botten op. Overal kanker en er viel helemaal niets aan te doen. Er was nooit iets aan te doen. De meeste dagen was ik sterk en hield ik haar hand vast. Er waren dagen dat ik zomaar naast haar bed zat te huilen. Ze gaven haar almaar meer medicijnen. Medicijnen waardoor ze iemand wordt die ze niet was, waardoor ze iets wordt wat niet eens meer een mens is. Alleen een hoopje vlees dat daar ligt te ademen. Als je ooit naast het bed van een stervende zat, weet je wat het is. Je kunt niets doen. Je zit daar maar met een pijn die met niets op aarde valt te vergelijken. Je zit je daar hulpeloos en leeg te voelen. Wanneer ze wakker zijn, besef je elke seconde dat je bij ze zit dat ze binnenkort doodgaan. Elk woord dat je zegt, krijgt zo'n lading omdat je weet dat er niet veel meer woorden zullen volgen. Iedereen komt het vertrek in en doet z'n best gelukkig te zijn en vrolijk te lijken. Om te praten over dingen die niets met de dood te maken hebben. Maar het is er altijd. De ziekte. De dood. Het feit dat er niets aan te doen is. Het feit dat ze er niet meer zullen zijn. Dat ze de grond in gaan en verteren. En dat jij verder zult leven. En je kunt zeggen wat je wilt, hun vertellen dat je van hen houdt en alles in de wereld doen om hun overgang makkelijker te maken, er verandert niets door. Ze voelen de pijn. En de enige manier om de pijn te stoppen is zo veel medicijnen toe te dienen dat je een plant wordt of sterft. En in de tussentijd voelt iedereen die van je houdt gewoon de pijn. De ergste pijn die je kunt hebben.

Het werd steeds erger met mama, maar ze ging niet dood. Ze had alleen pijn. De artsen kwamen er niet eens meer. Alleen verpleegsters en mensen die hun best deden om haar zich goed te laten voelen. Ze begon me te zeggen dat ze dood wilde. Elke dag zegt ze me dat ze niet wil doorgaan, dat het te veel pijn doet, dat ze bereid is. Ik zeg haar dat het wel in orde komt, dat ze moet blijven vechten, maar ze zegt me dat ze niet meer wil vechten. Dat haar hele leven een gevecht is geweest. Opgroeien in een hok in een failliet kutland was een gevecht, naar Amerika komen in de gedachte dat haar leven beter zou worden was een gevecht, in New York zitten en beseffen dat niets beter zou worden, dat de Amerikaanse Droom alleen voor mensen met de juiste huid en het juiste accent was weggelegd, was een gevecht. Dat twee kinderen grootbrengen zonder echtgenoot of man en zonder geld, familie of hulp, terwijl zij de huizen schoonmaakte van mensen die alles moeiteloos leken te krijgen, een gevecht was. Dat zien hoe die kinderen op drift raakten en zien hoe haar dromen over hen stierven een gevecht was. Dat kanker krijgen en je niet kunnen permitteren er iets aan te doen een gevecht was. Het was één groot gevecht, vanaf het moment dat ze schreeuwend uit haar mama kwam tot ze uiteindelijk belandde waar ze was beland, in een of ander vervallen oord met kakkerlakken en ratten, en crackverslaafden buiten en elke nacht schoten, ze noemen het een vredig oord en sturen er arme mensen heen om dood te gaan. Ze was er klaar mee. Ze wilde het niet meer. Ik huilde, jammerde, snikte, smeekte haar, zei haar dat ik niet wilde dat ze ging. Ze glimlachte en zei dat ze van me hield. En toen gaven ze haar meer medicijnen en raakte ze bewusteloos.

Toen ik thuiskwam, ging het vreselijk met me. Ik bleef maar huilen. Mercedes komt naar me toe, zegt het is goed, mama, het is goed. En daarvan moet ik erger huilen, want kon ik mijn mooie kleine meid van drie van wie ik zoveel houd, die ik alles gun wat ze in de wereld wil en voor wie ik zou sterven, maar vertellen dat het niet goed is, dat de wereld een puinhoop is, met overal pijn en lijden, dat mensen elkaar pijn doen, elkaar haten en elkaar zonder goede reden vermoorden, dat we leven en daarna sterven en dat het gedaan is wanneer we dood zijn, we zijn er geweest, er gewoon geweest verdomme. Kon ik haar maar vertellen dat het met haar goed komt. Dat ze een geweldig leven zal krijgen, maar ik weet dat ik zou liegen. Ze zal opgroeien, gekwetst worden, en iemand zal haar hart breken en ze zal waarschijnlijk niet krijgen wat ze wil in het leven en ze zal als vuil worden behandeld en ze zal zich in haar eentje uit de naad moeten werken en dan zal ze sterven. Daar is niets moois aan, er is alleen pijn. Dus huilde ik erger. Vanwege mama, mezelf, haar en alle anderen in de wereld die niets hebben en nooit iets krijgen. Ik huilde en bleef huilen. Het zou niet goed komen.

Ben kwam binnen, zag me en vroeg wat eraan scheelde. Een poos kon ik niet eens praten. Ik huilde maar. En hij sloeg zijn armen om me heen. Ik wilde iets van wat hij bij andere mensen deed om hun pijn te laten verdwijnen. Ik wachtte tot hij me vrij zou maken. Hij fluisterde niets in mijn oor. Legde mijn gezicht niet in zijn handen en staarde me niet aan. Praatte niet. Het enige was dat hij me vasthield, Mercedes liet komen en zijn armen om ons allebei heen sloeg. En het enige was dat hij ons allebei vasthield. En ik bleef een poos huilen. En toen hield ik op. En Ben vroeg me *wat scheelt eraan* en ik vertel het hem en ik begin weer te huilen. Mama heeft pijn, ze gaat dood en je kunt godverdomme niets doen. Ze wil niet meer leven, zegt dat ze bereid is om te gaan, dat ze van het leven houdt maar ze te veel pijn heeft. En ik moet daar bij haar zitten, terwijl ik het weet, het voel en het zo veel pijn doet dat ik dood wil en je kunt godverdomme niets doen.

Ben wachtte tot ik weer ophield met huilen. Hij keek me een hele poos in de ogen en sprak toen.
*Je zou voor haar willen sterven?*
Voor mama?
*Ja.*
Zeker.

*Zoveel houd je van haar?*
Zeker, voor haar of voor Mercedes. Voor hen zou ik willen sterven.
*En dat weet je zonder te twijfelen of aarzelen.*
Ja.
Hij glimlachte. Hij pakte mijn hand, ging rechtop staan, bracht Mercedes naar haar kamer en trok haar haar beste jurk aan en haar beste schoenen, en maakte haar haar leuk met een paar linten en speldjes. Hij zei me dat ik mijn beste kleren aan moest trekken, dus ga ik naar onze kamer en trek ik het mooiste aan wat ik heb, een jurk die ik had gekocht toen ik voor het eerst in de club ging werken en dacht dat ik me misschien beter zou voelen door iedere zondag kerk. Het was voor ik erachter kwam dat crack sterker was dan God. In elk geval de God tot wie ze bidden aan het kruis.

We gingen weg uit het complex, naar het oord waar ze mama hadden. Ze was wakker toen we haar kamer in gingen, ze lag daar, en we konden haar horen kreunen toen we door de gang naar haar toe liepen. Ben ging aan de kant staan en liet eerst ons het vertrek in. Mama had haar deken omlaag getrokken, zo konden we zien hoe mager ze was, dat er niets van haar over was, alleen vel dat over haar botten hing. Mercedes rende naar de zijkant van het bed, ze zei Abuela, Abuela. Mama hief haar hand een heel klein beetje, legde die op haar hoofd, zei dag. Ik ging mama kussen en zij probeert mijn hoofd aan te raken maar ze kon haar hand niet ver genoeg optillen. Ik vraag haar hoe het gaat en ze schudt haar hoofd. Mercedes geeft haar een kus en ze probeert te glimlachen, maar eigenlijk kon ze het niet eens, zo ziek dat ze niet eens kon glimlachen naar haar kleindochter. Ik zei haar dat Ben er was, de blanke jongen die vroeger onze buurman was. Ben stapt achter me vandaan zodat ze hem kan zien. Ze kijkt een poos naar hem, of ze probeert hem te herkennen, en ik denk het is waarschijnlijk lastig voor haar omdat hij er zo anders uitziet. Ik zie haar heel goed kijken, en hij staart haar alleen aan, recht in haar ogen, hij staart alleen. Ze glimlachte en zegt heel zacht ik weet wie dat is, bedankt dat je hem meebrengt, Mariaangeles. Ik vraag haar waarover ze het heeft en ze probeert weer te glimlachen, en het lukt een beetje beter. Ben legt zijn hand op mijn schouder en vraagt me heel zacht of ik bereid ben en ik kijk naar hem en vraag waarvoor en hij zegt *om vaarwel te zeggen*. Ik kijk naar mama en ze probeert nog steeds naar me te glimlachen, vel over been, ligt daar maar pijn te lijden en dood te gaan. Te langzaam dood te gaan. Dood te gaan zonder waardigheid of vrede. Ellendig dood te gaan in een bed waarop veel te veel mensen hebben liggen dood te gaan. Elke keer dat ik naar dat bed keek dacht ik aan hoeveel mensen erin waren gestorven en dat mijn moeder niet meer dan de zoveelste was.

Ben zei me om het bed heen te lopen en mama's hand te pakken, dus dat deed ik. Hij had Mercedes haar andere hand laten pakken. Hij fluisterde iets in Mercedes' oor, en Mercedes kust mama en zegt ik hou van je. Hij kijkt naar me en glimlacht, en ik weet wat hij wil dat ik doe, en ik buig me naar haar toe, kus haar, zeg dat ik van haar hou en ik bedank haar omdat ze haar uiterste best heeft gedaan. Ik houd haar hand heel stevig vast en ik zeg haar dat ik haar zal missen en dat ik mijn uiterste best ga doen om een goede moeder voor Mercedes te zijn. Ik begin weer te huilen. Ik weet wat er gaat gebeuren. En ook al is dit wat mama wil en is het het beste, begin ik te huilen.

Ben liep om Mercedes heen en ging zelf op de rand van het bed zitten. Mama glimlachte naar hem, de eerste echte glimlach van de dag. Hij boog naar haar toe, kuste allebei haar wangen en haar voorhoofd. Hij nam haar wangen in zijn handen en begon tegen haar te fluisteren, heel zacht, en ik kon niet horen wat hij zei. Ze antwoordde af en toe ja, en nadat hij klaar was, trekt hij terug en kijkt haar recht in de ogen. Hij kust haar nog een keer, en hij zegt haar dat hij van haar houdt, en zij zegt ik hou ook van jou. Hij blijft haar aanstaren, recht in haar ogen, en ik zie dat haar ogen langzaam dicht beginnen te gaan. Ik begin harder te huilen. Ik weet dat wanneer haar ogen dichtgaan ze niet meer zullen opengaan. Mercedes zegt telkens weer Abuela, of ze denkt dat haar oma iets terug zal kunnen zeggen. En Ben staarde haar maar aan, en zij staarde naar hem terug, en net voor ze ging, voor haar ogen voorgoed dichtgingen en zij de zwartheid in ging, zag ik er vrede in. Ik zag rust. Ik zag geluk. En ik zag dat dingetje wat je in iemands ogen ziet als ze liefde in hun hart hebben.

Meer dan wat ook.

Ik zag liefde.

# Mark

Een van mijn parochianen kwam naar mijn kantoor om te vertellen dat iemand op het toilet een toeval had. Het was de derde of vierde keer dat zich precies dezelfde situatie voordeed, iemand die me kwam vertellen over een man met een toeval op het toilet, alleen was wanneer ik dan ging kijken het toilet leeg. Desondanks ging ik meteen weer naar het toilet om te kijken, bezorgd om het welzijn van de persoon, als er werkelijk een persoon was. We hadden een jaar of zo eerder meegemaakt dat in onze hal een oudere parochiaan aan een hartaanval stierf, en hij had daar minstens twee uur alleen op de grond gelegen voor iemand hem vond. Hoewel ik geloofde dat een kerk, in bepaalde opzichten, een haast ideale plaats zou zijn om te overlijden, wilde ik niet nog een dode in ons pand. De eerste had het bisdom een nogal behoorlijke hoeveelheid ongewenste negatieve publiciteit opgeleverd, en had tot een berg administratie geleid. Gezien al het gekrakeel van de afgelopen jaren, en mijn liefde voor de kerk en verlangen haar te beschermen, haastte ik me om te zien of het weer kon worden vermeden, of dat ik de zieke man op enige manier zou kunnen helpen.

Ik ging het toilet in, het herentoilet, en zag een man bij de wasbak zijn handen staan wassen. Ik dacht meteen dat het Jezus Christus was. Ik snakte naar adem, was verstijfd en ik kon niet praten. Hij had vrij lang zwart haar, een korte zwarte baard en een albastwitte huid. Hij was extreem mager, droeg voddige kleren die van zijn lichaam neerhingen en hij was overdekt met littekens. En hij straalde. Straalde letterlijk. Het toilet heeft geen ramen, zoals dat hoort op een toilet, en maar één lampje aan het plafond, en ik zou zweren op de Bijbel, of op alle andere dingen die me dierbaar zijn of waren, dat de muren licht gaven en dat hij straalde.

Hij keek naar me in de spiegel en glimlachte. Hij bleef doorgaan met zijn handen te wassen, heel langzaam en omzichtig, heel vredig, als het ook maar op enige manier mogelijk is je handen op een vredige manier te wassen. Ik kan me nauwelijks voorstellen wat voor indruk ik moet hebben gemaakt, nu ik voor de Zoon van God stond, een man die ik elke dag van mijn leven had aanbeden, een man tot wie ik talloze uren had gebeden om hem te zien. Ik kon niet bewegen, en hij staarde maar naar me in de spiegel. Toen hij klaar was met zijn handen wassen, draaide hij zich om en liep hij mijn kant op. Hij sloeg zijn armen om me heen en ik fluisterde mijn Heer in zijn oor. Hij hield me even vast, kuste me op de wang, draaide zich om en liep het toilet uit.

Ik bleef een aantal minuten in het toilet, precies op de plek waar ik stond toen hij bij me wegging. Ik probeerde op een rijtje te zetten wat ik zojuist had ervaren, namelijk naar ik geloofde en nog geloof, dat ik in de aanwezigheid had verkeerd van Jezus Christus, Gods Zoon, de Messias, de Heiland, de aardse belichaming van de Here God. Hij had naar me geglimlacht, me vastgehouden en me gekust. Hij had zich in de sfeer van mijn leven, mijn kerk en mijn geloof geplaatst. Ik overwoog hoeveel mensen op aarde konden zeggen dat ze deze diepe ervaring hadden gehad of konden zeggen dat ze letterlijk waren aangeraakt door de Heer. Hoewel miljarden en miljarden erom hadden gebeden, en er elke dag voor bleven bidden, was Christus in meer dan tweeduizend jaar niet verschenen of had zijn verschijning niet bekendgemaakt. Het was een wonder. Het grootste wonder. Hij was wedergekomen om ons te redden en te verlossen.

Hij was teruggekomen om de heerlijkheid van de Laatste Dagen te bewerkstelligen. Er bestaan geen woorden voor wat ik op dat moment voelde, nu ik wist wat ik wist, of als er woorden voor bestaan schieten die tekort. Als ze me dwongen te proberen het te karakteriseren, zou ik het omschrijven als een gevoel van grote vrede, ootmoed en sereniteit, een diep besef van hoop voor mijzelf én voor de mensheid. Een gevoel van enorme voldoening omdat alles waarin ik geloofde was bevestigd. En om volstrekt eerlijk te zijn, had het iets opwindends, iets verrukkends, iets wat ik maar één of twee keer in mijn leven had gevoeld, maar nooit zo sterk. Het was iets wat me beangstigde omdat het leek of ik er mijn grip op kon verliezen. En je grip verliezen is altijd de bron van angst. Maar het is ook altijd de bron van verandering.

Nadat ik het toilet had verlaten, werkte ik de rest van mijn dag af. Ik onderhield me met een of twee parochianen tijdens mijn spreekuur, oudere vrouwen die op de meeste ochtenden de mis bezochten en van wie de echtgenoten waren gestorven. Ik ging naar een ziekenhuis in de buurt, waar ik twee dagen in de week voor patiënten bid. Ik at een eenvoudig maal in mijn kamers, die zich in de pastorie achter mijn kerk bevinden. Ik bad tot God en dankte hem dat hij mij had gezegend met de aanwezigheid van zijn Zoon. Ik las in de Bijbel, vooral in Mattheus, waarin de Wederkomst iets uitgebreider aan de orde komt. Ik bad weer en probeerde te slapen, maar dat lukte niet. Ik bleef dus wakker, dacht na over mijn leven en hoe het zover met me was gekomen dat ik bad tot een God die ik eerder die dag had ontmoet.

Mijn kindertijd was, op z'n zachtst gezegd, moeilijk en zwaar. Mijn ouders waren Russische immigranten die in de jaren vijftig uit de Sovjet-Unie waren ontsnapt. Ze hadden geen van beiden geloofd in het communistische systeem en ze hadden alle twee gedroomd over een leven in vrijheid in Amerika. Als je het ruim wilt zien was dit de reden dat ze verliefd werden, of als je het beperkt wilt zien was het een van de voornaamste redenen dat ze elkaar vonden, want ik heb nooit in mijn leven iets van echte liefde tussen hen gezien. Hun vaders hadden allebei gevochten in de Tweede Wereldoorlog en waren toen gesneuveld. De vader van mijn moeder was gevangengenomen nabij Raseiniai en in een Duits krijgsgevangenkamp gestorven, en de vader van mijn vader is doodgevroren in de buurt van Leningrad. Hun moeders werkten allebei in fabrieken nabij Daugavpils, en ze werden in de eerste fase van de oorlog allebei bruut bejegend door Duitse bezetters. De moeder van mijn moeder kreeg een kind van een Duitser als gevolg van een verkrachting, en de moeder van mijn vader werd als collaborateur aangemerkt omdat ze gedwongen als prostituee voor Duitse soldaten werkte. Na de oorlog werden ze gemeden door hun buren en voortdurend lastiggevallen door de KGB. Ze werden vaak opgepakt en voor onbepaalde tijd in gevangenissen in de buurt vastgehouden. Ze kregen niet de rechten van anderen die tijdens de oorlog hadden geleden. Door deze situatie mochten mijn ouders dan ook geen van beiden naar een behoorlijke school of kregen ze een kans om het verder te brengen dan ongeschoolde arbeider. Ze werkten als schoonmakers in een tankfabriek, waar ze elkaar leerden kennen, en zes maanden later vluchtten ze naar Finland, aanvankelijk waren er vier andere arbeiders uit de fabriek bij. Al vertelde geen van beiden ooit wat er tijdens de eigenlijke ontsnapping was gebeurd, ik weet dat de vier andere mensen daarbij allemaal omkwamen. Eens heb ik horen zeggen dat mijn vader op een of andere manier verantwoordelijk was voor hun dood. Ik weet ook dat ze te horen kregen dat als gevolg van hun ontsnapping hun achtergebleven familieleden werden opgepakt en naar een goelag in Siberië werden gestuurd.

Eenmaal in Finland gingen ze naar de ambassade van de VS en vroegen ze om asiel. Omdat ze in een tankfabriek hadden gewerkt, geloofden de Amerikaanse autoriteiten dat ze waardevolle informatie konden hebben en vlogen ze over naar een militaire basis in Duitsland waar ze werden ondervraagd. Afgezien van het feit dat ze wisten hoe ze vloeren moesten vegen en dweilen, wisten ze geen van beiden iets. Toch kregen ze een verblijfsvergunning. Ze werden naar Detroit gestuurd, en kregen net zulke baantjes als ze in Rusland hadden gehad, zij het deze keer in een fabriek voor auto-onderdelen. Ze trouwden, eerder omdat ze verder niemand kenden en van elkaar afhankelijk waren geworden, en ik werd geboren, al waren er bij mijn geboorte complicaties waardoor mijn moeder verder geen kinderen meer kon krijgen, waaraan ze me de rest van haar leven bijna dagelijks herinnerde. Ze namen me mee naar huis en gingen door met hun treurige levens. Ze werkten op de fabriek, en wanneer ze thuis waren, dronken ze en maakten ze ruzie. Mijn vader sloeg mijn moeder, en toen ik betrekkelijk jong was, twee of drie, begon hij mij te slaan. We leerden allebei hem met rust te laten en niet te spreken als hij erbij was, al maakte dat weinig uit. Toen ik ouder werd, werd het slaan erger. Verschillende keren hadden zowel mijn moeder als ik gebroken neuzen, gebroken armen, gebroken ribben en uitgeslagen tanden. De buren wisten wat er gaande was, maar niemand belde de overheid. Het was een andere tijd, en dit vond men de juiste manier om met zo'n situatie om te gaan. Op school wisten ze dat ik uit een probleemgezin kwam en ze moesten me niet. Ik had geen vrienden en er waren geen leraren die om me gaven of die geloofden dat ik ooit iets van mijn leven zou maken. Toen ik zestien was, draaide mijn vader dol. Hij zag mijn moeder met een buurman praten en geloofde dat ze een verhouding had. Toen ze thuiskwam, sloeg hij haar met een moersleutel, en toen ik probeerde hem tegen te houden sloeg hij mij. Toen ik zes dagen later in een ziekenhuiskamer ontwaakte, kreeg ik te horen dat hij mijn moeder dood had geslagen en hij zich had verhangen in zijn gevangeniscel nadat hij wegens moord was gearresteerd. Om volstrekt eerlijk te zijn: ik had helemaal geen verdriet. Ik vond het rot dat ze zo'n ellendig leven hadden gehad, maar ik voelde me opgelucht dat ze eindelijk niet meer leefden. Mijn enige zorg was wat ik moest doen of hoe ik voor mezelf moest zorgen. Ik had verder geen familie en was volkomen alleen. Maar al snel merkte ik van niet. Een katholieke priester kwam me opzoeken en vertelde me dat hij uren per dag naast mijn bed had gebeden. Mijn ouders waren allebei atheïsten en ik wist niets van God. Maar ik voelde dat deze man aardig was, zuiver en me graag wilde helpen. Hij gaf me een bijbel en begon met me te praten over God, over Jezus Christus en hoe die zijn leven voor de zonden van de mens had gegeven, en over de kracht van het gebed. Ik lag weken in het ziekenhuis, en in de loop van die tijd onderrichte hij me in de leer en het geloof van de rooms-katholieke kerk, en ik werd christen. Hij was de eerste mens die ooit aandacht aan me besteedde en me liefde betoonde, en ik ging van hem houden op de manier waarop naar ik geloof veel zonen van hun vader houden. Na de middelbare school ging ik naar het seminarium en begon me voor te bereiden op mijn bestaan als priester. Na de opleiding legde ik mijn gelofte af en werd priester, in de overtuiging dat ik mijn leven zou wijden aan de Vader, de Zoon en de Heilige Geest, en aan naar wat ik geloofde de enige ware kerk was. Ik geloofde dat ik mijn ware thuis had gevonden en dat ik mijn ware familie had gevonden, en dat wat ik deed Gods werk was, gebaseerd op zijn woord.

Ik lag in bed na te denken over mijn leven en te bidden. Uiteindelijk viel ik in slaap, maar niet voor lang. De volgende ochtend werd ik om vijf uur wakker en bad de Getijden uit mijn Brevier, zoals ik de meeste ochtenden doe. Na het bidden schrijf ik gewoonlijk de preek voor de ochtendmis, maar ik voelde God zo hevig en voelde me zo sterk in mijn geloof dat ik besloot niets op te schrijven en te zeggen wat ik op dat moment voelde. Het wond me erg op de mis te celebreren, wat ik de meeste dagen doe, en het kan een opgave zijn, zeker op dagen dat de kerk leeg is. Die dag wist ik dat het er niet toe deed of er gelovigen waren of niet. Ik geloofde dat ik alleen met God zelf de mis zou celebreren, hij die me de vorige dag zo diep had gezegend, en ik geloofde dat de problemen van de kerk geen van alle meer relevant waren, en dat we weldra de grootste periode in onze lange, waardige geschiedenis zouden beleven, een periode waarin ons gelijk zou worden bewezen en onze heerlijkheid zou worden bevestigd door de Wederkomst van Jezus Christus. Het dalende aantal parochianen en de vergrijzing bij de rest zou niet meer van belang zijn. De discussies die te maken hadden met ons beleid ten aanzien van vrouwen en homoseksuelen zouden stoppen. Mensen zouden ons niet langer de schuld geven voor de verspreiding van aids in ontwikkelingslanden vanwege onze opstelling ten aanzien van het gebruik van condooms. En aan de eindeloze schandalen veroorzaakt door het seksueel misbruik van kinderen zou een eind komen. Wij zouden gelijk krijgen.

Ik kleedde me aan, verliet mijn kamers en liep naar de kerk. Ik bereidde de dienst voor met de diaken en de twee misdienaars, en liep naar het altaar toe om met de inleidende rituelen te beginnen. Ik keek de kerk in en ik zag vier mensen, drie oudere vrouwen en een oudere man, en de man leek dakloos te zijn en te slapen. Hoewel dit gebruikelijk was voor een ochtendmis zou het me normaal gesproken hebben teleurgesteld. Maar deze ochtend in het geheel niet, want ik wist dat minstens drie van deze mensen hier waren om te aanbidden, en dat we ergens in de nabije toekomst, samen met de overige ware volgelingen van God, allemaal bij elkaar in de hemel zouden zijn. Ik begon de dienst en verwelkomde hen door te zeggen In de naam van de Vader, de Zoon en de Heilige Geest, en mijn stem klonk zuiver, sterk en waarachtig. Toen de mensen antwoordden met amen voelde ik de rillingen over mijn ruggengraat lopen, en ik dacht ja, mijn Heer, amen, ja, mijn Almachtige Heer, amen.

Normaal gesproken en volgens de traditie zou ik tijdens de Liturgie van het Woord één tekst uit het Oude Testament lezen en één tekst uit het Nieuwe Testament, maar die dag las ik twee teksten uit hetzelfde boek van het Nieuwe Testament, Mattheus 24:42-44, '⁴²Blijf dus waakzaam, want jullie weten niet op welke dag jullie Heer komt. ⁴³Maar besef: als de huisheer had geweten bij welke wacht de dief kwam, dan zou hij wel gewaakt hebben en niet in zijn huis hebben laten inbreken. ⁴⁴Daarom moeten jullie voorbereid zijn, want op een uur dat je er niet op rekent, komt het Mensenkind', en Mattheus 25:31-34, '³¹Wanneer het Mensenkind komt in zijn heerlijkheid en alle engelen meebrengt, dan zal het op de troon van zijn heerlijkheid gaan zitten. ³²Alle volken zullen vóór hem bijeengebracht worden, hij zal ze van elkaar scheiden zoals de herder de schapen van de bokken scheidt, ³³en hij zal de schapen rechts van hem en de bokken links van hem laten staan. ³⁴Dan zal de Koning degenen die rechts van hem staan zeggen: "Kom maar, jullie die door mijn Vader werden gezegend, jullie krijgen het koninkrijk dat voor jullie vanaf het begin van de wereld klaarligt."' Niemand merkte mijn indiscretie, ook de diaken niet, dus ging ik door in de overtuiging dat God mijn keuzes had bekrachtigd en hij begreep dat ik probeerde de mensen te waarschuwen dat zijn Zoon was gekomen. De rest van de dienst was eenvoudig en mooi. En zoals dat soms het geval is met de dingen die we in het leven doen, het kan dan gaan om wat tot onze hoofdtaken behoort, om simpele zaken of om ontspannende bezigheden, voelde alles goed en ging het moeiteloos, en de tijd die soms langzaam verstreek, leek te versnellen en vlugger te verlopen. Na de mis besloot ik – terwijl ik gewoonlijk naar mijn kantoor ga om de mail te beantwoorden en administratieve taken te verrichten – een wandeling door de buurt te maken.

De kerk lag in Midtown-Manhattan, aan de westkant van het eiland, in een buurt die Hell's Kitchen wordt genoemd. In het oosten had je meteen Times Square dat, toen ik bij de kerk begon, eind jaren tachtig, nadat ik eerst in een kerk in Newark, New Jersey had gewerkt, een poel van zonde was, vol pornotenten, op straat wemelde het van de prostituees, op elke hoek waren drugs te koop. In de jaren negentig volgde een opknapbeurt door de burgemeester, een man die naar ik geloofde een goede, deugdzame, rechtvaardige katholiek was, een man die vroom was zonder tot de geestelijkheid te behoren, een man die een strijder was in naam van God en Gods waarden. Hell's Kitchen, dat een verlengstuk van Times Square was geweest en een vergaarbak voor het surplus van zonde dat daarvandaan kwam, profiteerde enorm van de veranderingen die de burgemeester op Times Square had afgedwongen. Vroeger verdiende de buurt zijn naam, maar nu stroomde het er vol acteurs, musici en jonge werknemers die graag dicht bij hun kantoren in Midtown woonden, en vol restaurants, cafés en theaters die ze bezochten en waar ze elkaar ontmoetten. Toen ik daar begon te werken, vond ik het heerlijk om te wandelen. Al waren vele buurtbewoners niet christelijk dan wel afvallige christenen van een of andere gezindte, dwongen mijn priesterboord en mijn positie bij de kerk een zeker respect af. Winkeliers waren aardig tegen me, en deden vaak hun uiterste best om me te helpen. Politieagenten zeiden me gedag en ik stopte vaak om een praatje met hen te maken. Moeders en hun kinderen glimlachten en zwaaiden naar me. Zelfs de prostituees en drugshandelaren begroetten me, ze zeiden dingen als hallo, Vader, hoe gaat het vandaag met de Grote Man? Ik kreeg door mijn wandelingen een goed gevoel over mezelf en over mijn keuze mijn leven aan God en het geloof te wijden. Ik was er trots op een katholieke priester te zijn en ik was trots op mijn kerk.

Maar in de loop van de jaren was dat allemaal veranderd. Mijn boord was, voor menigeen, een symbool van schaamte en woede geworden. De persaandacht die voortvloeide uit de schandalen rond seksueel misbruik hadden het beeld van de kerk voor altijd veranderd, en ongeacht onze persoonlijke mening over de problemen of onze persoonlijke betrokkenheid daarbij hadden ze de kijk van mensen op de kerkelijke dienaren voor altijd veranderd. In de kerk was het meest zichtbare gevolg het aantal parochianen dat onze diensten niet meer bezocht. Buiten de kerk werd ik, op mijn wandelingen, een soort paria. Winkeliers gedroegen zich openlijk vijandig tegen me en vroegen me soms geen boodschappen in hun zaak te doen. Politieagenten keken bedenkelijk naar me. Moeders en hun kinderen deden hun uiterste best me te mijden. Ik hoorde mensen vaak viespeuk of kinderverkrachter schreeuwen nadat ik hun voorbij was. Eén keer werd ik aangevallen en geslagen. Toen ik op de grond lag, en getrapt en gestompt werd, hoorde ik mijn belagers mij en de kerk beschimpen. Ik besloot hen niet aan te geven. En meer dan eens stonden de deuren van de kerk volgespoten met scheldwoorden. Ik schrobde ze er persoonlijk af.

Al deze dingen vond ik vreselijk. Ik was priester geworden om God te dienen, de gemeenschap te dienen en mijn steentje bij te dragen aan een betere wereld. Ik had alles wat in mijn vermogen lag gedaan om een leven zonder zonde te leiden, en wanneer ik had gezondigd, had ik het gebiecht en er boete voor gedaan. Het besef dat door de daden van anderen, jammerlijke en onvergeeflijke daden, mijn leven en werk waren bezoedeld en verlaagd, was heel zwaar. Het kwam zover dat ik de kerk zelden verliet, en wanneer ik het wel deed trok ik vaak burgerkleding aan zodat ik niet als katholieke priester zou worden herkend. Het was een nachtmerrie. En niet alleen voor mij, maar voor velen van ons in de kerk, of in elk geval degenen die geloofden dat sommige van de fouten echt waren gemaakt. Zij die dat niet geloofden, en daar had je er veel van, onder wie paus Johannes Paulus II en Paus Benedictus XVI, kenden geen schaamte, bij hen was er alleen ontkenning, verwarring, opstandigheid en woede.

Maar die dag was er geen sprake van een nachtmerrie, die dag nadat ik de Messias had gezien, Gods Zoon, Jezus Christus zelf. Er was alleen opwinding, trots en geweldig optimisme. Ik ging naar buiten zonder plan, in mijn mooiste kleren, met mijn boord om. De vuile blikken die ik kreeg, deerden me niet. De opmerkingen die ik hoorde, hadden niets te betekenen. Hoe ik ouders de handen van hun kinderen een beetje steviger zag vasthouden wanneer ik voorbijkwam, gaf niets. Ik liep drie uur en zag overal, in alles Gods heerlijkheid. De stad was nooit zo mooi geweest, ondanks het vuil, de ellende en de wanhoop die ik te zien kreeg, ondanks het feit dat het meeste wat er in de stad gebeurde voor de heerlijkheid van het geld werd gedaan. Ik wist dat binnenkort alles zou veranderen. Dat binnenkort alles zou worden gedaan voor de heerlijkheid van de Zoon en van zijn Vader, de Almachtige Heer.

De volgende paar dagen hield ik hetzelfde ritme aan. Ik vervulde mijn plichten in de kerk en celebreerde de mis, en in mijn vrije tijd wandelde ik. Bij elke dienst keek ik ongeacht het aantal gelovigen de kerkbanken af, in de hoop hem nog eens te zien. Elke stap die ik op mijn wandelingen zette, was ik vervuld van verwachting, en bij elke hoek die ik omsloeg, dacht ik dat hij kon verschijnen. Ik staarde naar de deur van het toilet en ging soms het toilet in, in de hoop hem weer te treffen. Ik wist dat het slechts een kwestie van tijd was. Jezus Christus zou niet één keer in mijn leven verschijnen en dan verdwijnen. Ik wist in mijn hart dat hij terug zou komen.

Ik zag hem de week daarna tijdens de zondagochtendmis. De kerk zat ongeveer halfvol. Ik reikte de communie uit en de parochianen uit de middelste banken waren aan de beurt. Ik keek op en daar was hij, hij zat alleen, in vodden gekleed. Het was een sombere New York-dag, koud en nat, en er kwam geen zon door de kerkramen. Maar van hem ging er licht uit en er hing licht om hem heen, net zoals je Christus op klassieke afbeeldingen van hem door licht ziet omringd. Even was ik verlamd, ik glimlachte en werd onmiddellijk door een diep gevoel van liefde overspoeld. Ik vergat dat ik halverwege de mis was tot de parochiaan me vroeg of het wel met me ging. Ik keek naar beneden, zei ja en ging door met de communie, al wilde ik ophouden, met alles ophouden, en alle aanwezigen vertellen dat God letterlijk bij ons was in de ruimte, dat de Messias was gekomen en al onze gebeden waren verhoord. Tegen het eind van de dienst zag ik hem opstaan en vertrekken. Iets in me was verpletterd, maar een groter iets in me hield me voor op Gods plan te vertrouwen, want ik geloofde dat God voor me zou zorgen, voor al zijn mensen zou zorgen, en dat wat er allemaal gebeurde een reden had.

Hij was de volgende ochtend terug. En twee ochtenden nadien. En toen was hij een week weg, om weer te verschijnen op een ochtend toen er verder niemand was. Elke keer dat ik hem te zien kreeg, had ik hetzelfde overweldigende gevoel van liefde. Ik voelde dezelfde verrukking en opwinding. Dezelfde vrede. En elke keer dat ik hem te zien kreeg, stond hij net voor het einde van de dienst op en ging weg. En elke keer geloofde ik dat hij terug zou komen, dat het bij Gods plan hoorde en dat het zich voor mij zou ontvouwen zoals het moest. Hij kwam terug tijdens een zondagsmis. En deze keer ging hij niet weg. Terwijl de overige parochianen de kerk verlieten en ik bij de deur stond om afscheid van hen te nemen, bleef hij in de bank. Hij bewoog niet, hij staarde recht vooruit en hij verspreidde nog steeds licht. Ik was niet de enige die hem opmerkte. Een aantal mensen ging naar hem toe, ze voelden duidelijk allemaal net zoiets als ik voelde, want ik zag hen voor hem knielen, waarop hij hun gebaarde op te staan of bij hem te komen zitten. Toen ze vertrokken zag ik dat hij ze allemaal op dezelfde manier omhelsde als hij mij had omhelsd op de dag van onze eerste ontmoeting. Ik zag hen veranderen, lichamelijk veranderen, of er iets van hen was weggenomen, iets verdrietigs of onaangenaams, iets kwellends, iets waardoor ze niet konden leven, voelen of geloven zoals ze het wilden. Het was roerend en mooi te zien hoe de aanraking van een man iemand op slag veranderde, te zien dat wat hun zwaar viel werd afgenomen en verdween. Het was iets waarvoor alleen God, of Gods Zoon, de macht kon hebben.

Toen iedereen weg was, en de kerk op ons beiden na leeg was, liep ik naar hem toe. Hij zat nog steeds, zwijgend en zonder te bewegen, en bij elke stap voelde ik mijn hart sneller en harder kloppen, en mijn handen begonnen te beven. Ik hield halt bij de bank, hij draaide zich om en keek mijn kant op. Ik sprak.

Mijn Heer.

Hij glimlachte.

*Ik heet Ben.*

Ik knielde voor hem.

*Kom alsjeblieft overeind.*

In de Bijbel staat laat ons knielen voor de Heer, onze Schepper.

*En ik zeg dat de ene mens niet moet knielen voor de andere.*

Ik bewoog niet, kon niet bewegen. Ik sloot mijn ogen en hield mijn handen in gebed voor mijn borst. Ik hoorde hem bewegen en voelde zijn aanwezigheid naar mij toe komen. Toen ik mijn ogen opende, was hij voor mij aan het knielen, zijn gezicht een paar centimeter van mijn gezicht. Hij sprak.

*Vind je dit aangenaam?*

Hij glimlachte naar me.

*Denk je dat het nodig is?*

Ik sprak.

Ik ben God niet.

Hij sprak.

*Niet één mens is God.*

Bent u niet de Zoon?

*Geloof je dat?*

Ja.

Hij glimlachte weer.

*Kom bij me zitten.*

Hij stond op. Ik kon niet bewegen. Hij ging terug naar waar hij vandaan was gekomen en ging zitten. Ik keek naar hem, maar kon nog steeds niet bewegen. Hij glimlachte.

*Kom, Vader. Kom bij me zitten.*

Ik stond langzaam op. Mijn benen trilden en mijn handen trilden en ik was onbeschrijflijk opgewonden en verschrikkelijk bang. Ik zette drie stappen in zijn richting en ging zitten. Hij glimlachte weer en draaide weg, hij keek naar het altaar van de kerk, met daarboven een beeld van Christus die aan een kruis hing. Ik had tig vragen voor hem, tig dingen die ik wilde zeggen, maar ik kon niet praten. Ik staarde alleen naar hem, en hij was prachtig, en hij was God. Ik dacht aan Psalm 34:6: 'Die zich tot hem wenden stralen, hun gezicht wordt niet schaamrood.' Ik weet niet hoe lang we dit volhielden, misschien vijf minuten of misschien een halfuur, maar opnieuw geloofde ik door hem te zien dat mijn levenswerk de moeite waard was geweest, dat mijn betrokkenheid bij God en de kerk waardevol waren geweest en goed en juist, en dat Gods licht en heerlijkheid spoedig de wereld zouden overspoelen. Hij draaide zich naar me toe en sprak.

*Ga je nog iets zeggen?*

Ik weet niet waar ik moet beginnen, Heer.

Hij lachte.

*Je kijkt hier naar boven...*

Hij gebaarde in de richting van het altaar, de richting van het crucifix dat erboven hing.

*En je kijkt naar dat stuk dood hout, prachtig gebeeldhouwd en prachtig beschilderd, maar toch gewoon een stuk dood hout, en volgens jou stelt het iemand voor, en volgens jou is die iemand ik.*

Ja.

*Ik ben hem niet.*

Jawel.

*Nee hoor.*

Word ik op de proef gesteld?

*Nee.*

Ik weet dat God ons geloof elke dag op de proef stelt, dat hoort bij geloven.

*Zoiets doet God niet.*

En ik geloof dat ik nu precies zo op de proef wordt gesteld als ik van hem zou verwachten.

Hij lachte me uit.

En ik wil dat ik voor de proef slaag. Ik wil bewijzen dat ik wat God met mij van plan is waardig ben.

*God weet niet dat je bestaat en interesseert zich niet voor je.*

Ik geloof u niet.

*Prima, maar het is de waarheid.*

Hoe weet u dat?

*Omdat God tegen mij spreekt.*

Letterlijk tegen u spreekt?

*Niet met een of andere gekke stem, zoals in de Bijbel gebeurt.*

Hoe dan wel?

*Hoe hij het zegt, doet er niet toe. Wél wat.*

Wat dan?

*Dat dit allemaal bedrog is. Deze kerk, elke kerk. Dat de wereldgods-diensten failliet zijn en nergens op slaan. Dat de wereld zelf failliet is. Dat het allemaal gaat eindigen.*

Zoals is voorzegd.

*Ik ken elk woord van elk heilig boek dat ooit is geschreven. Niet een ervan voorzegt wat er zal gebeuren.*

Openbaringen wel.

*Openbaringen is een sciencefictionverhaal uit het Stenen Tijdperk.*

Als dat klopt, wie bent u dan?

*Wie ben ik volgens jou?*

Ondanks wat u zegt, geloof ik dat u de wedergeboren Christus bent.

*Ik ben een laatste kans.*

U bent hier om ons te verlossen en te vergeven.

*Er zal geen verlossing zijn en geen vergeving.*

U bent hier om de doden op te wekken, de levenden te verlossen.

*Ik ben hier om de mensheid te waarschuwen dat die zichzelf zal ver-nietigen in naam van hebzucht en religie. Dat er geen God is om iemand van ons te redden. Dat er geen duivel is om ons naar de hel te brengen. Dat de enige vijand van de mens de mens zelf is en dat de enige kans de mens zelf is.*

U bent hier om Gods Koninkrijk op aarde te brengen, en te laten zien dat de katholieke kerk het enige ware geloof vertegenwoordigt.

*Jouw geperverteerde kerk valt dit meer dan enige andere aan te rekenen.*

Waarom bent u hier dan als u er zo over denkt?

*Ik ben naar kerken, synagogen en moskeeën gegaan, om te proberen te begrijpen waarom mensen nog steeds geloven, ondanks het feit dat wat daar wordt gezegd belachelijk is.*

Het komt omdat God waar is en mensen dat weten.

*Het komt omdat ze bang zijn voor de dood en die willen ontkennen.*

De belofte van eeuwig leven is Gods grootste geschenk.

*Door de belofte van eeuwig leven verzaken mensen het leven dat ze hebben gekregen.*

Geloof maakt je leven beter.

*Liefde, lachen en neuken maken je leven beter. Geloof dient alleen om de tijd te vullen.*

Ik staarde naar hem en hij glimlachte naar me. En ook al was ik het oneens met alles wat hij had gezegd, of wilde ik het er oneens mee zijn: door zijn overweldigende lichamelijke aanwezigheid, en het onloochenbare en onbetwistbare gevoel dat hij goddelijk was en dat hij, zijn ontkenningen ten spijt, Gods Zoon was, drongen zijn woorden tot het diepst van mijn wezen en het diepst van mijn overtuiging door. Hij sprak weer.

*Staar naar je kruis.*

Ik keek weg, de kant op van het crucifix dat boven het altaar hing. Het was een realistische voorstelling van Christus. Zowel het kruis zelf als de Christus erop waren gemaakt van het hout van een olijfboom. Je kon de spijkers door de handen en de enkels zien, en de blik op Christus' gezicht was vredig, kalm en sereen. Op zijn hoofd was een doornenkroon te zien en zijn ogen waren geopend. Christus zelf was beschilderd in wat ik een realistische stijl zou noemen, je kreeg het gevoel dat het een getrouwe weergave was van hoe de echte Christus er tijdens de kruisiging moet hebben uitgezien. Ik had het talloze malen gezien en had er járen onder gestaan als ik de mis celebreerde. Ik had gebeden tot het beeld, het om raad gevraagd, het om hulp gesmeekt en me ertoe gewend in tijden van zorg en strijd. En ook al vertegenwoordigde het, voor mij, de Heilige Drie-eenheid en de katholieke kerk, ik zou liegen als ik zei dat het mijn aandacht even sterk vasthield als de man naast mij, of dat de aanwezigheid ervan dezelfde kracht had als zijn aanwezigheid. Na twee, drie minuten waarin het enige geluid dat ik hoorde de ademhaling van ons beiden was, legde hij zijn hand op mijn dij. Ik voelde meteen, heel heftig, een beroering, met niets wat ik in mijn leven had gevoeld te vergelijken, iets wat in mijn bloed zat, mijn botten, mijn hart en mijn ziel, iets wat me letterlijk de adem benam. En toen ik naar hem toe draaide, stond hij op, boog naar me toe en kuste me zachtjes op de wang, en hij liet zijn lippen op mijn wang. Ik sloot mijn ogen en ik voelde dat ik een stijve kreeg, een ervaring waarbij ik me niet bijster gemakkelijk voelde en waartegen ik me altijd had verzet uit angst dat het tot zonde zou leiden, maar het was een heerlijk, vreselijk en ongelooflijk heerlijk gevoel. Hij hield zijn lippen even tegen mijn wang en liet ze toen langzaam naar mijn oor gaan, waarin hij iets fluisterde.

*Het leven, niet de dood, is het grote raadsel dat op je afkomt.*

En hij stond op en liep weg.


Het hoeft geen betoog dat ik overweldigd was, en dat ik niet kon bewegen of denken. Ik bleef lange tijd in de kerkbank, in opgewonden staat, mijn hart bonsde, mijn gezicht gloeide, mijn huid tintelde en mijn penis was stijf. Toen de lichamelijke ervaringen afnamen, begon ik na te denken over wat er was gebeurd, en ik had een diep besef van verwarring en strijd. Ik had me nog nooit eerder in mijn leven zo goed gevoeld, of had zowel fysiek als emotioneel nooit

zo sterk de liefde gevoeld, maar alles wat ik wist en wat ik had geleerd en waarin ik meende te geloven zei me dat wat zojuist was gebeurd fout was, verschrikkelijk fout, op zijn best een zonde en een
schending van mijn plichten en verantwoordelijkheden als priester,
en op zijn ergst laster, ketterij en iets wat ertoe kon leiden dat ik voor
eeuwig in de vuren van de hel zou branden. Bij mijn geloof had ik
me nooit echt voorgesteld, op een reële manier, hoe het zou zijn om
in de aanwezigheid van Christus te verkeren, zijn stem te horen, met
hem te praten, hem mij te laten aanraken, te voelen dat zijn liefde
door elke cel van mijn lichaam en elk aspect van mijn ziel stroomde
en die beïnvloedde. Mijn gedachten waren altijd abstract geweest,
wat het zou betekenen om Christus te ontmoeten, maar niet wat
voor gevoel het zou zijn hem te ontmoeten. En ook al kon ik niet al
zijn woorden en daden in overstemming brengen met die van de
Heiland, of met wat naar ik destijds geloofde de woorden en daden
van de Heiland waren: de gevoelens die ik had gehad toen hij met
me sprak, bij me zat, me aanraakte en me kuste, en wat restte na zijn
vertrek, leken me volkomen zuiver, volkomen in overeenstemming
ook met wat naar ik inmiddels geloof Christus zijn gelovigen moet
hebben laten voelen. Het was meer dan wat ook een overweldigend
en heel heftig gevoel van liefde, argeloos, onvoorwaardelijk, diep en
waarachtig. En nadat ik dit had gevoeld, begreep ik, voor de eerste
keer in mijn leven, waarlijk wat het inhield dicht bij God te zijn.
Niet de katholieke God, de joodse God, de islamitische God of enige andere God, maar de ware God. De God die het leven is en de
God die de liefde is.

Toen ik het kon, minstens een uur later en waarschijnlijk langer,
stond ik op en ging de kerk uit. Ik vroeg de diaken de verplichtingen
die ik nog had af te wikkelen, en ik ging naar mijn kamers in de pastorie, waar ik voor een kleine crucifix aan mijn muur neerknielde en
probeerde te bidden. Ik wilde een gebed van onderzoek en berouw
zeggen, iets wat ik de meeste avonden deed voor ik ging slapen, ik

onderzocht dan mijn gedachten en daden, en vroeg de Heer me een beter mens en een betere priester te maken. Terwijl ik naar het crucifix staarde, bleef ik denken aan wat Ben had gezegd, dat het kruis slechts een stuk dood hout was, en ik bleef denken aan hoe zijn hand en zijn lippen voelden, en aan het verschil tussen wat ik voelde door Ben en wat ik voelde door het crucifix. Ik zei de traditionele Oefening van Berouw op, Barmhartige God, ik heb spijt over mijn zonden, omdat ik uw straffen heb verdiend; maar vooral omdat ik u, mijn grootste Weldoener en het hoogste Goed, heb beledigd. Ik verfoei al mijn zonden en beloof, met de hulp van uw genade, mijn leven te beteren en niet meer te zondigen. Heer, wees mij zondaar genadig! Maar ik ging mij niet beter of anders voelen. Ik bleef het proberen en probeerde mijn gebed meer bezieling mee te geven, maar er veranderde niets, daarom begon ik rechtstreeks tot de Almachtige Vader te bidden en te spreken, ik vertelde hem over de conflicten die ik had, vertelde hem over de mogelijke zonden die ik had begaan en smeekte hem om vergeving. Er veranderde niets, en door het feit dat bidden me niet baatte dacht ik zo mogelijk nog meer aan Ben en aan wat ik door hem had gevoeld.

Wanneer ik een crisis had, me verloren of verward voelde, of aardse leiding nodig had, zocht ik steun bij de man die me tot Christus en tot de kerk had gebracht, een man die ik hier op aarde als mijn vader beschouwde, die meer van me had gehouden dan mijn biologische vader en die mij tot de Heilige Vader had gebracht. Door zijn devotie en vroomheid was hij een uitstekende priester geweest, en hij was aartsbisschop geworden van het bisdom in Michigan waar ik ben opgegroeid. Ik had die dag het gevoel dat ik hem nodig had en hoewel zondag natuurlijk een drukke dag is voor een katholieke bisschop, en ik normaal gesproken nooit van hem had verwacht tijd vrij te maken op die dag, de dag van God en een dag dat zijn bisdom zijn leiding nodig had, geloofde ik dat ik werkelijk niet zonder zijn raad kon. Het kostte twee uur om hem aan de telefoon te krijgen, en in die tijd werd ik alleen maar banger en verwarder. Toen ik zijn stem hoorde en hem me hoorde zeggen dat hij er altijd voor me zou zijn als ik het nodig had, voelde ik me beter. Ik vertelde hem vervolgens het hele verhaal, vanaf het moment dat ik Ben voor het eerst zag op het toilet tot het moment dat hij me alleen in de kerkbank achterliet, en ik voegde er al mijn persoonlijke gedachten en emoties aan toe. Toen ik mijn verhaal had gedaan, zei hij me dat hij blij was dat ik steun bij hem had gezocht en dat mijn sterfelijke ziel in groot gevaar verkeerde. De eerste kwestie die hij aan de orde stelde was de kerk, en mijn gevoelens over een aantal van de recente schandalen. Hij zei dat priesters weliswaar mensen waren en dus voor dezelfde verleidingen vatbaar als ieder mens, maar dat de schandalen over seksueel misbruik, grotendeels, een verzinsel waren van de media die door de duivel werden beheerst. Hij zei dat vele van de aantijgingen uit de duim waren gezogen als onderdeel van een lastercampagne en dat de kerk de priesters beschermde omdat ze enkel en alleen God, de kerk en hun parochies hadden gediend. Hij zei dat de campagne tegen de kerk was bedoeld om haar te vernietigen, en qua opzet met de Holocaust te vergelijken viel. En al had de kerk weet van enkele misstappen, die had ze altijd op gepaste wijze afgewikkeld en ze had alles wat in haar vermogen lag gedaan om priesters tegen ongegronde beschuldigingen te beschermen. Hij zei ook te geloven dat een groot deel van de campagne als achtergrond had met onnozele rechtszaken van de rijkdom van de kerk te profiteren, en hij geloofde dat als er werkelijk iets ergs aan de hand was geweest God dat zou hebben tegengehouden. God, zei hij, bekommerde zich altijd om de belangen van de ene ware universele kerk. God, zei hij, zou nooit hebben toegestaan dat binnen de kerk zoiets verdorvens kon bestaan. Hij wees me erop dat naar hij geloofde God alle priesters die binnen de rooms-katholieke kerk werden gewijd had uitgekozen en dat God geen fouten maakte.

We gingen vervolgens over op mijn specifieke ervaringen met Ben. Hij zei met heel zijn hart te geloven dat Ben een agent van Satan was, naar alle waarschijnlijkheid een demon in menselijke gedaante, speciaal gezonden om mij te verleiden en te vernietigen. Hij vertelde me dat God kennelijk iets groters met me van plan moest zijn als Satan zo'n sterk iemand stuurde, en dat ik door moest gaan met een strikt gebedsregime, dat zou me de benodigde kracht geven om te vechten. Hij zei ook dat als de situatie verder uit de hand liep het Vaticaan een team van ongeveer tien duiveluitdrijvers had die uitsluitend in de Verenigde Staten werkten. Ze konden erbij worden geroepen om de demon rechtstreeks het hoofd te bieden en ze hadden de macht om hem rechtstreeks naar de hel terug te sturen. Hij droeg me op de overige priesters in mijn parochie te wijzen op de aanwezigheid van de demon en zei dat wij allemaal te allen tijde wijwater bij ons moesten hebben, en dat wanneer de demon terugkeerde we hem ermee moesten besprenkelen. Ik bedankte hem voor zijn advies. Hij zei dat hij trots op me was en dat hij vol verwachting uitkeek naar de plannen die de Heilige Vader met me had. Ik dankte hem en nam afscheid.

De rest van de avond bad ik. Ik sliep een paar uur, werd de volgende ochtend wakker, hervatte mijn plichten en werkte volgens mijn normale schema, de mis celebreren, parochianen raad geven en troosten, en administratie afwikkelen die met mijn kerk verband hield. Elk vrij ogenblik dat ik had, besteedde ik aan het lezen van de Bijbel of bidden, in de hoop dat God me op een of andere manier antwoord zou geven. Ik wilde, sterker dan wat ik in mijn leven ook had gewild, iets van een teken krijgen van de Heilige Vader, iets van een aanwijzing dat alle tijd die ik op mijn knieën en voor het kruis had doorgebracht niet verspild was geweest. Vanwege de in mijn ogen ernstige situatie hoopte ik snel iets te ontvangen, en hoewel me was bijgebracht dat God zijn eigen wegen volgt, wegen die de mens niet begrijpt en niet mag begrijpen, ergerde het me dat er niets kwam. Een gevoel van eenzaamheid, dat me in zekere zin altijd had vergezeld maar ik door studie, gebed en bezigheden altijd had kunnen negeren, ontkennen of beheersen, begon me te overweldigen. Ik had altijd het idee gehad dat ik iets miste, iets was kwijtgeraakt of iets op de verkeerde plaats had gelegd, en ik veronderstelde dat dit een normale toestand was, onderdeel van de pijn van het mens-zijn. Maar binnen een paar dagen werd het een gevoel van volledige leegte, hopeloosheid en angst. Ik begon te huilen onder het bidden en te huilen voor ik ging slapen. Ik huilde wanneer ik wakker werd en ik huilde wanneer ik alleen was, en ik moest mezelf bedwingen niet te huilen met andere mensen erbij. Ik wilde niet uit bed komen en wilde niemand spreken. De baan die het grootste deel van mijn leven zoveel voor me had betekend was volkomen zinloos geworden. Het kwam zover dat ik begon te denken aan zelfmoord. Ik wist dat het door de kerk als een doodzonde werd gezien, dat ik naar men geloofde door zelfmoord te plegen voor altijd en eeuwig tot de hel verdoemd zou zijn. Ik wist ook niet wat ik verder kon doen. Ik had niemand met wie ik over de toestand kon spreken. Ik wist dat mijn collega-priesters me zouden vertellen dat ik moest blijven bidden en dat ik door bidden mijn weg zou vinden. Ik had geen andere vrienden en geen familie. Ik voelde me niet langer dicht bij de Heilige Vader of Jezus Christus staan. Ik was volkomen alleen en deed iets wat voor mij geen enkele zin meer had, en ik wilde dood.

Ik probeerde vast te stellen waarom dit gebeurde, en het hing natuurlijk samen met de ontmoeting met Ben. Dit bracht me tot een verbijsterend simpele conclusie, namelijk dat ik in mijn hele leven, als kind, op het seminarium en in al mijn jaren als priester, nooit echte liefde had gevoeld. Ik had geen liefde ontvangen van mijn ouders, van mijn leraren of van mijn collega-priesters, en ondanks wat ik graag geloofde, had ik nooit liefde gekregen van het gebed, van de kerk, van Jezus Christus of van mijn vermeende betrekking met de Heilige Vader. Ik besefte dat de sterkste vorm van liefde alleen van een medemens kon komen. Dat de liefde waarover in de Bijbel werd gesproken alleen kon bestaan in iemand die op aarde rondliep, en niet van een afbeelding van die persoon kon komen, hoe mooi ook gemaakt. Dat liefde iets echts was als die van een echt iemand afkomstig was. Ik besefte dat ik van Ben hield, dat ik zelfs na mijn beperkte omgang met hem van hem hield zoals ik nooit van iemand of iets had gehouden. Ik besefte ook dat hij op een bepaalde manier van mij hield, dat hij in zijn goddelijkheid liefde uitdrukte voor alles en iedereen met wie hij in contact kwam, en alles en iedereen die hij aanraakte. En voor de eerste keer in mijn leven begreep ik Christus en zijn betekenis, en ik begreep waarom ik geloofde dat Ben de wedergeboren Christus was en de Messias, wat ik nog steeds geloof. Net als Christus beminde Ben onvoorwaardelijk en zonder te oordelen; hij hield evenveel van mannen als van vrouwen, en maakte geen onderscheid tussen van mannen of van vrouwen houden; hij liet iedereen die hem ontmoette zijn liefde voelen, en wel op een manier die volstrekt afweek van wat ze ooit eerder hadden gevoeld; en hij besefte dat godsdienst zoals die werd beoefend weinig met liefde had te maken. Liefde is iets wat we in ons hart moeten voelen en in ons lichaam, en iets wat we moeten uitdrukken zonder angst voor veroordeling of verdoemenis. Liefde is iets wat regels en dogma te boven gaat. Liefde gaat goed en kwaad, juist en onjuist te boven. En liefde gaat mensen te boven die er geen ervaring mee hebben en er weinig van weten maar toch beslissen hoe het kan worden gevoeld of uitgedrukt of wie het recht heeft het te voelen of uit te drukken. Ik geloofde dat Ben terug zou keren, en ik besloot te wachten tot ik hem terugzag eer ik enig besluit over mijn toekomst zou nemen, hoewel ik al wist wat ik ging doen.

Een week verstreek en ik bleef mijn priesterrol vervullen, ook al was die voor mij volkomen ceremonieel. De woorden die ik uitsprak, waren leeg, en ik beschouwde het bloed en vlees van de eucharistie niet meer als iets anders dan wat ze waren en wat ze zijn, te weten goedkope wijn en vieze ouwel. Mijn eigen tijd bracht ik vooral zittend in de kerk door, die vrijwel altijd leeg was. Ik staarde naar de deur en wachtte tot Ben naar binnen zou lopen en zou gaan zitten, maar het gebeurde nooit, en ik dacht voortdurend aan wat hij me de laatste keer dat ik hem had gezien had gezegd, hoe hij in mijn oor had gefluisterd *het leven, niet de dood, is het grote raadsel dat op je afkomt.* En hij had gelijk. Ik had mijn leven lang de dood geëerd, gevreesd, erover getobd, en mijn leven ingericht naar wat volgens een boek zal gebeuren als de dood komt. Ik had dienstgedaan als een missionaris van de dood voor een dode kerk en gebeden tot een dode man. En ik ging inzien dat je niet zo mag leven, en dat leven het enige is wat we hebben en het enige wat we ooit zullen hebben, en dat je het niet mag verspillen. Dat liefde leven is. Dat het leven niet het leven waard is zonder liefde. En dat de katholieke kerk, vol met celibatairen die er geen ervaring mee hebben, niet het recht heeft om andere mensen te vertellen hoe ze moeten beminnen, wie ze moeten beminnen, of welk soort liefde goed of fout is.

Ik stond voor een keuze, een heel simpele keuze: ik kon doorgaan een God te vereren die me een vorm van leven na mijn dood beloofde, of ik kon het leven gaan leiden dat ik had gekregen. Ik kon knielen voor een beeld of ik kon op zoek naar echte mensen die me werkelijk hoorden. Ik kon oordeel en haat prediken, of liefde ervaren. Het besluit was gemakkelijk, en op een ochtend, drie weken na mijn ontmoeting met Ben, deed ik mijn boord af, schreef ik een briefje waarin ik mijn ambt neerlegde en de mannen met wie ik samenwerkte bedankte voor hun diensten, en liep ik de kerk uit. Ik liep de straat op, een straat waar naar ik wist hij had gelopen, in een stad waar hij naar ik wist woonde, en ik begon hem te zoeken.

# Judith

Ik slaap licht. Heel licht. Altijd al. Toen ik een klein meisje was, moesten mijn ouders de televisie en de telefoons uitzetten nadat ik ging slapen, want als ik ze hoorde zou ik wakker worden. En als ik wakker werd, geloofde ik altijd dat het kwam omdat er iets naars was gebeurd of ging gebeuren. Ik was erg schichtig. Ik werd overal bang van. Op school en later, toen ik begon te werken, zelfs in mijn auto, was ik altijd bang. Ik vond het niet fijn zo te zijn, maar ik kon er niets aan doen. Zo ben ik nu eenmaal, vermoed ik. Of zo was ik. Zo was ik tot Ben. Na Ben is alles voor me veranderd.

Ik heb een rustig leven geleid. Een heleboel mensen zouden het saai noemen, en waarschijnlijk hebben ze gelijk. Ik werd geboren in een plaatsje in de staat New York. Mijn vader was een boer die aardappels verbouwde en geiten hield. Mijn ma hielp hem en zorgde voor mij. Ik was enig kind. Mijn ouders wilden allebei een groot gezin, maar bij mijn geboorte waren er complicaties, en mijn moeder kon geen kinderen meer krijgen. Mijn moeder gaf mijn vader de schuld omdat hij haar niet vroeg genoeg naar het ziekenhuis had gebracht, en mijn vader gaf de schuld aan het lichaam van mijn moeder. Ik weet dat ze er geen van beiden ooit echt overheen zijn gekomen, omdat ze het er dikwijls met me over hadden. Het feit dat ik zo tegenviel, maakte het er niet beter op.

Ik ontmoette Ben in New York. Ik hou van musicals en placht één keer per jaar naar de stad te gaan om een voorstelling te zien. Ik spaarde het hele jaar, regelde bijzondere kleren en een hotelkamer op Times Square, en ging in mijn eentje naar een luxe maaltijd en een voorstelling. De dag erna liep ik Fifth Avenue helemaal af en keek naar de etalages van de luxe kledingzaken. Ik wist dat ik me deze kleren nooit zou kunnen permitteren en ik wist dat ze die niet maakten voor vrouwen met mijn maten, maar toch vond ik het heerlijk. Ik droomde er altijd van een van de zaken binnen te gaan en iets te kopen, een tas, een jurk of schoenen, maar wist dat ik het nooit zou doen. Dromen zijn iets voor mensen die het zich kunnen permitteren ze in vervulling te laten gaan. Voor iemand zoals ik, en voor de meeste gewone mensen, zijn dromen alleen dingen die ons aan de gang houden.

Ik sliep toen ik hem hoorde. Gewoonlijk logeer ik in kamers op de begane grond omdat die goedkoper zijn. En omdat ik bang ben van liften en ik niet graag trappen neem. Ik had als avondmaal een sandwich gegeten. Met rosbief en cheddarkaas, wat ik lekker vind. Ik had de sandwich van huis meegebracht, en verder een zak chips en dieetfrisdrank, als dessert had ik een paar donuts gegeten, die ik zo lekker vind. Ik had naar een paar televisieprogramma's gekeken. Een van mijn favoriete programma's is een danswedstrijd. De mannen zijn heel knap en glimlachen altijd, en de vrouwen zijn gracieus en hebben de prachtigste jurken aan. Het is echt net een sprookje. En ook al vond ik het een prachtig programma en miste ik het nooit, het deed me iedere keer pijn. Ik weet dat mijn ouders op een bepaalde manier van me hielden, ook al vonden ze het lastig me het te vertellen, maar zij waren de enigen. Ik had nooit een afspraakje gehad. Ik had nooit met een man gedanst. Eigenlijk had zelfs nog nooit een man met me gepraat, in elk geval niet op een flirterige manier of zoiets. En dat wilde ik meer dan wat ook. Echt, meer dan wat ook. Dansen zoals een van de meisjes in het programma.

Na het programma was ik gaan slapen. Ik had zelfs oordopjes in gedaan omdat het in New York altijd zo'n herrie is. Maar ik werd meteen wakker. Eerst hoorde ik ritselen. Als van een dier of zoiets. Het was een geluid dat ik als boerderijbewoner kende. Mijn vader met al die geiten van hem, we hadden een paar varkens, en er leefden een heleboel dieren in de bossen bij ons in de buurt. Dieren zijn niet zo griezelig, zeker niet wanneer ze niet in je huis zitten. Ik dacht als ik wacht gaat het wel weg, maar het werd luider. Ik dacht welk dier het ook is, het is heel luid. Dus ging ik uit bed, liep naar het raam en gluurde om het gordijn heen.

Eerst kon ik niet zeggen wat ik zag. Er stond een vuilcontainer buiten. Het deksel stond open, en er zat een heleboel afval in. Er bewoog iets. Bewoog echt als een gek. Ik wilde het raam niet opendoen, uit angst dat het, wat het ook was, me achterna zou komen. En ik wilde de receptie niet bellen want toen ik incheckte kon ik merken dat ze me niet mochten. Ik stond maar te kijken en hoopte dat het op zou houden. Ik dacht dat het misschien zelfs dood zou gaan. Het bonkte tegen de zijkant van de vuilcontainer en maakte een enorme herrie. Ik wist dat het heel pijnlijk moest zijn. En ook al proberen mensen te doen of pijn hen koud laat, weet geen van ons er werkelijk raad mee. Al het verkeerde dat we in ons leven doen komt door een of andere pijn. Ik kon me niet indenken hoe het moest hebben gevoeld. Twee keer liep ik weg van het raam. Ik stapte in bed, deed mijn oordopjes in en legde mijn kussen over mijn hoofd. Ik deed mijn ogen heel stijf dicht. Ik balde zelfs mijn vuisten. Toch bleef ik het maar horen. Een bonzend geluid tegen de zijkant van de vuilcontainer.

Uiteindelijk hield het op. Dat leek echt een hele tijd te duren. Ik ging terug naar het raam en gluurde weer naar buiten. Ik zag een man in de vuilcontainer liggen. Hij zag bleek, en zijn kleren waren heel goor en grof. Hij bewoog helemaal niet. Hij zag eruit of hij morsdood was.

Maar hij zag er niet griezelig-dood uit, gemeen-dood of boos-dood. Hij zag er heel vredig uit. En normaal gesproken zou ik heel bang zijn geweest. Ik zou hebben gegild of geschreeuwd. Ik had me misschien ergens verstopt. Maar ik was helemaal niet bang. Ik voelde me eigenlijk fantastisch. Ik staarde maar naar de man die in de vuilcontainer lag. Ik vergat alles. Ik vergat zelfs wie ik was, iets wat nooit was voorgekomen. Na een minuut of wat begon de man zijn handen en benen een klein beetje te bewegen. Ik deed het raam open en praatte tegen hem.

Hallo?

Hij keek naar me op.

*Hallo.*

Gaat het daarbinnen?

*Ja, dank je.*

Je was flink aan het bonzen.

Hij ging overeind zitten en draaide mijn kant op.

*Ja.*

Wat was je aan het doen?

*Ik zocht naar eten.*

In een vuilcontainer.

*Ja.*

Dat is walgelijk.

Hij lachte.

*Er zit een heleboel goed eten in vuilcontainers.*

Eerlijk waar?

Hij lachte weer.

*Eerlijk waar.*

Wat vind je dan?

*Wat andere mensen niet willen.*

En dat eet je op?

*Natuurlijk.*

Is het lekker?

*Mensen gooien heerlijke dingen weg.*

Heb je vanavond iets heerlijks gevonden?

Hij glimlachte.

*Wie weet.*

Ik glimlachte.

Daarin.

*Nee, ik werd gestoord.*

Door mij?

*Door God.*

Wat zeg je?

*Ik sprak met God.*

Je bedoelt Gód?

*Ja.*

God in de hemel?

*Nee, de echte God.*

Wie is de echte God?

*Als een vogel eens in de duizend jaar op dezelfde plaats een steentje liet vallen, zou de tijd die het duurt eer de hoop steentjes even groot is als de hoogste berg op aarde gelijk zijn aan één seconde van de oneindigheid.*

En dus?

Hij lachte weer.

*God is oneindig. En net als de oneindigheid te enorm en te ingewikkeld voor ons om te begrijpen.*

Waarom vereren mensen hem dan?

*Hun is aangepraat te geloven in iets wat verkeerd is maar dat ze kunnen begrijpen. Mensen hechten zich aan wat ze kunnen begrijpen, ook al is het fout.*

Als dat waar is, hoe praat God dan met jou?

*Wat je hoorde, was dat ik een toeval had, en mijn armen, benen en hoofd sloegen tegen de zijkanten van deze vuilcontainer. In de seconde voor ik een toeval krijg, zie ik dingen en hoor ik dingen, weet ik dingen en worden me dingen verteld.*

Hoe weet je dat het God is?

*Door wat me wordt verteld, wat ik krijg.*

En dat is?

*Ik spreek talen die ik nooit heb bestudeerd, sommige worden niet meer gesproken. Ik ken de inhoud van de heilige boeken van de wereld, woord voor woord, ook al heb ik die nooit gelezen. Ik begrijp de algemene relativiteitstheorie, kwantummechanica, de snaartheorie, astrofysica, kwantumgravitatie, fysische kosmologie en de thermodynamica van zwarte gaten, al ging ik op mijn veertiende van school.*

Wat hebben al die dingen met God te maken?

*Door de eerste dingen kan ik God begrijpen zoals God is beschreven, geportretteerd en vereerd. Zoals mensen in God geloven. Door de andere dingen kan ik begrijpen hoe dicht we bij het begrijpen van de echte God zijn, de God die niet hoeft te worden aanbeden, de God die niet bestaat zoals wij, die ons niet oordeelt, die ons niets meer biedt dan wat we hebben.*

Je klinkt dwaas.

Hij glimlachte.

*Ik heb je de dwaze dingen niet verteld.*

Dwazere dingen dan in vuilcontainers kruipen voor eten, wat op een gesprek met God uitloopt?

*Ja.*

Ik weet niet of ik die dingen wel wil horen.

Hij stond op, en in de vuilcontainer kwam hij haast tot de hoogte van mijn raam.

*Geef me je hand.*

Waarom?

*Dat zul je wel merken.*

Wat merken?

Hij stak zijn hand uit. Ik staarde naar hem. Hij was heel dun, broodmager of hij was uitgehongerd. En voor de eerste keer zag ik zijn ogen. Die waren gitzwart en hadden griezelig moeten zijn, maar dat waren ze niet. Ze waren prachtig. En toen ik ze zag, klonken om een of andere reden geen van de dwaze dingen die hij zei dwaas. Ze klonken goed, en ik zag alles waarover hij sprak in die ogen.

*Geef me je hand.*

Waarom?

*Om je een paar van de dingen te laten voelen die God me vertelt.*

Ik stak een hand uit door het raam, door de tralies die ervoor zaten. Toen ik het mezelf zag doen, kon ik het eigenlijk niet geloven. Ik vond het niet prettig om mensen aan te raken. Ik wist dat zij het niet prettig vonden mij aan te raken. Dat niet alleen, ik wist dat mensen zelfs de gedachte mij te moeten aanraken niet prettig vonden. Ik had altijd geloofd dat ik een goed iemand was, en ik had altijd gemeend dat ik aardig en eerlijk was, maar ik wist hoe ik eruitzag. Ik moest mezelf iedere dag in de spiegel bekijken. Ik was, en ik ben, dik en lelijk. Het is pijnlijk om het te zeggen, maar ik weet dat het waar is. De mensen hebben me mijn hele leven verteld wat ik ben. Ze deden het toen ik een kind was, en heel mijn schooltijd door. Ze doen het op mijn werk, ook al glimlach ik altijd en zeg ik altijd dag. Ze doen het als ik over straat loop, alsof ze denken dat ik hen niet kan horen of zoiets. En het doet altijd pijn. Ongeacht hoe vaak ik het hoor. Het doet altijd pijn. Ik kon dus niet geloven dat deze man vroeg mijn hand te mogen pakken. Geen man had het ooit gedaan. Ergens had ik bang moeten zijn. Wanneer hij eenmaal mijn hand had, kon hij alles met me doen. Maar ik vermoed dat het me niet kon schelen. Zijn ogen zeiden me dat hij iets moois en eeuwigs was. En ook al had hij me pijn gedaan, zou ik er geen spijt van hebben gehad. Gewoon om het één keer te laten gebeuren. Een man hebben die om mijn hand vroeg, een man hebben die mijn hand wilde.

Het was een beetje koud. Er kwam een briesje de steeg in. De vuilcontainer rook naar bedorven vlees. Ik kon het verkeer horen in de straten van New York. Ik kon iemand telkens weer het woord kaartjes horen roepen. De steeg werd verlicht door twee straatlantaarns. Ze waren geel, en eentje ervan bleef maar flikkeren. De schaduwen bewogen met het geflikker mee. Mensen die op straat liepen, bewogen in de schaduwen. Ik herinner me het moment heel scherp. Scherper dan wat ook, ooit, want het is het moment waarop mijn leven veranderde. Mijn hand ging tussen de tralies voor het raam naar buiten. Het waren ronde tralies, zwart geschilderd en de verf schilferde hier en daar. Mijn huid werd koud, ook al had ik een nachthemdje met lange mouwen aan. Hij pakte mijn hand en hield die tussen allebei zijn handen, hij glimlachte en hij sprak.

*Ik heet Ben.*

Ik had gehoopt een soort fantastische romantische elektrische schok te voelen, zoals bij een televisiedrama, een romantisch boek of zelfs zoals bij een Hollywoodfilm. Wat ik daadwerkelijk voelde, was nog beter. Het was het beste gevoel dat ik ooit in mijn leven had gehad. Mijn onzekerheid verdween. Mijn gebrek aan zelfvertrouwen verdween. Mijn zelfhaat verdween. Mijn gevoel van teleurstelling over mezelf verdween. Het gevoel dat ik slecht en verkeerd en lelijk en niets was, dat ik een dikke, afstotelijke mislukkeling was, verdween gewoon. Dat gevoel van alleen te zijn, altijd alleen, werkelijk, volledig en vreselijk alleen, verdween. Hij hield mijn hand vast, glimlachte en keek naar me. Ik glimlachte terug en sprak.

God.

*Ja.*

Ik liet los en glimlachte.

Dank je.

Hij glimlachte en stapte achteruit.

Ik wil niet dat je weggaat.

*Ik moet op zoek naar eten.*

Ik heb hierbinnen eten.

*Het is niet alleen voor mij.*

Voor wie dan nog?

*Voor mijn vrienden.*

Wie zijn dat?

*Mensen die bemind willen worden.*

Wat wil dat zeggen?

*Je weet wat het wil zeggen. Je hebt gevoeld wat het wil zeggen.*
Kan ik het voor je halen?
*Nee.*
Ik heb wat geld.
*Nee, dank je.*
Ik zou het je graag geven.
*Ik heb geen geld nodig.*
Waarom niet?
*Omdat ik zoek naar wat andere mensen weggooien.*
En dat is genoeg.
*Meer dan genoeg.*
Hij begon de vuilcontainer uit te stappen. Ik wilde niet dat hij wegging. Nooit. Ik wist dat wanneer hij wegging, ik me zou voelen zoals ik me altijd voelde. Zoals ik me voor hem voelde.
Niet weggaan.
Hij stopte.
Ik wil niet dat je weggaat.
Hij draaide zich om.
Wil je niet naar binnen en bij me komen zitten?
*Ja.*
Zie ik je dan in de hal?
*Ja.*
Hij draaide zich om en klom de vuilcontainer uit. Ik deed mijn raam dicht. Een paar minuten later zag ik hem in de hal. Ik was heel zenuwachtig voor hij verscheen. Mensen staarden naar me en lachten. Ik kon het hun niet kwalijk nemen, eerlijk gezegd. Als het niet om mij ging, zou ik ook hebben gelachen. Toen Ben naar binnen liep, bleef iedereen staan. Ik maakte me zorgen dat ze hem zouden tegenhouden of de politie bellen, maar het enige was dat iedereen stopte met praten, lachen en alles. Het enige was dat ze naar hem staarden.

Hij glimlachte naar me, nam me bij de hand en we liepen naar mijn kamer. Ik maakte de deur open en we stapten naar binnen. Hij deed de deur dicht en zei me op bed te gaan liggen. Ik was heel opgewonden. Heel, heel opgewonden. Super opgewonden. Ik had geen idee wat er ging gebeuren. Wat het ook was, het zou geweldig zijn. En zo opgewonden als ik was, ik was op een rare manier ook kalm. Veel kalmer dan ik zou hebben gedacht. Ik beefde helemaal niet en had helemaal niet het gevoel dat ik zou gaan huilen of schreeuwen.

Hij zette de tv uit en ging naast me liggen. Ik kon niet geloven dat het gebeurde. Hij begon me vragen te stellen. Mijn naam, waar ik vandaan kwam, wat ik voor ouders had en wat ze deden. Terwijl we praatten en ik zijn vragen beantwoordde, schoof hij dichter naar me toe. Hij legde een van zijn armen om me heen en nam een van mijn handen. Hij was zo dicht bij me dat hij begon te fluisteren. Hij vroeg naar mijn kindertijd. Ik vertelde hem dat die ongelukkig was. Hij vroeg me naar school, en ik vertelde hem dat ik het altijd makkelijk vond, maar dat ik opzettelijk onvoldoendes haalde, want ik wilde de kinderen geen extra reden geven een hekel aan me te hebben. Hij schoof dichterbij en zijn handen begonnen over mijn lichaam te bewegen. Het was prachtig. Absoluut het heerlijkste wat ik ooit had beleefd. En het was niet smerig of pervers. Zijn handen leken wel bij mijn lichaam te horen. Overal waar hij aan me zat, leek het precies het juiste plekje, het plekje ook waar ik hem aan me had laten zitten als ik het had kunnen vragen. We bleven praten en ik begon hem vragen te stellen. Dezelfde soort dingen als hij mij vroeg. En hij vertelde me over zijn kindertijd, hoe hij was opgegroeid in Brooklyn. Hij vertelde me dat zijn vader hem haatte en hem sloeg, en dat zijn broer hem haatte en hem sloeg. Hij vertelde me dat zijn moeder hem vertroetelde en dat zijn zuster hem op handen droeg. Hij vertelde me dat hij joods was. Ik had nooit eerder een joods iemand ontmoet, in elk geval niet iemand van wie ik wist dat die joods was. Hij zei dat zijn joodse rabbijnen, bij wie zijn familie ging bidden, grote verwachtingen over hem koesterden, geloofden dat hij grote dingen zou doen en misschien zelfs de wereld zou veranderen. Ik zei hem dat dit zwaar moest zijn geweest, dat het 't omgekeerde was van mijn leven waarvan niemand iets verwachtte. Hij zei dat het niet zwaar was, omdat ze het terecht geloofden, maar hun gedachten over wat hij zou doen en hoe hij het zou doen onterecht waren. Wat zwaar was, was wachten tot het gebeurde. Heel zijn leven alleen zijn, weten dat het zou gebeuren, en maar rondhangen en wachten.

We raakten in een soort praatroes. Hij bleef me betasten en bevoelen. Hij trok mijn nachthemdje uit. En hij trok mijn slipje uit. En hij fluisterde in mijn oor, en ik voelde hem in mij bewegen. En het voelde niet of ik door een bliksemflits werd getroffen, of als een hartstochtelijke kus in een stortbui. Het voelde alleen vol, afgerond en kalm. Ik had het gevoel dat ik op dat moment had kunnen doodgaan en daarmee vrede had gehad. Ik had het gevoel dat hoe ik mijn leven ook had bedorven, wat voor vreselijke dingen ik ook had gezien, gehoord en gevoeld, het niet meer telde. Deze man was in me, hij hield me vast en ik voelde liefde. Echte liefde. Het soort liefde dat werkelijk de wereld kon veranderen.

We bleven zo uren bezig. Heel de nacht zelfs. Hij bleef achter me en in me. Hij bewoog de hele tijd. Heel langzaam en rustig. Soms zo langzaam dat ik hem amper voelde bewegen. Soms een beetje sneller. We praatten de hele tijd. Ik vertelde hem alles over mijzelf en mijn leven. Ik vertelde hem dat ik alleen op de overwoekerde en maffe boerderij van mijn ouders woonde. Dat ik achter de kassa zat bij een grote supermarkt en probeerde aardig te zijn maar mensen de hele dag akelig tegen me deden. Dat ik in een doodse plaats woonde vol kerken, bars en mannen die hun vrouw en kinderen sloegen. Dat ik 's avonds altijd alleen voor de tv zat, met eten uit blik, chips en ijs. Dat ik iedere avond huilde omdat ik niet geloofde dat iemand ooit om mij zou geven. Ik vertelde hem over mijn mooiste verwachtingen, mijn geweldigste dromen en mijn hevigste angsten. Ik vertelde hem dat het enige wat ik in mijn leven wilde een vriend was die ik soms kon opbellen om dag tegen te zeggen. Dat ik altijd droomde iemand te hebben die me zei dat ik mooi was, of zelfs knap. Dat ik bang was op een dag helemaal alleen dood te gaan en ze me pas lang nadien zouden vinden. Ik vertelde hem dat ik heel mijn leven eenzaam was geweest en dat ik dit niet meer wilde voelen.

Hij vertelde me dat hij met een vrouw en haar kind in een flatje woonde. Dat hij in de gevangenis had gezeten en wist dat mensen hem zochten omdat hij de borgtocht had gebroken. Dat hij de hele dag mensen aanraakte, mensen hielp en mensen leerde hoe ze moesten leven in een wereld die uiteenvalt en sterft. Hij sprak over liefde. Dat liefde het enige in de wereld is waarvoor het waard is te leven, het enige goede dat we nog hebben, en het enige wat we niet hebben verwoest. Dat ware liefde, Gods liefde, geen kwestie is van schoonheid of perfectie, man of vrouw. Dat liefde geen kwestie is van verklaringen die voor valse beelden worden afgelegd. Dat liefde niet is wat een stelletje weerzinwekkende oude blanke mannen decreteert. Dat liefde niet iets is wat in wetten kan worden vastgelegd door corrupte regeringen. Hij zei dat liefde iets is wat twee mensen delen, in alle combinaties, man en vrouw, man en man of vrouw en vrouw, op welke manier ze zich ook maar perfect en mooi en vredig in hun harten voelen. Hij zei dat liefde is wat ik voelde toen hij me vasthield, aan me zat en in me bewoog. Hij zei dat als ik God wilde zien, God zien zoals hij, en in Gods ware gedaante, hij dat kon regelen. Hij zei me mijn ogen te sluiten, dat deed ik dus. Hij bewoog zijn hand op me en bewoog zijn lichaam een beetje meer, hij hield op met tegen me te praten en ik kon zijn adem voelen op mijn nek en mijn wang. Het bouwde zich in me op. God bouwde zich in me op. En hoe meer hij bewoog, hoe meer het zich opbouwde. En zijn adem voelde heet en rook zoet. En hij bleef bewegen, heel langzaam en heel diep in me bewegen, en het bouwde zich op tot ik het zag en het voelde. Het was liefde en vreugde en genot, en al mijn lichaamsdelen zongen een lied dat ik nooit had gehoord, maar het was het leukste, mooiste liedje aller tijden, en het was verblindend en zuiver en mijn hersenen gingen op het witste wit aller tijden, en ik zag oneindigheid, voor altijd en eeuwig, ik zag oneindigheid en begreep die zelfs, begreep al het andere op de wereld, alle haat en woede, dood en hartstocht, jaloezie en moord, en niets daarvan deed er eigenlijk toe. Ik voelde me voor 100 procent veilig. Ik voelde niets slechts. Ik zag het verleden en de toekomst. Het was de geweldigste seconde van mijn leven. Echt de geweldigste, en ik wist dat ik in die ene seconde God ervoer. De echte God. De ware God. De eeuwige God. De God die niet in een boek kan zijn of in een kerk, of in een tv-programma op zondag, of aan een kruis of op een ster. De God die je niet kunt verklaren of omschrijven, waarover je niet kunt schrijven, denken of preken. De God die niet aan mensen kan worden opgelegd of worden gebruikt om hen te verdoemen. En ik hield van die God, die volstrekte verbijsterende ongelooflijke ware God. En ik wist dat geen van de andere goden iets voorstelde.

Toen dat moment ophield, bleef Ben heel langzaam bewegen en ademen. Ik wist niet wat ik moest zeggen en ik vermoed dat ik niets wilde zeggen. Niets wat ik zou hebben gezegd, had iets betekend of ook maar iets uitgemaakt. Dus hield ik mijn ogen maar dicht en luisterde hoe hij ademde en voelde hem. En het bleef maar doorgaan, de hele nacht door, hij in me. Zijn handen die overal over mij heen bewogen. Wij tweeën die elkaar liefhadden. Hij bleef praten maar ik weet niet wat hij zei. Ik weet alleen wat ik voelde. God, God, en nog eens God. De hele nacht God. Toen de zon opkwam, hield hij op met bewegen maar hij bleef in me en hield me alleen vast. Uiteindelijk zei ik iets tegen hem.
  Ben.
  *Ja.*
  Ik wil niet dat je ooit weggaat.
  *Ik ga zo weg.*

Toe nou.

*Kom met me mee als je wilt.*

Waarheen?

*Ik moet naar eten op zoek en ga dan terug naar de Bronx.*

En ik?

*Wat je maar wilt.*

Wat zal je vrouw zeggen?

*Ze is haar eigen vrouw.*

Wat zal ze zeggen?

*Ze zal dag zeggen en je verwelkomen.*

Hij kuste me zachtjes op de wang en trok zich van me weg. Ik voelde hem uit me gaan. En niet alleen lichamelijk. Ik voelde het ook in mijn hart. En ik had het gevoel dat ik iets kwijt was. Maar niet iets dwaas, zoals mijn sleutels of mijn kauwgum. Meer zoals mijn arm, mijn voet of zoiets, iets wat echt van belang was. Iets waar ik zonder kon in het leven, maar als het ontbrak zou het leven wel een stuk moeilijker worden. En het leven is moeilijk genoeg. Het leven is moeilijk genoeg met alles wat ons is gegeven. Met wat zoals ik vroeger dacht God ons gaf, voor ik de waarheid kende. Voor ik besefte dat al die Bijbelonzin gewoon dwaas is. Dat bijbels gewoon boeken zijn, zoals ieder boek gewoon een boek is. Alleen zijn bijbels misschien saaier, belachelijker en lastiger te lezen. En al zeggen ze allerlei dingen en doen ze allerlei beloften, ze staan vol leugens, of leugens als je gek genoeg bent om te geloven dat ze iets waars bevatten. Ik weet dat God ons niets geeft in het leven. Dus kan God niets wegnemen. Maar een echt iemand kan geven en kan wegnemen. En toen Ben niet meer in me was, voelde ik dat er iets weg was. Iets wat méér was dan alles wat ik ooit had gekend. Iets groters dan een verzonnen God uit een stoffig oud boek.

Hij stond op en ik keek hoe hij zich aankleedde. Ik had met hem te doen in zijn voddige kleren. Ik wilde hem wat nieuwe kleren bezorgen. Niet dat ik hem iets chics kon bezorgen, maar ik kon korting krijgen op sommige kleren in de winkel waar ik werkte. Simpele kleren voor een gewoon mens. En ik zag zijn littekens voor de eerste keer. Lange dikke littekens over zijn hele lichaam. Ze waren heel griezelig. Of iemand een witte markeerstift had gepakt en overal lijnen had getekend. Alleen wist ik dat ze niet van een markeerstift of zo afkomstig waren. Hij had werkelijk geleden. En ik probeerde me voor te stellen hoe het moet hebben gevoeld om zo te lijden. En ik kon het me voorstellen. Die werkelijk echt afschuwelijke vreselijke pijn. Zoals je die enkel in eenzaamheid kunt voelen en waarbij niemand je kan helpen. Ik kon het me echt voorstellen.

Toen hij zijn overhemd aantrok, glimlachte hij naar me. Ik wist dat ik hem nooit meer zou zien als hij vertrok. Dat wilde ik niet. Ik kon niet eens tegen het idee. Niet meer het gevoel hebben bij hem te zijn, of ook maar in zijn buurt. Dus sprak ik vrijuit. Voor de eerste keer in mijn leven. Een leven lang niet praten, verschuilen, bang en alleen zijn. Hij had me een andere kant op gestuurd en ik sprak vrijuit.

Ik wil met je mee.

Hij glimlachte.

*Mooi.*

Heus?

*Ja.*

Eerlijk waar?

Hij glimlachte weer.

*Eerlijk waar.*

Ik stond op, en ondanks hoe ik eruitzie, voelde ik niet eens gêne. Ik begon me meteen aan te kleden.

Wat moet ik meenemen?

*Je hebt niets nodig.*

Kleren?

Hij lachte.

*Wat je aanhebt.*

Geld?

*Doet er niet toe.*

Ik heb maar een minuutje nodig om te pakken.

*Je hebt die dingen niet nodig.*

Kom ik nog terug?

*Als je daarvoor kiest.*

Je weet zeker dat ik niets nodig heb?

*Het meeste van wat we hebben, hebben we niet nodig.*

Ik glimlachte, trok mijn broek aan en deed mijn jas aan. Hij glimlachte naar me terwijl ik mij aankleedde, en zijn ogen bleven op mijn lichaam gericht, en ik voelde me mooi door hem, iets wat ik nooit had gevoeld, niet één keer in mijn hele leven. Toen ik klaar was, greep ik mijn portemonnee en we gingen.

Het was een rotdag. Koud en erg regenachtig. Het was het soort regen dat zeer doet wanneer je huid erdoor wordt geraakt. Het leken wel naaldjes. Ben had geen goede jas. Hij had een oud bruin tweedjasje aan zoals een bibliothecaris zou dragen. Het was heel grappig. En volgens mij hield het hem niet warm of droog. Maar het kon hem blijkbaar niet schelen. De regen daalde op hem neer en hij glimlachte. We liepen over straat en hij glimlachte. Overal waar we liepen, glimlachte hij zomaar. We zeiden geen woord. Soms nam hij me bij de hand. Bijvoorbeeld als er ergens veel mensen waren of als auto's het trottoir blokkeerden. En soms raakte ik buiten adem of moest vaart minderen. Het leek hem allemaal niets uit te maken. Hij minderde vaart en keek of het goed met me ging. Hij was zo aardig, hartelijk en vriendelijk. Het leek of alleen dat hem interesseerde. En daardoor verdwenen alle vreselijke dingen die me mijn leven lang hadden gekweld als sneeuw voor de zon. Door hartelijkheid en liefde kan iedere pijn verdwijnen. Het is de waarheid. Ik weet het.

Nadat we een hele poos hadden gelopen sneed Ben de straat af en gingen we de metro in. Ik was er nog nooit in geweest. Ik was altijd bang geweest om onder de grond te gaan. Ik dacht dat ik zou worden beroofd, zou worden gebeten door een rat of voor een trein zou belanden. Of misschien zou ik alleen verdwalen en er nooit meer uit komen. Of misschien zouden mensen naar me wijzen en me uitlachen. Ik was gewoon bang. Vreselijk bang. Maar Ben nam me bij de hand en we liepen naar beneden, en we wachtten tot een van de uitgangsdeuren openging en toen liepen we er zo doorheen. En we liepen naar het perron en wachtten. Ik kon mensen naar ons voelen staren, maar ik besefte dat ze niet naar mij staarden. Ze staarden naar Ben. Niemand zei iets. En ze waren niet naar hun telefoons of e-mailapparaatjes aan het kijken, naar hun kranten, de vloer of zelfs naar elkaar. Ze keken naar hem. Allemaal, ze zwegen en staarden naar hem.

De metrotrein kwam aanrijden en we stapten in. Er waren stoeltjes vrij en we gingen zitten. Ik had geen idee waar we heen gingen, en Ben en ik hadden geen woord met elkaar gewisseld sinds we uit het hotel waren vertrokken. Er waren een paar andere mensen in de wagon, en er kwamen er nog een paar bij. Iedereen ging zitten. Ben sloot zijn ogen, glimlachte en begon heel diep en langzaam te ademen. Het was geen vertoning of zoiets, zeg een actrice die probeert rustig te worden na hysterisch te zijn geweest. Het was alleen simpel en zuiver. Gewoon een man die ademt. En de mensen staarden weer naar hem. Of ze niet konden geloven wat ze zagen. Of hun levens allemaal zo druk waren dat ze waren vergeten hoe een roerloze stille man eruitzag. En terwijl hij ademde, leken ze allemaal rustig te worden. Of hij hun gaf wat hij had of wat hij voelde. Enkelen van hen sloten hun ogen en begonnen net als hij te ademen. Sommigen glimlachten alleen en staarden naar hem. Een paar stonden op en liepen naar ons toe om dichter bij hem te zijn. En bij elke halte stapten meer mensen de wagon in. En wat hij ook aan het doen was, hij deed het voor hen allemaal. En ook al raasde de wagon met een waanzinnige snelheid over de rails, het was de rustigste, simpelste, mooiste en vredigste plek op aarde.

We bleven dertig, veertig minuten in de wagon. Bij geen enkele halte stapte iemand uit. Het werd erg druk, maar zo voelde het niet. De mensen ademden en glimlachten alleen en waren gelukkig. Ik had nooit zo veel verschillende soorten mensen gezien, zwart, blank, bruin enzovoorts, die op één plek opeen waren gepakt zonder elkaar argwanend te bekijken of elkaar te mijden. Zonder elkaar te haten of elkaar minstens helemaal niet aardig te vinden. En dat kwam eenvoudig door hem, door hoe hij zat, ademde en glimlachte. Omdat hij eenvoudig deed denken aan liefde, aan vrede, hij tevreden leek over de dingen, ook al was hij gekleed als een zwerver. Toen de wagon begon af te remmen voor een van de haltes, voelde ik Bens hand op mijn been. Ik keek naar hem, hij glimlachte en gebaarde naar de deur. Toen de wagon stopte, stonden we op en liepen weg. Iedereen keek hoe hij ging en niemand bewoog. Ze staarden alleen naar hem en bleven ademen. En toen we wegliepen, keek ik om naar de wagon. De mensen stonden bij de ramen en de deuren te staren. Keken hoe Ben en ik wegliepen. Ze glimlachten allemaal.

We verlieten de metro in een ander deel van de stad. Het was er niet al te plezierig. Ik kon sirenes horen, toeterende auto's, harde rapmuziek en schreeuwende mensen, vooral in het Spaans. Het rook of er vlees werd gebraden. Overal op straat waren mensen, en er waren geen blanken bij. De gebouwen waren allemaal groot, verwaarloosd en zagen er eender uit. Er lag vuilnis op straat. Ben leek net zoals hij overal was. Op zijn gemak en kalm. Of hij helemaal niet bang was. Ik was wél bang. Heel bang. In de plaats waar ik woonde had je geen zwarten. Een of twee keer in de week zag ik een zwart iemand in de winkel waar ik werkte. Wanneer de mensen het over hen hadden, was het vooral omdat ze op tv waren, in een sportploeg zaten of zoiets, of omdat ze hen in de stad luidruchtig bezig hadden gezien en bang voor hen waren. Reken maar dat ik bang van hen was. Ben en ik waren de enige blanken die ik zag. Het was net of ik zo iemand was als waar ik vandaan kom. Het voelde niet plezierig.

We liepen naar een stel grote bruine gebouwen. Ik nam aan dat het een soort woningbouwproject was. Het leek me gevaarlijk. Niemand staarde naar ons of lette ook maar op ons. Ben liep gewoon door. En hij leek niet meer zo arm. Een heleboel van de mensen die we zagen droegen oude kleren die niet al te fraai waren. Een heleboel mensen zagen er arm uit. Hij zag er net uit als een van hen. Of als een blanke versie van een van hen. Een prachtige blanke versie met littekens. Maar hij bleef duidelijk arm. En arme mensen zijn arme mensen, ongeacht hun huidskleur.

Toen we de straat overstaken en op de stoeprand voor de gebouwen stapten, kwam een grote neger op Ben af gelopen. Ik dacht dat we zonder meer dood waren, en ik dacht: had ik maar een fluitje, een knuppel of iets. Ik dacht erover het op een lopen te zetten, maar ik wist dat ik niet al te ver zou komen. Ben liep gewoon door, zei *dag* tegen de man en de man zei dag terug. Ze omhelsden elkaar en de man begon in Bens oor te fluisteren. Reken maar dat ik opgelucht was, maar er leek iets mis. Ben knikte terwijl de man praatte. De man maakte een heel bezorgde indruk, en ik kon zijn ogen in het rond zien kijken terwijl hij fluisterde. Toen de man was uitgesproken, omhelsde Ben hem weer en draaide zich naar me toe.

*We moeten weg.*

Waarom?

*Het is hier niet veilig.*

Dat weet ik.

*Om andere redenen dan je denkt.*

Ik kon wel zien dat dit een gevaarlijk oord was.

*Het is een arm oord.*

Ja.

*Arme mensen zijn wanhopig, niet gevaarlijk.*

Laten we weggaan.

*Mijn vriend zal ons ergens heen brengen waar het veilig is.*

Ik ben bang voor hem.

*Je bent bang voor zijn huidskleur, niet voor hem.*

Dat is niet waar.

*Jawel hoor.*

Hij nam me bij de hand, knikte naar de man en we begonnen van de gebouwen vandaan te lopen. We volgden de man, we liepen snel en ik bleef bang, maar niet zo erg. Bens woorden deden me pijn, maar vooral omdat ze waar waren. Ik was extra bang omdat de man zwart was en van zwarte mensen werd ik bang. Ik wist dat het verkeerd was, maar zo voelde ik het ook gewoon. Ik weet zeker dat als hij in de buurt rondliep waar ik woonde hij ook bang zou zijn.

We sloegen de hoek om en de man deed de deuren van een grote SUV open. We stapten in en hij begon ons weg te rijden, maar niet te hard. Toen we een volgende hoek om sloegen, zag ik een groep politiemensen naast hun auto's staan. Al hun lichten waren aan het knipperen. Bij hen stond een tweede groep mannen, in blauwe pakken en sommigen hadden kogelvrije vesten. Ze maakten allemaal een zeer ernstige indruk en ze leken heel kwaadaardig. Ze hielden kopieën van een foto vast. Ik kon het eigenlijk niet al te goed zien, maar ik wist wie het was. Ik wist dat ze op zoek waren naar Ben. Hij keek naar hen toen we langsreden. Hij leek niet zenuwachtig, bang of zoiets. Hij keek gewoon naar hen zoals hij naar ieder ander keek, of hij de beste vrienden met hen was of zoiets. Ik kon me niet voorstellen dat ik zo zou kijken naar mensen met wapens die op me jaagden. Maar hij wel. Hij keek naar hen of hij met heel zijn hart van hen hield, ook al wilden ze hem te pakken nemen.

We reden een paar straten verder tot we bij een volgende groep grote gebouwen kwamen. Ze zagen er precies uit als de andere. Als ze me er foto's van hadden laten zien, had ik gedacht dat het allemaal dezelfde waren. De man parkeerde de auto, we stapten uit en begonnen te lopen. We gingen een van de gebouwen in. Het was vies. Er lag vuilnis bij de ingang. Pal voor de deur sliep een man op de grond. Hij snurkte en zijn broek was vies. We wachtten op de lift. Ik kon die horen knarsen aan de kabels. De grote man die ons had gereden stond nog steeds bij ons. Hij en Ben spraken niet eens. De lift kwam en de deur ging open. We stapten in en gingen omhoog. De lift stopte op de zesde verdieping. De man ging er als eerste uit, Ben glimlachte naar me en gebaarde me hem te volgen, en dat deed ik. Ik stapte de lift uit en volgde hem. En ik had bang moeten zijn, maar ik was niet bang. Er was een zwarte man bij me die er als een moordenaar uitzag en een dakloze man die vuilnis at. En ik was niet bang. Ik liep gewoon met hen mee of we naar het winkelcentrum gingen om een nieuwe broek, een computerspelletje of zoiets te kopen. Wat Ben eerder had gezegd, klopte. Ik was bang voor de kleur van de man. Wat telt, is wat in iemands hart zit.

We liepen naar het eind van de gang, de man haalde een paar sleutels tevoorschijn en opende een deur. Hij hield de deur open voor Ben en mij, en we gingen naar binnen. Het was een kleine flat. Het was niet luxueus, maar niet slecht. Er zaten vijf of zes mensen aan een tafel te luisteren naar een politiescanner. Ze waren allemaal zwart. Ze dronken water en aten fruit. Ze keken naar ons. Ik wist niet wat ik moest zeggen. Een jong meisje, een heel heel knap meisje, met lang krullend haar en een prachtige karamelkleurige huid, stond op, ze lachte en liep naar Ben toe. Ze begon te praten.
Al gehoord over de problemen die je veroorzaakt?
Hij glimlachte en kuste haar.
*Ik ben blij je te zien.*
Ze bleven kussen en praten.
Ze hebben een leger klaarstaan om te proberen je te vinden.
*Michael kreeg ons eerder te pakken.*
Je boft maar.
*Ik weet het.*
Als ze je grijpen, brengen ze je weg.
*Ik weet het.*

Dat wil ik niet.

*Ik ook niet.*

We kunnen niet terug.

*We vinden wel een andere plek.*

Dan moeten we alles achterlaten.

*Dat maakt mij niet uit.*

Hij sloeg zijn armen om haar heen, omhelsde haar en kuste haar nek, haar wang en haar lippen nog eens. En al leek hij van iedereen te houden en gaf hij iedereen het gevoel te worden bemind, ik kon merken dat hij van haar op een andere manier hield. Of hij wist dat wat hij ook deed of waar hij ook heen ging, hij altijd bij haar terug zou komen en zij hetzelfde wist. Het was zo lief zoals ze elkaar vasthielden en elkaar kusten, echt het liefste wat ik ooit had gezien, ook als je al het sentimentele gedoe op televisie en in de film meetelt. Er waren geen grenzen tussen hen. Of ze elkaar volledig aanvaardden en ze oprecht van elkaar hielden. Volgens mij hoort het zo tussen iedereen te zijn. Liefde zonder voorwaarden, liefde vanwege de liefde, liefde ook al zijn we verschillend. Maar eigenlijk is het nooit zo. Meestal ligt liefde dichter bij zoiets als haat. Maar bij hen was het prachtig.

Ze lieten elkaar los en het meisje keek naar mij. Ben stelde ons voor en het meisje, Mariaangeles, glimlachte en zei dag. De mensen aan tafel, een oudere vrouw die net als ik dik was, een jongere vrouw en drie mannen, onder meer de man die ons hierheen had gebracht, luisterden allemaal nog steeds naar de politiescanner. Een van de mannen keek, glimlachte en zei ze gaan weg, de klootzakken gaan weg, en iedereen begon te lachen. Ben glimlachte, liep naar de vrouw toe, kuste haar op de wang en zei *dankjewel.* Ik vroeg Mariaangeles wat er was gebeurd, en ze zei dat de vrouw de scanner afluisterde voor een paar mensen in het complex en hun liet weten wanneer de politie eraan kwam. Ze had gehoord dat ze kwamen vanwege een blanke man van voor in de dertig, met donker haar en zwaar onder de littekens. De enige die aan het signalement voldeed, was Ben. Ze zei dat Ben in de omgeving bekend was omdat hij de enige blanke was die er woonde, en omdat hij mensen hielp, ze eten en geld gaf. Ze zei dat sommige mensen geloofden dat hij zieke kinderen beter kon maken en drugsverslaafden en alcoholisten kon laten ophouden met drugs en drank. Dat mensen hem de Profeet noemden en geloofden dat hij een heilige man was, ze hielden van hem en zagen naar hem uit. Dus waren de mensen die op de uitkijk stonden, normaal gesproken om andere redenen waar ik niet naar vroeg, naar hun flat gekomen en hadden ze haar weggebracht. Ze hadden naar Ben uitgekeken om te zorgen dat hij niet werd opgepakt. Ik vroeg waarom de politie en de FBI naar Ben op zoek waren, en ze zei omdat hij zijn borgtocht had verbroken nadat hij was gearresteerd omdat hij in de metrotunnels had gewoond. Ik vroeg of dat echt iets was waarvoor ze al die wapens nodig hadden, en ze zei dat het kwam omdat Ben daar met een zwarte man had gewoond die een hoop wapens had. Ik vroeg haar waar ze nu heengingen, en ze zei dat ze wel iets zouden verzinnen, dat er mensen waren die zich over hen zouden ontfermen, mensen die van Ben hielden, en dat zij hun wel ergens een onderdak zouden bezorgen.

Ik keek naar Ben, die bij de mensen aan tafel zat. Ze spraken allemaal Spaans, wat hij even goed leek te spreken als zij. Het woord *policia* viel telkens en ze lachten veel. Als je naar hen keek, leken ze een familie, een heel heel gelukkige familie. Ik was een klein beetje jaloers, omdat ze deden denken aan de familie zoals ik mijn familie altijd graag had gezien: iedereen glimlachte, maakte grappen en deed aardig tegen de anderen. Het deed er niet eens toe dat ze er allemaal anders uitzagen dan ik. Ik wilde bij hen horen. Ik woonde al heel lang alleen, en ik had het hele huis en de hele boerderij van mijn ouders helemaal voor mezelf. Het was geen aangenaam oord, nooit geweest ook. Het was niet vreselijk, erg of griezelig geweest, het was er alleen leeg. Een leeg huis en lege akkers. En ik was leeg. En ik was het beu. Het verdrietig en eenzaam zijn beu. Ik wilde weten hoe het voelde om daar te glimlachen, gelukkig te zijn en liefde te kennen. Ik wilde iemand horen lachen in mijn huis. Ik kon me niet herinneren dat ooit te hebben gehoord, behalve dan wanneer ik lachte om iets op televisie waarnaar ik in mijn eentje keek onder het avondeten of zoiets. Ik wilde thuiskomen van mijn werk, echt een rotbaantje, alleen maar de hele dag staan om mensen te helpen aan de kassa in een supermarkt, en het gevoel hebben dat thuis iets of iemand op me wachtte. Die zelfs blij of opgewonden zou zijn me te zien.

Mariaangeles kwam een slaapkamer uit met een meisje. Een mooi meisje dat sprekend op haar leek, ook al zag ze er wel erg jong uit om een kind te hebben. Het meisje rende naar Ben toe, omhelsde hem en ging op zijn schoot zitten. Iedereen sprak nog steeds in het Spaans. Ik had geen enkel idee wat ze zeiden, maar ik nam aan dat ze bespraken waar ze naartoe moesten en wat ze moesten doen. Ik ging aan het uiteinde van de tafel zitten, op de enige lege stoel. Ik vond het fijn te gaan zitten en bij de tafel te horen. En ik kreeg een idee. Het was een geweldig idee, vond ik. Een schitterend, heel leuk idee. Ik stak mijn hand op, maar niemand zag het, dus ik stak mijn hand een beetje verder omhoog en zwaaide een beetje. Ben keek mijn kant op.

*Je hoeft je hand niet op te steken.*

Ik spreek geen Spaans, dus ken ik de regels niet goed.

*Er zijn geen regels.*

Ik wilde niet onbeleefd zijn.

*Dat ben je niet.*

Ik heb een idee.

*Waarover?*

Over waar we heen moeten.

*We zitten hier goed.*

Maar die mannen komen terug.

*Ja.*

En ze blijven terugkomen tot ze je te pakken hebben.

*Waarschijnlijk wel.*

Ik heb een boerderij. In het binnenland van de staat New York. Er is een groot huis met landerijen, en ik zit er alleen. Ik woon er helemaal in mijn eentje.

*Het gaat niet alleen om mij.*

Wie je maar wil, kan komen. Ik zou het heel fijn vinden.

*Daar kunnen ze me ook komen zoeken.*

Nou, als je denkt dat je hier een goed systeem hebt, daar kunnen we pas echt een goed systeem hebben. De dichtstbijzijnde buren zitten anderhalve kilometer verderop. Het ontgaat ons beslist niet als er iemand aankomt.

Hij glimlachte.

*Weet je zeker dat je ons wilt?*

Ik glimlachte.

Ja. Ik zou het heerlijk vinden. Het zou zo leuk zijn. En de tuin zou geweldig zijn voor de kleine meid. We kunnen haar een trapauto of een fiets geven of zoiets.

*Ze heet Mercedes.*

Ik glimlachte naar haar.

Hallo, Mercedes.

Ze glimlachte naar me. Hij kietelde haar.

*Wil je verhuizen naar een huis met een tuin?*

Ze lachte.

Ja.

Hij keek naar Mariaangeles, glimlachte.

Zij glimlachte naar hem.

Volgens mij is ze te vertrouwen.

Hij ademde door zijn neus en knikte.

*Zeker.*

Ik heb nooit ergens anders gewoond dan hier. Zou leuk zijn om weg te gaan.

*Ja.*

Ze keek naar me.

Weet je het zeker?

Ik knikte.

Ja.

Ze glimlachte.

Laten we gaan.

Ik glimlachte.

Geweldig.

Je krijgt het zoals je het hebben wilt, blanke meid. Hopelijk weet je wat je te wachten staat.

Ik lachte en zij lachte, ik stond op, omhelsde haar en zij omhelsde mij. De man die ons had gereden, vroeg wanneer we wilden vertrekken en Ben glimlachte en zei *laten we nu gaan.* De man stond op en zei ik vind het prima en de oude vrouw omhelsde ons allemaal. Een van de andere vrouwen vroeg Mariaangeles wanneer ze terug zou komen en Mariaangeles zei als ze geluk had nooit. We namen de lift naar beneden vanaf de zesde etage en we vertrokken.

Ik ging niet eens terug naar het hotel om mijn spullen te halen. De man stopte mijn adres in de computer in zijn auto, en daar gingen we. Het was een heel rustige rit. En nog leuk ook. We luisterden naar de radio en zongen mee met een paar van de liedjes wanneer we de woorden kenden. Ben kon prachtig zingen als hij wilde, net een operazanger of zoiets, maar meestal zong hij alleen voor de lol. Hij trok rare gezichten, deed discodansjes en deed tijdens de liefdesliedjes of hij huilde. Hij nam Mercedes bij de handen en maakte haar telkens weer aan het lachen. Tijdens een duet zongen hij en Mariaangeles tweestemmig, en ze zongen elkaar toe. We stopten een paar keer om te eten, naar de wc te gaan en zo, maar Ben at eigenlijk niets. Hij dronk water en ging buiten naar de hemel omhoog staan staren. Ik vroeg een keer of hij naar God keek, met God sprak of zoiets, en hij lachte alleen en zei nee, hij vond het gewoon fijn naar de sterren te kijken en in de stad kon hij ze niet zien. Ik keek omhoog en de sterren kwamen net tevoorschijn, en ik moet zeggen dat ze best gaaf waren.

De rit duurde vijf uur. Toen we aankwamen, was het huis donker en waren er geen lichten. Mariaangeles zei dat ze nooit eerder de stad uit was geweest en Mercedes begon te huilen. Ben hield haar vast, hij fluisterde iets in haar oor en ze hield meteen op. Het huis was groot, wit en oud. Er waren zes slaapkamers, vier badkamers en het was zo'n beetje aan het instorten. Er was een loods en de akkers stonden vol onkruid en babyboompjes. Toen we voor het huis stopten, stapte Ben uit, hij glimlachte en keek weer omhoog naar de hemel. Ik ging meteen naar binnen en deed de lichten aan. Mariaangeles bracht Mercedes naar binnen en ik zei hun dat ze alle kamers konden nemen die ze wilden. De man die had gereden kwam naar binnen, en ik maakte wat eten voor hem klaar dat ik in de koelkast had liggen. Ben bleef buiten. Ik werd een beetje bezorgd, keek het raam uit en zag hem een van de akkers op lopen. Er stond maar een klein maantje, en voor ik naar hem toe kon gaan was hij verdwenen.

Ik bleef voor hem op en keek tv. 's Avonds laat heb je zo veel goede programma's. Hij kwam maar niet terug en ik viel op de bank in slaap. Toen ik de volgende ochtend wakker werd, kon ik horen dat Ben met de man bij de voordeur stond en ik hoorde hem zeggen:

*Het kan morgen zijn, het kan over vijf jaar zijn, maar het is niet tegen te houden. Bescherm het goede om je heen. Houd van het goede dat je kent. Zorg dat ze veilig zijn.*

Hoe weet ik wie goed is?

*Dat weet je.*

Ik kan dat niet bepalen zoals jij dat kunt.

*We weten in ons hart allemaal wat goed en kwaad is. We kunnen het zien en voelen. Vertrouw op jezelf.*

Weet je zeker dat je het hier redt?

*Ja.*

En als ze om je komen?

*Dan komen ze maar.*

Ze sluiten je ik weet niet hoe lang op als ze je te pakken krijgen.

*Ze krijgen me alleen te pakken wanneer ik dat laat gebeuren.*
En laat je dat gebeuren?
*Leef je leven. Hou van je kinderen. Geloof niet wat ze je vertellen.*
*Vergeet de leugens van religie en overheid. En maak je over mij geen*
*zorgen.*
Heb je geld nodig?
*Nee.*
Iets anders?
*Nee, dank je.*
Neem contact op als je wel iets nodig hebt.
*Ga nu, mijn vriend.*
Ben omhelsde de man, en de man draaide zich om, stapte in zijn
auto en reed weg. Ben kwam naar binnen, hij glimlachte naar me en
kuste me. Hij vroeg me hoe het met me ging en ik zei geweldig en hij
zei *nogmaals dank dat je ons hier opneemt, het is een prachtige plek, een*
*perfecte plek.* Ik zei ja, hij omhelsde me en het voelde geweldig. Toen
hij me losliet, miste ik hem meteen, ook al was hij vlakbij. Hij vroeg
me wat ik vandaag ging doen en ik zei hem dat ik naar mijn werk
moest. Hij vroeg me of ik het goed vond dat hij wat werk rond het
huis deed, ik lachte en zei hem dat hij helemaal zijn gang kon gaan.
Hij glimlachte, zei *dank je* en liep weg. Ik kleedde mij aan en ging
naar mijn werk. De winkel waar ik werkte was de grootste winkel
ooit, het formaat van een heel stel voetbalvelden. Ze verkochten er
alles wat je kunt verzinnen, maar de populairste producten waren
steaks, bier en wapens. Ik sloeg alleen de hele dag dingen aan. Ik zat
op een stoeltje wanneer het kon, maar doorgaans stond ik, wat voor
iemand als ik een opgave is. In de pauzes ging ik naar de kantine en
at iets. Er waren een paar mensen op mijn werk met wie ik praatte,
maar meestal praatte ik met niemand. Ik zat in mijn eentje tv te kijken. Op de eerste dag met Ben, Mariaangeles en Mercedes kon ik
amper zitten. En ik vond het niet erg alleen te zijn. Ik vroeg me de
hele tijd af wat ze aan het doen waren, of bedacht dat ze door het
huis en de tuin liepen. Ik probeerde altijd vrolijk te zijn tegen klan-

ten, maar ik was extra vrolijk. En het deed me niet eens iets wanneer ze me negeerden.

Toen ik thuiskwam, kon ik het amper geloven. Het hele huis was schoon. Heel heel schoon. Alles was afgewreven en alle vloeren waren gedweild. Ook de keuken was schoon en de koelkast was geboend. De tuin, die ik maar drie keer per jaar liet doen, was helemaal gemaaid. We hadden een duwmaaier, dus ik wist dat het zwaar werk moest zijn geweest. Ik begon in het huis te zoeken waar iedereen was. Ik trof Mercedes in haar kamer, ze speelde met een pop. Ik weet niet waar ze die hadden gevonden, maar het was er eentje van mij, uit de tijd dat ik een klein meisje was. Het was een goedkope, maar heel leuk, met een roze jurkje en plastic haar, ik had de pop in jaren niet gezien. Ik ging naar binnen en begon met haar te spelen. En ze wilde met mij spelen. En het was fantastisch. Zomaar spelen met dit kleine meisje. Die niet naar me keek, niet slecht over me dacht en niet bang voor me was. Ze was alleen blij. We speelden danseresje, verpleegster en zangeres. We speelden naar de supermarkt gaan en ijsjeszomerdag. En de rest van de wereld verdween. De rest van de wereld deed er amper toe. Ik voelde hetzelfde als ik met Ben voelde. Dat wat belangrijk was nu gebeurde, niet ergens in het verleden of ergens in de toekomst. Het voelde of het leven was zoals het hoort te zijn.

We speelden lang, en tegen het eind hoorde ik een geluid in de gang. Ik had Ben of Mariaangeles niet gezien, maar veronderstelde dat ze ergens in huis moesten zijn. Ik stond op en zei Mercedes dat ik zo weer terug was en ging de gang in. De geluiden kwamen dichterbij. Het waren duidelijk ze-doen-het geluiden. Ik werd er zenuwachtig en bang van, maar ook flink opgewonden. De deur stond min of meer open en ik gluurde om de rand. Mariaangeles zat boven op hem en ze zwaaide hevig met haar heupen. Het leek of ze aan het dansen was of zoiets. Ben keek naar haar, hij glimlachte en zijn handen bewogen over haar lichaam heen en weer. Ik wilde vertrekken maar Ben zag me. Hij glimlachte breder en gebaarde dat ik de kamer in moest komen, maar ik was te gegeneerd en rende de gang weer door en ging weer bij Mercedes naar binnen. Ik bleef de geluiden nog een halfuur of zo horen. Ik had seks altijd slecht of smerig gevonden. Iets waarover je niet open hoorde te zijn met andere mensen erbij. Iets wat tegen de regels van de kerk en God was, en waar wetten tegen werden gemaakt. Maar ze klonken gelukkig. En toen Ben in mij was, was dat het beste gevoel dat ik in heel mijn leven ooit had gehad. Ik was vele keren met mijn ouders in kerken geweest. En daar had ik nooit iets gevoeld. Het was alleen saai. En het leek ouderwets en dwaas. Maar toen ik dat gevoel met Ben had, toen ik het licht zag, en het eeuwige zag, en beide voelde: dat was God.

Toen de geluiden ophielden, kwamen Ben en Mariaangeles de kamer in. Mercedes was heel blij hen te zien, we gingen met z'n allen eten. Ik wist niet goed hoe ik me moest gedragen na wat ik had gezien, maar zij gedroegen zich net zo als ze zich altijd leken te gedragen, namelijk heel opgewekt. Het eten was geweldig, mijn lievelingskostje, macaroni met kaas. Na het eten bracht Mariaangeles Mercedes naar boven om haar te baden en naar bed te brengen. Ben glimlachte, liep naar me toe en kuste me. Het was een lange kus. Een echte Franse kus. Ik wist niet goed wat ik moest doen, dus kuste ik maar terug. En het ging maar door. Wij gingen maar door. Kusten als tieners of zoiets. En hij trok me mijn stoel uit en begon mijn kleren uit te trekken. Nu ik eraan terugdenk, kan ik het amper geloven, maar destijds kon ik helemaal niet denken. Ik voelde me alleen zo geweldig. Hij trok mijn kleren gewoon in de eetkamer uit. En we gingen op de grond liggen. En hij begon over heel mijn lichaam te gaan. Hij gebruikte zijn handen, zijn mond, zijn tong. Overal op me en in me. En ik sloot mijn ogen maar en liet hem alles doen wat hij wilde. Het was heerlijk. Zeg maar het beste ooit. Intussen fluisterde hij. En ik probeerde te luisteren, maar het voerde me weg van wat hij met me deed. Maar wat ik kon opvangen ging over God. Dat dit God was. Dat wat ik voelde God was. Dat God in boeken me nooit dit gevoel kon geven. Dat ik me nooit zo zou voelen als het niet goed was, als het niet natuurlijk was, als het niet bij God hoorde, de ware God.

Terwijl hij al deze dingen met me deed, hoorde ik Mariaangeles de kamer in komen en lachen. Ik opende mijn ogen en was heel gegeneerd. Ben was afgezien van mijn ouders de enige die me ooit naakt had gezien. Ik begon overeind te komen maar ze schudde haar hoofd, glimlachte, knielde naast me, legde haar handen op mijn schouders, hield me in bedwang en begon me te kussen. Iets in me zei dat het verkeerd was, maar het was niet verkeerd. Het voelde even fijn als met Ben. En ik deed het ook bij haar. Ook al had ik altijd te horen gekregen dat het in strijd was met Gods wil om homo te zijn of homoseksdingen te doen, zo voelde het niet. Het maakt God niet uit of een man een man kust, een vrouw een vrouw kust, of een vrouw en een man kussen. Het maakt God helemaal niets uit. Het is gewoon liefde. Alle soorten kussen en aanrakingen zijn gewoon een uiting van liefde, en het maakt niet uit wie het doet. Alle mensen die beweren dat God iets anders gelooft hebben geen enkel idee waarover ze praten.

We waren de rest van de avond bij elkaar. Op de vloer in de eetkamer en toen boven in mijn slaapkamer en toen in de badkuip. Wat een nacht was het. Lieve help, ik zag God telkens weer, ik zag de eeuwigheid, en ik voelde volledige vrede en volledig begrip, en ik voelde me bemind, jongen, wat voelde ik me bemind, heviger bemind dan ongeveer iedereen die dag op heel de aarde, denk ik. Toen het voorbij was, vielen we met z'n allen in slaap. Ben lag in het midden, en ik en Mariaangeles aan weerszijden van hem. Ik sliep echt heerlijk en had niet één nare droom. Toen ik 's morgens wakker werd, was Ben verdwenen. Mariaangeles sliep nog, maar Ben was verdwenen.

Ik stond op en ging naar mijn werk, zoals ik iedere dag deed. Toen ik thuiskwam, waren er meer dingen gedaan, zo was er hout opgestapeld en de loods was opgeruimd. Ben, Mariaangeles, ik en Mercedes aten met z'n allen, en Mariaangeles legde Mercedes te slapen. Toen ze klaar was, gingen we met z'n allen naar mijn slaapkamer en deden hetzelfde als de vorige nacht. We betastten elkaar, we kusten elkaar en we likten elkaar. En we bezorgden elkaar een heerlijk gevoel. En we hielden van elkaar. Daar draaide het allemaal om. Draait het leven om. Van elkaar houden. Een joodse man die met God kon praten, een zwart Dominicaans meisje uit de Bronx en een dikke blanke caissière uit een of ander gat. We maalden niet om kleur, religie, geld, op welke school we hadden gezeten, wat voor baan we hadden gehad, hoe het zat met onze familie, niet eens om hoe onze lichamen eruitzagen. We maalden er niet om dat we niet waren getrouwd. Of dat we zondaars waren. Of dat sommige mensen zelfs zouden zeggen dat we tot de hel waren verdoemd. We hielden gewoon van elkaar. Vanwege wat we waren. Zoals het hoort te zijn. Bij ware liefde draait het er alleen om hoe je je erbij voelt. En als je je er goed bij voelt, moet je ermee doorgaan, ongeacht wat andere mensen voelen of ervan vinden.

Het werd routine. Ik ging naar mijn werk. Ben en Mariaangeles werkten rond de boerderij. We aten met elkaar en gingen naar bed. Hij was er nooit wanneer ik wakker werd. Ik vroeg op een dag waar hij 's nachts in zijn eentje heen ging. Hij zei dat hij soms naar de bossen ging of naar de loods en toevallen kreeg, en dat hij soms in het gras naar de sterren ging liggen staren, en hij zei dat hij soms naar de stad liep, vijf kilometer verderop, en op zoek ging naar dingen die andere mensen hadden weggegooid, zoals eten, kleren en zo. Ik zei hem dat hij dwaas was en dat hij dit niet meer hoefde te doen, want ik kon alles wat we nodig hadden met mijn werknemerskorting in de winkel kopen. Hij zei dat hij geen dingen wilde kopen. Dat dingen kopen alleen het systeem voedde dat de wereld vernietigde. Ik vroeg hem of hij echt dacht dat de wereld vernietigd werd, hij glimlachte en zei *ja, zonder meer, en het zal spoedig afgelopen zijn.* Ik vroeg hem of hij boos was dat ik in de winkel werkte, hij lachte en zei *natuurlijk niet.* Hij kuste me op de wang en zei dat het niet aan hem was of aan iemand anders om me te vertellen hoe ik moest leven. Ik zei hem dat ik het niet erg zou vinden mijn baan op te geven en hij zei dat ik moest doen wat ik graag deed, dat mijn leven van mijzelf was, en wanneer het voorbij was, was het voorbij, en dat ik alles wat ik kon en alles wat ik wilde moest doen, zien, proberen, voelen en ervaren. Ik zei hem dat ik niet wist wat ik wilde, hij glimlachte weer en zei *ja, dat weet je wel, we weten het allemaal, we moeten er alleen eerlijk over zijn tegenover onszelf en er niet meer bang voor zijn.* Angst, zei hij, beheerste heel ons leven. Angst, zei hij, was na religie, de meest destructieve kracht in de wereld.

Ook andere mensen begonnen naar het huis te komen. Eerst waren het er maar één of twee in de week. Ik weet niet hoe ze Ben kenden of hoe ze wisten waar hij was. Ze waren er wanneer ik thuiskwam, of ze klopten op de deur. Ze leken allemaal gek, treurig, ziek of aan de drugs. Ben ging met hen wandelen. Hij ging met hen wandelen over de akkers die mijn vader had gebruikt. De akkers waren overwoekerd en griezelig. Ook al wist ik beter en was ik volwassen, ik was er altijd van overtuigd dat er iets slechts huisde, een monster of zoiets. Ben ging er wandelen met mensen, en soms waren ze terug in vijf minuten en soms waren ze terug in vijf uur, maar de mensen waren altijd beter. Ik wist eigenlijk niet wat ik ervan moest denken. Er was daar iets gaande, maar het was moeilijk er echt serieus bij stil te staan. Wonderen waren iets waarover mensen spraken, en ik las erover in de krant, en mensen baden er echt superhard om, maar ze leken nooit echt te gebeuren, of anders zoiets als één op de miljard keer. Maar mensen bleven bidden om wonderen, miljoenen mensen, iedere dag. Enkelen zouden geluk hebben. En meer was het eigenlijk niet met hen en met hun gebeden om wonderen: gewoon stom geluk. Eén op de miljard keer zal er iets goeds gebeuren. In feite verspilden de meeste mensen die om wonderen baden alleen hun tijd. Het was dwaas. Ze baden en smeekten om een soort hulp die nooit kwam. Hadden ze de tijd maar aan iets leuks of zo besteed. Zeker wanneer het met gezondheid had te maken. Ze hadden in elk geval iets leuks kunnen doen voor ze doodgingen in plaats van te bidden. En wanneer er van die niet echt echte wonderen gebeurden, was daarvoor niet echt een reden. Net of de erbij betrokken mensen niet konden zeggen wat er was gebeurd of waarom het was gebeurd. Niet echt in elk geval. Maar bij Ben lag dat anders. Zieke mensen liepen de akkers met hem in en ze liepen er gezond uit. Drugsverslaafden liepen er met hem in en ze kwamen eruit zonder dat ze nog drugs wilden. Mensen op krukken kwamen er rennend uit. Ik zag er een stel mensen met zonnebrillen en witte stokken glimlachend en met de ogen knipperend uit komen. Een man in een rolstoel huppelde over het grasveld. Het was bizar. En prachtig. Het waren echte wonderen. Niet bidden tot iets wat er niet eens was en niet eens kon luisteren. Niet bidden vanwege een belofte in een boek dat nooit een belofte eruit in vervulling liet gaan. Maar iemand die werkelijk iets deed waardoor iemand veranderde. Het besef dat omdat je die ene persoon ontmoette en hij iets deed je leven absoluut anders en absoluut beter was. Dat was een wonder. En Ben kon wonderen laten gebeuren. Hij kon gebeden, die eigenlijk volstrekt nutteloos zijn als je ziet hoeveel er zijn en hoe weinig ze in werkelijkheid doen, hij kon gebeden werkelijk in vervulling laten gaan. Ik weet niet hoe hij het deed, ik kan alleen zeggen dat hij de Messias was en hij dezelfde krachten had als die Jezus Christus-vent, mocht die vent werkelijk hebben bestaan. Hij kon wonderen verrichten. Ik heb verder nooit over iemand gehoord die het kon. Maar hij kon het, echt. En het was bepaald niet gemakkelijk of een kleinigheid. Nadat hij het had gedaan, zag hij er als hij eruit ging altijd slechter uit dan toen hij erin ging. Of alles wat hij deed hem iets kostte. Of hij iets van zichzelf aan de mensen gaf zodat zij beter konden worden. Soms kwam hij helemaal niet terug. De mensen zeiden dan van hem te hebben gehoord dat hij een toeval kreeg en ze hem met rust moesten laten. Of hij liep de akker uit en kreeg de toeval gewoon in de tuin. Het waren echt vreselijk griezelige toevallen. Hij schudde, gromde, spuugde en er kwam spul uit zijn mond. Ik maakte me grote zorgen en wilde hem gaan helpen, maar ik wist dat hij dit niet wilde, dus gewoonlijk beet ik maar op mijn nagels op de veranda. Eens vroeg ik hem waarom hij het deed, mensen de wonderen geven. Hij zei dat hij het deed omdat hij van hen hield, en dat wonderen niet worden verricht maar wonderen worden gegeven. En dat iedereen het kon. Als mensen maar genoeg wilden liefhebben en genoeg wilden geven, dat iedereen iemands leven kon veranderen. En dat was de eenvoudigste manier om God op aarde te beschrijven. Mensen die het leven van andere mensen veranderen. Niet een of ander hemels wezen, of een of andere verzonnen superheld, maar mensen die het leven van andere mensen veranderen.

Nadat ze met Ben in de akkers klaar waren, vertrokken de meeste mensen. Maar een paar van hen bleven bij ons. Het was heel grappig. Ze waren anders dan normale mensen. Of dat dacht ik in elk geval in het begin. Er waren mannen die gekleed waren als dames, en dames die eruitzagen als mannen, en er waren homo's bij en mensen die van mannen en vrouwen hielden. Er waren daklozen bij die aan de drugs waren, en er waren negers en Hispanics en Aziaten en Arabieren en zo sterk gemengde mensen dat ik niet wist wat het waren. Er waren vrouwen die beslist vunzige dingen hadden gedaan en zichzelf misschien zelfs voor geld hadden verkocht. Er waren nota bene mannen voor wie dit ook gold. Er waren criminelen, drugshandelaren, bedelaars en mensen die nergens anders heen konden. Als ik deze mensen op straat had gezien, zou ik beslist bang voor hen zijn geweest. Als ik hen in mijn woonplaats had gezien, zou ik hebben gehoopt dat de politie ergens heel dicht in de buurt was. Alle godvrezende kerkgangers die ik kende zouden hebben gezegd dat ze verdoemd waren tot de hel omdat het zondaars waren. Ze zouden hebben gezegd dat deze mensen zeker naar de hel gingen. Maar toen ze in mijn huis waren, hield ik van hen. En ik hield van hen omdat ik zag dat Ben van hen hield. Ik zag hem hen omhelzen en hen kussen. Ik zag hen huilen in zijn armen. Ik zag hem uren naar hen luisteren, tegen hen praten, met hen lachen. Ik zag hem hen genezen en hen veranderen. Ik zag dat hij hen behandelde of het echte mensen waren, en ze zeiden bijna allemaal dat dit heel lang niet was gebeurd. Ik zag dat Ben seks met hen had, en ze wilden allemaal seks met hem, en hij met hen allemaal, en zag hoe hij hen in de echt verbond. Sommigen van hen kwamen samen naar de boerderij, ze waren verliefd of werden verliefd als ze bij ons waren. Mannen met mannen, vrouwen met vrouwen, mannen met vrouwen, elke combinatie die je je kon voorstellen, homo's en hetero's. Ben vertelde hun dat het in het huwelijk niet draaide om een man en een vrouw die samen waren, het draaide om mensen die van elkaar hielden en samen waren. En hij zei dat wetten en maatregelen tegen de liefde en het huwelijk, ongeacht met wie je trouwde en van wie je hield, niet Gods wil waren. God maalde niet om deze dingen. God stond boven deze dingen. Het huwelijk is een menselijke aangelegenheid en alle mensen moesten eraan mogen meedoen, ongeacht hoe zij liefhebben. En ik volgde zijn voorbeeld. Ik praatte, lachte, luisterde, omhelsde, kuste en had seks. Ik ging naar de bruiloften, huilde, was vrolijk, ik was zo blij voor iedereen, en nadien danste ik, danste tot mijn voeten en benen enorm pijn deden. Het enige waaraan ik dacht was dat ik van mensen hield. Dat het daarom ging. Dat we allemaal mensen waren en we van andere mensen hielden. En dat is God. Niet een of andere gekke man met een baard en een gewaad, op een gouden stoel in de wolken gezeten. Niet een of andere boze man die alles weet en zegt wat goed en fout is. Niet een of andere oude man in Italië die onzin uitkraamt, of een of andere mafkees in het Zuiden van de vs die over iedereen oordeelt. Niet een of andere man in Pakistan die denkt dat hij het recht heeft om te moorden, of een of andere man in Israël die denkt dat hij het recht heeft om te onderdrukken. God is niet een persoon, een man, niet eens een wezen van welke aard ook. God is het liefhebben van andere mensen. God is alle mensen die je tegenkomt behandelen of je van hen houdt. God is vergeten dat we allemaal anders zijn en van elkaar houden of we allemaal eender zijn. God is wat je voelt wanneer je liefde in je hart hebt. Het is een geweldig gevoel. En het is de echte God. De enige echte God.

Er bleven maar mensen komen. Ook een paar die Ben van vroeger leken te kennen. Een vrouwelijke arts uit de stad die zei dat ze Ben had behandeld in het ziekenhuis. Een man die zijn baas was geweest toen hij op een bouwterrein werkte. Een lieve homojongen die even knap was als welk meisje ook, vroeger had hij bij Bens broer gewoond, en hij hield van Ben en Ben hield van hem, en ze kusten elkaar vaak en brachten veel tijd in bed door. Een man van de FBI die Ben omhelsde, huilde en voortdurend dank je zei. Sommige mensen bleven een of twee dagen, sommigen kwamen en gingen, en sommigen gingen nooit weg. Al heel gauw bezetten mensen alle slaapkamers, de zolder, de kelder, de woonkamer en de tv-kamer. Ze zaten eigenlijk overal. En toen begonnen ze buiten het huis te slapen. In de loods en in tenten. In de loop van een paar maanden gingen we van ons vieren naar dertig of veertig mensen die allemaal op mijn boerderij woonden, en er kwamen er steeds meer. Ik kon het niet geloven. Het was superleuk. Het huis was nooit schoner geweest. We begonnen groenten te verbouwen. En sommige mensen namen geld mee en ik kocht dingen als eten, dekens en fruit met mijn winkelkorting. De hele dag waren mensen aan het werk. Sommigen maakten schoon, kookten eten of plantten voedsel in de tuin. Er waren mensen die voor Mercedes zorgden. Mensen gingen 's nachts het stadje in om afvalcontainers te doorzoeken. En 's avonds zaten we met z'n allen in de voortuin en dan sprak Ben tegen ons. Ik zou het geen preken noemen. Mensen die preken proberen je er altijd van te overtuigen dat zij gelijk hebben. Mensen die preken proberen je altijd te laten geloven wat zij geloven. Mensen die preken proberen je altijd te vertellen dat als je niet naar ze luistert je daarvoor een prijs zult betalen. Het maakte Ben niet uit of we geloofden. Hij zei dat alle mensen het recht moesten hebben te geloven wat ze wilden. Hij hoefde niemand te overtuigen. Het enige wat iedereen hoefde te doen om door Ben te worden overtuigd was naar hem kijken. Als je hem zag, wist je dat hij anders was dan de rest van ons. Je wist dat hij bijzonder was, of zelfs iets wat veel verder ging dan bijzonder. Hij was goddelijk. Hij was waarvoor mensen baden, waar ze om smeekten en die ze heel hun leven vereerden. Hij was de ware Profeet. Hij was de ware Zoon van God. Hij was de ware wedergeboren Jezus Christus. Hij was de ware Messias. Hij was alles waar alle dwaze religieuze mensen over de hele wereld om hadden gebeden en waar ze al die duizenden jaren op hadden gewacht. Hij was God. Hij was God.

En ook al hield hij ons allemaal voor, stuk voor stuk, dat we niet hoefden te geloven wat hij zei, we geloofden het, we geloofden alles wat hij zei, ook wanneer het maf was. Ik herinner me de eerste nacht dat het gebeurde. De hemel was helder, er was geen maan en het was warm. Er waren miljoenen en miljarden sterren, zoveel dat ik niet eens kon beginnen met tellen of raden hoeveel er waren. Ben was in het huis geweest, hij kreeg een toeval. Iedereen wist dat je hem met rust moest laten wanneer dat gebeurde. Ook al was het in de keuken gebeurd of ergens waar we hem konden zien, hij vroeg ons allemaal hem met rust te laten. Hij kreeg die avond de toeval in de woonkamer, op ons oude tapijt. Intussen had hij gesproken, gesproken in een of andere rare taal die heel oud, griezelig en ernstig klonk. Iedereen was het huis uit gegaan, het grasveld op. We zaten zomaar op het gras, keken omhoog en zeiden geen woord omdat het zo mooi was dat we het amper konden geloven. Het was toen we maar met z'n achten of negenen in het huis waren. Ik, Mariaangeles en Mercedes die in haar armen sliep, een homoseksuele man, twee travestieten en een vrouw die crack had gerookt toen ze kwam maar inmiddels niet meer, en misschien nog iemand. Ben liep naar buiten en ging bij ons zitten. Hij nam de dame van de crack bij de hand omdat zij het zonder haar drugs heel zwaar had. Hij kuste haar op het hoofd en ze glimlachte. Een van de mannen vroeg hem of het met hem ging en hij zei *ja*. Hij vroeg of hij wist dat hij sprak wanneer hij zijn toeval had en Ben zei *ja*. De man vroeg of hij wist wat hij zei en Ben zei *ja, ik sprak tegen God*. Iedereen zweeg een paar tellen. Of ze het niet konden geloven, of misschien of ze het wel konden geloven en het ook geloofden, maar het was fantastisch en er viel niets te zeggen. Mariaangeles en ik wisten het allebei al. De anderen keken naar elkaar en een van de mannen glimlachte en zei heb ik je het niet gezegd, dat is wat ik heb gehoord, dat is waarom we hier zijn. De andere man vroeg Ben wat God tegen hem had gezegd, en Ben glimlachte en zei *God wilde dag tegen jullie zeggen en even nagaan of jullie weten dat jullie hier zo lang mogen blijven als jullie willen.*

We lachten allemaal. Ben ging op de grond liggen zodat hij omhoog kon staren naar de sterren en hij duwde de vrouw mee omlaag en hield haar in zijn armen. Het was echt superlief. Eerder had ze gebeefd, haar handen, heel haar lichaam, zelfs haar lippen hadden getrild en gebeefd. Ben hield haar alleen maar vast en liet zijn hand door haar haar gaan, en ze werd heel kalm en vredig. We gingen allemaal net als hij op de grond liggen, of we alles wilden zien waar hij maar naar keek, en omdat hij een heel gelukkige indruk maakte. En Ben keek alleen naar de sterren op, net als alle anderen, en ze gingen altijd maar door en door. Een hele tijd zei niemand een woord. We staarden alleen. En ik zag sterren die twinkelden, sterren die de indruk wekten te bewegen, heel heldere sterren en sterren die ik amper kon zien. Ik probeerde ze te tellen, maar er waren er te veel, dus probeerde ik ze in één hoekje in de hemel te tellen, maar zelfs daarvoor waren er te veel. Ten slotte raakte ik erin verdwaald. Ik dacht niet eens meer ergens aan. Ik staarde alleen naar het wonder van de hemel en zo. En dat gold voor alle anderen. We waren verdwaald en toen we allemaal waren vergeten dat hij het ging doen, nam Ben het woord.

*God is niet wat je denkt of je voorstelt, of wat je geleerd is te geloven. Veel van wat je is geleerd te geloven over alles op deze wereld klopt niet, maar zoveel ervan hangt samen met ideeën over God dat je daar het gemakkelijkst kunt beginnen. Wij zijn dieren. Wij zijn niet geschapen naar het beeld van iets of iemand. Wij zijn een biologisch ongeluk, en we zijn wat we nu zijn door een lang proces van natuurlijke selectie, met af en toe spontane genetische afwijkingen die ons sterker hebben gemaakt en uiteindelijk bij ons zijn gaan horen. Wij zijn begonnen als eencelligen in moeraswater, kropen daaruit, werden vissen, amfibieën, reptielen, zoogdieren, apen. Dat gebeurde in de loop van miljarden jaren. De gedachte dat deze planeet, dit zonnestelsel, deze Melkweg en dit universum vijfduizend jaar geleden werden geschapen is belachelijk. Wij weten beter. Misschien toen niet, maar tegenwoordig wel. En zelfs toen, toen de verhalen werden bedacht, werden ze ongeacht uit welke cultuur ze kwamen niet bedacht omdat de mensen die ze bedachten er werkelijk in geloofden, ze werden bedacht om macht te consolideren en om mensen te onderwerpen. Ze werden bedacht omdat een paar figuren begrepen dat als ze zich op een directe band met God beriepen, op een uniek begrip van God, en dat God een God was die al het leven had geschapen, over het leven oordeelde, en alles wist wat iedereen op elk moment deed, en als die God een God was die het lot beheerste en besloot wie zou leven en wanneer we zouden sterven, en ons na de dood het eeuwige leven in het paradijs of in de hel toebedeelde, ze die macht, die zogenaamde band, dat zogenaamde begrip konden gebruiken om mensen te laten leven zoals ze van hen moesten leven en hen te laten doen wat zij wilden. Ze konden die macht gebruiken om mensen tot slaven te maken. Religie. Het is opmerkelijk simpel. Briljante oplichterij. De langst lopende zwendel in de menselijke geschiedenis. Ik ken God. God heeft alles geschapen, weet alles en is almachtig. Doe wat naar ik zeg volgens God je plicht is – waardoor je toevallig ook nog eens ondergeschikt aan* me wordt – anders zul je eeuwig branden. De christenen zijn er de grootmeesters in. Ze hebben rijken gebouwd met hun bedrog, gemoord, gemarteld en letterlijk miljarden mensen geterroriseerd. Allemaal in de naam van hun bebaarde superheld, in de naam van hun gekruisigde fictie. In de wereld van vandaag zijn vooral de rooms-katholieken, Amerikaanse evangelisten en fundamentalistische moslims er goed in, maar ze zijn allemaal schuldig: de joden, de christenen, de moslims, alle leiders van alle diverse sekten en gezindten, iedereen op aarde die denkt dat er een God bestaat met de macht om alles te weten en over alles te oordelen. Ze zitten allemaal fout. En door dingen te vereren die niet bestaan, zijn het slavendrijvers of slaven. God is geen mens. God is geen weerspiegeling van de mens. God is geen wezen, geen geest of een bewustzijn. God woont niet op een bepaalde plaats met personeel dat Gods werk doet. God is geen hij of een zij. God heeft geen leger met engelen of een sterfelijke vijand die uit zijn koninkrijk werd geworpen. In termen die ons iets zeggen is God niets. God speelt geen rol in ons leven. De aarde of de mensheid interesseren God niet. De dramaatjes die voor ons zo belangrijk zijn, interesseren God niet. Wat wij zeggen, wie wij neuken, wat we met onze lichamen doen, wie wij liefhebben en met wie wij trouwen, interesseert God niet. Of we rusten op zondag, of we naar een gebouw gaan om liedjes te zingen, gebeden op te zeggen, te psalmodiëren en naar preken te luisteren, interesseert God niet. Of we in Gods naam moorden, interesseert God niet. Het kan God geen reet schelen. Echt geen reet. Kijk omhoog. Er zijn vijfentwintighonderd sterren zichtbaar aan de nachthemel. Vijfentwintighonderd. Niet zo'n groot getal. In onze Melkweg, onze kleine Melkweg, zijn er nog eens driehonderd miljard die we niet kunnen zien. Driehonderd miljard. We weten niet hoeveel melkwegstelsels er zijn, omdat we niet de technologie hebben om het te achterhalen, als het ook maar te achterhalen valt. Er zijn schattingen, met de natte vinger, naar een bord gegooide pijltjes. Sommigen zeggen honderd miljard, sommigen zeggen vijfhonderd miljard, sommigen zeggen een biljoen. Sommigen zeggen dat het universum oneindig is, een concept dat we zogenaamd begrijpen maar dat onze geest te boven *gaat. Mensen maken zich druk over eten, onderdak vinden, neuken. We maken ons druk over werk en geld. We maken ons druk over klasse, status en wat andere mensen van ons vinden. We maken ons druk om regels die ons worden opgelegd door lui die van niets weten. We maken ons druk over de dood en wanneer die ons treft. We kunnen ons geen voorstelling maken van oneindigheid. We kunnen de gedachte niet vatten van iets wat geen grenzen en geen einde heeft. En dat is waar God is. Dat is wat God is. Onze geest voorbij. Ons begrip voorbij. Voorbij alles wat we kunnen rubriceren, waarover we kunnen schrijven of preken, of kunnen onderbrengen in een van onze stelsels met regels. God is oneindig. Een oneindig aantal melkwegstelsels, een oneindig aantal sterren, een oneindig aantal planeten. Kijk omhoog. Probeer je oneindigheid voor te stellen. Je geest sluit zich en keert terug naar een getal dat je kunt begrijpen, een beeld dat je kunt bevatten. Kijk omhoog. Voorbij wat je ziet, voorbij wat achter ligt wat je ziet, voorbij wat weer daarachter ligt. Wat zich eeuwig uitstrekt. Dat is God. Dat is allemaal God. Een oneindige God die we niet kunnen begrijpen. Die geen belangstelling heeft voor onze leventjes. Die de interesse voor wat dan ook, waar dan ook in dit oneindige universum voorbij is. Kijk omhoog en zie God. Kijk omhoog. Kijk omhoog.*

En dat deden we. We keken omhoog naar al die mooie sterren, en ze straalden en knipperden en bewogen misschien een beetje in het rond, maar dat kwam waarschijnlijk omdat mijn ogen me fopten. Ik probeerde me al die getallen met miljarden en biljoenen voor te stellen en over dingen te denken die gewoon eeuwig en altijd doorgingen, maar het lukte me niet, precies zoals hij had gezegd. Mijn hersenen keerden terug naar de sterren die ik kon zien en naar het splintertje maan dat straalde en het gras waarop ik lag dat mijn armen kietelde en het geluid van krekels die zongen en insecten die heel snel vlogen en een lekker briesje dat door de bomen bewoog en de andere mensen die om me heen ademden, alleen omhoogkeken en ademden.

Vervolgens begonnen we het iedere avond te doen. Het was niet verplicht of zoiets, niet een soort school of kerk, niemand zou er last mee krijgen, maar bijna iedereen deed het. We aten, gingen naar buiten, lagen op het gras en Ben sprak. Hij sprak over het leven, wat hij ervan vond, hoe hij zijn leven leidde, en over onze wereld, hoe we die hadden laten verwoesten en dat er binnenkort een eind aan zou komen. Hij zei dat het leven simpel was, we werden geboren en we gingen dood. Voor onze geboorte was er niets voor ons en na onze dood zou er niets voor ons zijn. Zolang we hier waren, hadden we keuzes. We konden ervoor kiezen te doen en te zijn wat we maar wilden. We konden ervoor kiezen bij de maatschappij te gaan horen en de regels daarvan te volgen, vooral bedoeld om ons in toom te houden en ons op de plek te houden waar we waren geboren, óf we konden onze eigen regels maken en onze eigen levens leiden. Voor hem, zei hij, draaide het in het leven om liefde, neuken en andere mensen helpen. Het draaide in het leven om alles voelen wat hij kon en alles ervaren wat hij kon. Het draaide in het leven niet om méér geld en bezit, maar om méér vrienden. Hij sprak over eenvoudig leven. Dat hoe ingewikkelder ons leven werd, we ongelukkiger waren. Hoe meer we hadden, hoe meer we wilden. Hoe harder we werkten, hoe minder we leefden. Hij sprak over geduld en zei dat niets in het leven erop vooruitging door bang, zenuwachtig of agressief te zijn. Hij sprak over erbarmen, dat moesten we ten aanzien van onszelf hebben, ten aanzien van andere mensen en ten aanzien van de aarde. Dat als hij de mensen ervan kon weerhouden alles om hen heen pijn te doen de wereld een kans had te overleven en wij een kans hadden te overleven. Hij zei dat we het denken over de dood moesten opgeven. Dat dood het einde was, heel eenvoudig, en niets meer. Dat wanneer de dood kwam er zwartheid, stilte en vrede was, maar niets wat wij konden ervaren. Dat onze obsessie met de dood ons fataal werd. Dat onze obsessie met het leven na de dood, dat niet bestaat, verwoestte wat wij wel hebben, namelijk geest en alle gaven daarvan, waarvan de grootste liefde is. Hij zei dat het leven, niet de dood, het grote raadsel is dat op ons allemaal afkomt. Hij zei het telkens weer. Leven, niet de dood is het grote raadsel dat op ons afkomt.

Wanneer hij over de wereld sprak, ging het er gewoonlijk over dat wij die hadden vernietigd of religies en regeringen die hadden laten vernietigen, en dat aan alles binnenkort een eind zou komen. Hij zei dat het bij religies en regeringen nooit ging om wat ze pretendeerden, namelijk mensen helpen en hun leven het leven waard maken, maar dat het simpelweg werktuigen voor hebzucht, macht en dood waren. Dat niet ééntje ervan iets voorstelde. Dat zelfs de beste slecht waren en alleen bestonden om de mensheid te beheersen en uit te buiten, en de hulpbronnen van de aarde te beheersen en uit te buiten. Dat hij in heel de loop van de te boek gestelde geschiedenis niet één voorbeeld kon vinden van een regering die niet in naam van de macht bestond, die niet doodde bij de eigen jacht op macht, en die de burgers niet als hulpmiddel voor haar hebzucht inzette. Al zei hij niet te weten hoe de wereld zou ondergaan, het stond vast, er waren te veel manieren voor, en op een van die manieren zou het gebeuren, en nog snel ook. Hij zei dat te veel mensen te veel wapens hadden. Dat wanneer de grote wapens eenmaal begonnen te vliegen ze niet zouden stoppen. Dat wanneer een gek eenmaal op een knop had gedrukt, op alle knoppen zou worden gedrukt. Dat te veel mensen gelijk wilden hebben. Dat te veel mensen macht wilden. Dat te veel mensen wilden dat hun God de enige God was, hun systeem het enige systeem was. Dat Democraten en Republikeinen, kapitalisten en communisten, liberalen en conservatieven, fascisten en anarchisten, nationalisten en nationaalsocialisten, hoe ze zich ook noemden, één pot nat waren en dat ze niet verschilden van mensen die God vereerden. Maar in plaats van dat ze zogenaamd geloofden in een bovennatuurlijke god, geloofden ze zogenaamd in goden die sociale rechtvaardigheid, gelijkheid en vrijheid heetten. Maar hun echte doelen waren niet anders dan die van de religieuze mensen, het enige waarin ze echt waren geïnteresseerd was geld, invloed, macht. Dat zij met z'n allen de wereld zouden verwoesten. Dat zij een oorlog zouden beginnen die ze niet konden stoppen, een oorlog zonder overwinnaar. Dat de oorlog die aan alles een eind zou maken in aantocht was. En dat zelfs als de oorlog uitbleef, toch aan alles een eind zou komen. Er waren te veel mensen. Er waren geen hulpbronnen meer. De aarde kon zelf niet meer alles op aarde in stand houden. Binnenkort waren alle hulpbronnen op aarde uitgeput. En als we dat inzagen, zouden we elkaar verscheuren terwijl we verhongerden. En hij zei dat het te laat was om te proberen het te stoppen. Dat op dit moment niemand iets kon doen. Dat geen leider, geen religieuze persoonlijkheid, geen man, geen vrouw, niemand er iets aan kon doen. Dat we van de klif af waren gesprongen en dat we binnenkort zouden neerkomen. En dat aan alles een eind zou komen. En dat we er allemaal aan zouden gaan. En dat dit maar goed was ook. Dat dit het beste was wat er gebeuren kon. Dat alles verwoesten, het met de grond gelijk maken, het helemaal af laten branden onze enige kans was. En dat nadien, hoopte hij, al betwijfelde hij het, iedereen die nog over was slim genoeg zou zijn om opnieuw te beginnen en het allemaal te vergeten. En dan iets te beginnen dat draaide om het aanbidden van liefde in plaats van het aanbidden van God en geld. God en geld brachten alleen dood en oorlog. Liefde brengt misschien iets waarvoor het waard is te leven.

En hij was niet boos of nijdig wanneer hij sprak. Hij schreeuwde niet of vuurde geen speeksel af uit zijn mond zoals een heleboel mensen doen wanneer ze dingen zeggen. Hij zei het net zoals je zegt dat je melk gaat kopen of benzine gaat tanken. Net of het iets was dat ging gebeuren. Hij zei dat we konden kiezen hoe we zouden leven voor het gebeurde. We konden het aanvaarden en zo heerlijk leven als we konden voor het gebeurde, óf we konden het niet geloven en onze levens blijven verspillen met dingen doen en najagen waarvan we niet gelukkig werden en geen goed gevoel kregen. Hij zei dat zijn keus was om zoveel mogelijk lief te hebben, zoveel mogelijk te geven, zo veel mogelijk vreugde, geluk, verrukking, genot te voelen. Het leven was al zwaar genoeg, zei hij, zonder ons de dingen te ontzeggen die ons in een staat van gelukzaligheid brachten. Mensen die vonden dat we ons dingen moesten ontzeggen waren dwazen. Onze lichamen zijn erop gebouwd. We moeten onze lichamen laten doen waarvoor ze zijn bedoeld.

Nadat hij uitgesproken was, kuste hij altijd iemand. Meestal Maria-angeles, maar soms was het iemand anders, en soms was het een man, en soms een vrouw, en soms een man die eruitzag als een vrouw of een vrouw die eruitzag als een man. Hij kuste hen, betastte hen en beminde hen. De meesten van ons volgden zijn voorbeeld en begonnen te kussen, te betasten en te beminnen. Sommigen van ons gingen het huis in, de loods in of de akkers op, maar de meesten van ons bleven op het grasveld. Het maakte niet uit wie je was, hoe je eruitzag, wat je achtergrond was, welke kleur je huid had, of je een accent had, je geld had of niet, je al dan niet op school had gezeten, enzovoorts. Iedereen hield van iedereen. En iedereen had seks met iedereen. En iedereen kwam klaar met iedereen. Toen we pas begonnen, waren we maar met een paar. Maar tegen het eind waren er op heel het terrein een heleboel mensen, en er kwamen er meer of ze kwamen overdag langs, en overal waren mensen. En er was zo veel liefde. En we waren allemaal gelukkig. En verder deed niets in de wereld ertoe. Helemaal niets.

Zeven maanden nadat we met z'n allen op de boerderij bij elkaar waren gekomen, nadat al de ruimte in het huis en de loods was ingenomen, en er mensen in tenten op de akkers en in de bossen woonden, en er zevenenzeventig mensen woonden, kwam er een meisje voor Ben. Ik zat op de veranda toen zij aan kwam lopen en ik kon merken dat er iets mis was. Ze was jong en verdrietig, haar gezicht zat onder de blauwe plekken, en haar kleren waren er niet best aan toe. Het was heel normaal dat mensen zoals zij opdaagden, maar ik kon op een of andere manier merken dat zij anders was. Ze vroeg of Ben er was, en ik zei hij woont hier maar hij is er net even niet. Ze vroeg of ze iets te drinken kon krijgen, en ik zei ja, natuurlijk, gekkie. Ze ging op de treden van de veranda zitten, ik haalde water voor haar en gaf het haar. Ik probeerde gezellig tegen haar te doen, maar ik kon merken dat ze niet gezellig wilde doen. Eigenlijk leek het of ze op een verdrietige manier zou gaan huilen, dus liet ik haar met rust. Een uur of twee later kwam Ben uit de akkers lopen met een jong stel dat had geprobeerd een baby te krijgen, maar het lukte niet. Ze glimlachten, ik kon merken dat de vrouw op een goede manier had gehuild. Ben legde zijn hand op haar buik en legde de hand van haar echtgenoot boven op zijn hand. Ze zagen er allebei zo gelukkig uit, of ze wisten dat voor hen alles in orde zou komen. Toen ze wegliepen naar hun auto, draaide Ben zich naar ons toe. Het meisje zag hem en kwam overeind, Ben glimlachte en ze begon onmiddellijk te huilen. Hij liep naar haar toe en sloeg zijn armen om haar heen, ze huilde in zijn schouder, huilde erg, heel haar lichaam leek te schokken en te snikken. Ik kon merken dat het iets heel ernstigs was, dus liet ik hen met rust daar voor de veranda. Ik ging naar binnen om Mercedes boeken voor te lezen.

Later troffen alle mensen die op de boerderij waren elkaar voor het eten. Ben leek gelukkig en heel verdrietig tegelijk, het meisje was er nog. Ze zat bij Mariaangeles en ze hielden elkaars handen vast. Dat was niet ongebruikelijk voor vrouwen, maar zij hielden elkaars handen heel stevig vast. We hadden een heel lekkere maaltijd en nadien kuste Ben, in plaats van te praten, alle mensen op de boerderij. Hij kuste iedereen heel lief en iedereen anders, of hij kon bepalen wat voor kus ze fijn vonden, wat voor kus ze wilden, wat voor kus ze nodig hadden. Toen ik aan de beurt was, kuste hij me heel zacht op de lippen, maar niet erg sexy of zoiets. Alleen heel lief en zacht, zo'n tien seconden of zo, toen trok hij terug en fluisterde *ik hou van je* in mijn oor. Nadat hij iedereen had gekust, nam hij Mariaangeles bij de hand en nam Mercedes, die heel vaak samen met ons at, bij de andere hand. Ze liepen met elkaar het huis in, en het meisje liep met hen mee, vlak naast hen. Het was echt schattig. Of hij Mercedes' pa was en Mariaangeles' man en het meisje op een of andere manier bij hun gezin hoorde, en het was echt superschattig. Een minuut lang wist niemand wat er moest gebeuren, maar toen begonnen mensen elkaar te kussen, net als elke avond dat Ben bij ons was. En toen beminden we elkaar. En de hemel was helder en leek helderder dan ooit, er waren sterren en ze leken stralender dan ooit, het was een prachtige nacht, een perfecte nacht, ik had nooit en heb nog steeds niet zo'n geweldige nacht gezien. En iedereen hield van elkaar. We hielden allemaal van elkaar op een perfecte manier, nog sterker dan voorheen, of de nacht ons op een of andere manier beter maakte dan ooit en ons meer liefde gaf. De nacht gaf ons alles en het was mooi. Het allermooiste in de wereld. Liefde.

De volgende ochtend, toen ik wakker werd, was Ben weg. Het meisje was ook weg, en Mariaangeles kwam de hele dag haar kamer niet uit. En toen ze het wel deed, wilde ze niet zeggen waar Ben heen was, wie het meisje was of wat er was gebeurd. Ik wist alleen dat Ben weg was.

# 11 *Esther*

Ik denk aan mijn lijden. Mijn verdriet, eenzaamheid, het feit dat mijn familie is verwoest, dat ik ben geslagen, gemarteld en gedwongen een God te vereren die niet mijn God is en een leven te leiden dat niet mijn leven is. Ik denk aan het lijden van anderen in deze wereld, deze afschuwelijke, afschuwelijke wereld. Ik denk aan alle armoede en honger, geweld en oorlog. Ik denk aan verslaving, misbruik en onderdrukking. Ik denk aan alle kwalen, ziekte en lichamelijke ellende, en ik denk aan al het lijden van de ziel, wat erger is en ingrijpender dan alle lichamelijke aandoeningen die ons bezoedelen. Ik denk aan alle pijn die iedereen elke dag elke minuut voelt. Er is zo weinig vreugde. Zo weinig vrijheid. Zo weinig zekerheid. Zo weinig waardoor wij het gevoel krijgen dat dit allemaal de moeite waard is. En waardoor denken we wél dat het de moeite waard is? Liefde. Liefde is de enige manier om lijden te verzachten. Liefde is de enige manier om vrijheid te vinden. Liefde is voor heel de mensheid de enige plek die zekerheid biedt. En zelfs liefde werkt niet al te lang. Liefde verdwijnt of vervaagt altijd. Liefde wordt altijd kapotgemaakt of verwoest. Liefde verandert altijd in iets wat niet echt liefde is. Momenten van ware, zuivere, onvoorwaardelijke liefde zijn het zeldzaamste en kostbaarste wat er op aarde is. Als we in de loop van heel ons leven twee of drie van deze momenten hebben, mogen we van geluk spreken. De meesten van ons hebben niet één zo'n moment. De meesten van ons leven in de illusie dat ze liefde hebben, nastreven of kennen, maar wat we hebben, nastreven of kennen is begeerte, bezit en macht. Wat wij als liefde kennen, maakt ons niet echt gelukkig. Zo mogelijk lijden we er nog meer door. Het maakt ons ongelukkiger, gewelddadiger, tirannieker en ellendiger. Ons lijden wordt er erger door. Maar stel dat we konden leren. Stel dat we konden leren wat Ben Zion leerde. Stel dat we konden leven zoals Ben Zion leefde. Stel dat we konden voelen zoals Ben Zion voelde. Stel dat we konden liefhebben zoals Ben Zion liefhad.

Ik heb altijd geloofd dat we hem terug zouden zien. Ik hoopte dat het zou gebeuren voor onze moeder stierf. In het begin nadat hij weer wegging, na zijn ruzie met Jacob, bad ik om zijn terugkeer. Ik bad elke dag uren. Wanneer ik werd geacht voor andere dingen te bidden, wanneer ik werd geacht voor dingen te bidden waarvoor Jacob wilde dat ik bad en waarvoor ik van hem moest bidden, bad ik voor Ben Zion. Terwijl ik bad, dacht ik hoe het was geweest hem terug te zien. Ik dacht aan wie hij was en wat hij was geworden, wat hij naar mijn ouders, iedereen in onze familie, onze rabbijnen altijd geloofden zou worden. Ik dacht aan wat hij kon, dat hij wonderen kon verrichten, wat voor gevoel hij mensen kon bezorgen, en dat hij levens kon veranderen met een woord of een aanraking. Ik dacht aan alle talen die hij sprak zonder er studie van te hebben gemaakt en alle boeken die hij kende zonder ze te hebben gelezen. Ik dacht aan hoe hij met God kon spreken. Ik dacht aan alle tekenen van goddelijkheid die werden herkend bij zijn geboorte: dat hij davidisch bloed had, dat zijn geboortedag de dag was dat de Tempel van Salomo werd verwoest, dat hij bij zijn geboorte besneden was. Ik dacht aan de last die hij het grootste deel van zijn leven gevoeld moet hebben. Worden grootgebracht en opgeleid als iemand die de Messias zou kunnen zijn. Wat dat moet hebben betekend voor een kleine jongen. Een jongen van drie die met autootjes had moeten spelen. Een jongen van vijf die lekker had moeten spelen op een speelplaats. Een jongen van zeven die lekker op school had moeten zitten als een normaal kind. Een jongen van negen die vriendjes had mogen hebben. Ik dacht aan wat voor gevoel het voor hem moet zijn geweest te weten wat hij was of wat mensen geloofden wat hij was, waardoor zijn vader en broer jaloers en bang werden en hem gingen haten. Ik dacht aan wat het voor hem moet hebben betekend toen hij ons huis werd uitgegooid. Hij was nog een kind, amper een tiener. Ik vroeg me af wat hij al die jaren had gedaan toen we hem zochten en hem niet konden vinden. Ik vroeg me af waar hij had gezeten, wie hij had ontmoet en wat hij had gevoeld. Ik vroeg me af of hij erop wachtte te worden wat hij werd. Of hij het geloofde. Of het een last was. Of hij elke dag angstig wakker werd en zich afvroeg of het vandaag de dag was dat hij Mosjiach zou worden. Of hij het er ooit met iemand over had. Of hij vrienden had of iemand die van hem hield. Of hij het wel wilde. Of hij wist hoe het zou aflopen, ik neem aan van wel. Ik heb geen antwoorden, maar ik geloof dat het een soort hel moet zijn geweest. Weten dat je Mosjiach bent, de Messias, de Zoon van God, de wedergeboren Christus, de aardse belichaming van God op aarde, ook al was zijn God niet de God die op aarde duizenden jaren werd gepropageerd. Het is een wonder dat hij niet onder dit besef bezweek. Het is een wonder dat hij het aanvaardde en erop wachtte, waar hij ook was, wat hij ook deed, wat hij ook voelde, hoe hij ook leed. Het is een wonder. Mijn broer was een wonder.

En terwijl ik over dit alles dacht, stond ik mezelf twijfel toe. Bij ieder geloof, ieder waar geloof komt twijfel kijken. Als je zegt dat je geloof onwankelbaar is, heb je geen geloof. Als je zegt dat je geen twijfel hebt, dan heb je geen geloof. De worsteling met geloof, de waardigheid van geloof, de waarde van geloof bevestigen dat geloof als je twijfelt. Als je in God wilt geloven, moet je jezelf aan God laten twijfelen. Als je in iets wilt geloven, moet je erover twijfelen. Ik geloofde in mijn broer. In zijn kracht en zijn goddelijkheid. In zijn rechtvaardigheid. In zijn missie, die eruit bestond ons de dwaasheid van onze overtuigingen te laten zien, ons het gevaar van onze religies te laten zien, ons de dwaasheid te laten zien waarvan we blijk geven door wat we hopen en dromen in de handen van politici te leggen, en ons de waarde te laten zien van ons leven leiden met het geloof in liefde, en te leven met liefde, niet de valse, oordelende liefde die ons is bijgebracht, maar een liefde waarbij alle mensen op aarde gelijkwaardig zijn, gelijke rechten genieten en gelijke zorg krijgen. Ik geloof dat hij was waarvoor hij in de wieg was gelegd, en dat hij de man was om wie duizenden jaren was gebeden. Ik geloof dat hij met zijn dood, met zijn offer ons een kans gaf onszelf te verlossen. Hij was bereid om te sterven om ons te verlossen van de zonden van de religie, de zonden van onze goden, de zonden van onze levens in de handen te leggen van politici die ons hebben bedrogen. Hij verloste ons menszijn door te laten zien wat er precies verkeerd is met het mens-zijn dat ons is aangeprezen. Dat de goden die we vereren niet bestaan en niet geïnteresseerd zijn. Dat de systemen waarin we gedwongen zijn te leven ons verwoesten. Net zoals Christus zich zogenaamd offerde voor onze zonden, zonden die van nature bij ons mens-zijn horen, evenzeer als ademen en eten, zonden zoals liefde, seks en zelf beslissen, offerde Ben Zion zich voor ons geloof in het verhaal over Christus en voor al dat soort verhalen, verhalen die ons knechten, ons onderdrukken en ons verwoesten. Als we onder ogen zien dat Ben Zion gelijk had en als we leren van wat hij ons heeft bijgebracht, dan hebben we een kans onszelf te redden. Maar ik geloof niet dat we het zullen oppakken. Hij was profetisch met zijn besef dat het einde komt. Hij was Mosjiach doordat hij ons liet zien hoe we het kunnen vermijden. Hij liet ons zien dat we allemaal slapen. Hij schreeuwde, en hij bleef het schreeuwen tot het tot zijn dood leidde. We hebben een kans als we die schreeuw niet vergeten, als we ernaar luisteren. Maar ik geloof niet dat we de kans zullen grijpen. Er zal een eind aan alles komen.

En al geloof ik wat ik geloof, er is twijfel, er is altijd twijfel, en er moet twijfel zijn. Was Ben Zion niet meer dan een mens? Was hij een kind dat door religie werd vergiftigd en werd overgehaald te geloven in oude profetieën die nooit uitkomen? Werd hij wat hij werd omdat hem was verteld dat hij het zou worden? Was hij geestesziek? Verwoestte zijn epilepsie zijn verstand? Was hij een misdadiger die zijn verdiende loon kreeg? Was hij een gruwelijke egoïst die zijn eigenbelang diende? Was hij een bedrieger, ziek, gevaarlijk? Ik sta mezelf toe de vragen te stellen, omdat wanneer ik denk aan de man die ik heb gekend, het leven dat hij leidde, de woorden die hij sprak, het voorbeeld dat hij gaf, de wonderen die hij verrichtte, de liefde die hij deelde en het offer dat hij bracht, het antwoord op alle vragen die ik mezelf stel nee is. Of: het antwoord op alle vragen is nee, met één uitzondering. Hij was gevaarlijk. Hij was zonder meer gevaarlijk. Gevaarlijk, omdat als we naar hem luisteren we wakker zullen worden. Als we naar hem luisteren, stoppen we met het kopen van de slechte spullen die ons worden aangesmeerd, we zullen niet meer in de trucjes trappen van predikers, pausen en presidenten, de ziekte van de religie zal worden genezen, de leugens van de politici zullen niet langer worden geloofd, en alles wat is opgebouwd, alle zieke, besmette instellingen die ons regeren en controleren en bedriegen, zullen verkruimelen en omvallen. Hij was zonder meer gevaarlijk. En ze hebben hem vermoord.

Nadat hij weg was, na zijn kuspartij met Jeremiah en nadat Jacob hem had geslagen, en nadat hij ons water in wijn had veranderd, werd het belangrijkste om hem terug te vinden. Toen Jacob de wijn zag, geloofde hij onmiddellijk dat hij een fout had gemaakt, een grote fout, een onherstelbare fout. Hij rende ons huis uit en de straat op, maar zag niets. Hij stapte in zijn auto en reed door de straten in de buurt, maar zag niets. Hij ging kerken in de omgeving in, omdat hij geloofde dat Ben Zion daar misschien heen zou vluchten, maar zag niets. Hij belde de politieposten en ziekenhuizen in de omgeving, maar niemand had iets gezien. Hij zocht dagenlang, en wanneer hij niet aan het zoeken was, zat hij op zijn knieën te bidden in de kerk of te praten met dominee Luke die, nadat hij Ben Zion had gezien, hem had horen spreken en getuige was geweest van het wonder, ervan overtuigd was dat Ben Zion de wedergeboren Christus was. Jacob vond hem niet, niet eens een spoor van hem, en Ben Zion kwam niet terug, liet helemaal niets horen over zijn verblijfplaats en nam op geen enkele manier contact met ons op. Toen Jacob besefte dat Ben Zion echt weg was, begon hij wat hij had gezien te wantrouwen en hij beweerde dat Ben Zion Jeremiah alleen had gekust om te choqueren en dat hij ergens in huis een fles wijn had verstopt, omdat hij wist dat hij de kans zou krijgen het water erdoor te vervangen wanneer hij alleen in onze eetkamer was. Hij begon ook boos te worden en te zeggen dat Ben Zion hem had bespot en God had bespot, en dat de kennis van Ben Zion, van de talen en de heilige boeken, iets was dat alle mensen konden verwerven als ze maar lang genoeg studeerden, wat hij moest hebben gedaan. Toen Ben Zion moest voorkomen en niet verscheen, waardoor hij zowel ons huis als de kerk op het spel zette, werd Jacob woest. Hij begon opnieuw met zijn zoektocht naar Ben Zion, fanatieker, en hij begon ook te schreeuwen tegen onze moeder en haar op den duur te mishandelen: hij geloofde dat zij wist waar Ben Zion woonde. Onze moeder wist niets. Zoals altijd het geval was geweest, werd zij het mikpunt van Jacobs woede. Hij schreeuwde tegen haar. Hij spuugde op haar. Hij pakte al haar geld af en weigerde haar iets te eten te geven. Hij duwde haar onze gangkast in, deed de deur op slot. Hij bleef ertegen trappen, fluisterde door de deur dat zij de moeder van de duivel was en zei haar dat onze vader nooit van haar had gehouden en er spijt van had met haar te zijn getrouwd. Ten slotte gooide hij haar het huis uit. Hij liet haar vertrekken met de kleren die ze aanhad en verder niets. Ze probeerde bij andere kerkleden hulp te zoeken, want dat waren jarenlang de enige mensen geweest met wie ze te maken had gehad, maar ze hielpen haar niet. Ze ging terug naar Brooklyn, waar wij als joden hadden gewoond, maar de mensen die we daar hadden gekend vergaven het haar niet dat ze hen had laten vallen. Ze verbleef in een opvanghuis tot haar tijd daar voorbij was. Ze ging naar een ander opvanghuis. Na een paar maanden belandde ze op straat, ze bedelde en hoopte elke dag genoeg geld te krijgen voor een maaltijd. Ik probeerde haar te helpen. Ik bracht haar een beetje geld, dekens, kleren. Jacob betrapte me en sloeg me, waarbij hij drie van mijn ribben en drie van mijn vingers brak, en nadat hij was uit geslagen haalde hij Ecclesiasticus 26:25 aan: 'Een schaamteloze vrouw zal als een hond worden beschouwd, maar een vrouw die schaamte kent, zal ontzag hebben voor de Heer.' Hij zei me dat als ik het nog eens deed, hij me harder zou slaan en me er ook uit zou gooien.

Naarmate de dagen verstreken en Jacob wanhopiger werd, en onze moeder wanhopiger werd, werd ik ook wanhopig. Destijds geloofde ik in de kerk, in Jezus Christus en in de hemelse Vader zoals die wordt beschreven in het Oude en het Nieuwe Testament van de Bijbel. Verder wist ik van niets. Ik had nooit de kans gekregen om iets anders te leren of te geloven. Ik wilde niet dat Jacobs kerk uiteenviel of door de overheid werd aangepakt. Natuurlijk wilde ik ons huis niet kwijtraken, want het was het enige van waarde dat mijn familie bezat. Ik begon op eigen houtje naar Ben Zion te zoeken. Ik vroeg Jacob om toestemming voor ik begon, en aanvankelijk zei hij nee. Nadat dominee Luke vertrok, naar hij zei omdat hij zijn geloof in Jezus Christus niet langer kon verzoenen met wat hij met Ben Zion had ervaren, en omdat hij niet langer een evangelie kon prediken dat hij niet in zijn hart voelde, gaf Jacob me toestemming. Hij dreigde niet alleen het fysieke pand te verliezen waarin zijn kerk zat, maar de gemeente verloor ook leden, omdat de mensen de chaos opmerkten, de instabiliteit bij de leiding zagen en naar andere kerken begonnen te gaan.

Ik begon met het mijn moeder te vragen, maar zij wist niets. Ik ging naar de Bronx, waar Ben had gewoond voor zijn ongeluk, voor hij bij ons terugkwam, maar niemand wilde met me praten en een grote kerel raadde me aan te vertrekken, dat niemand daar me iets zou vertellen en dat er mensen waren die me misschien iets aandeden als ze dachten dat ik Ben Zion iets zou aandoen, ze kenden hem alleen als Ben. Ik ging naar het bouwterrein waar hij had gewerkt, maar de werklui daar hadden Ben Zion niet gezien, en de voorman van het terrein wilde niet met me praten. Ik ging naar de gevangenis en probeerde met enkelen van de mensen te praten die met hem in de tunnels hadden gezeten. Ik kreeg een vrouw en drie mannen te spreken. Zodra ik hun vertelde wie ik was, stonden ze op en liepen ze weg zonder een woord tegen me te zeggen. Ik deed wat Jacob had gedaan, belde politieposten, ziekenhuizen en opvanghuizen voor daklozen. Ik ging naar het ziekenhuis waar ik Ben had gevonden, maar de dokter was niet beschikbaar. Ik ging terug naar mijn moeder, in de hoop dat Ben Zion misschien contact met haar had opgenomen, maar ik kon haar niet vinden. Ik ging naar alle plekken waar zij was geweest of waarvan ik wist dat ze was geweest, maar ze was nergens te vinden. Ik bleef twee dagen thuis en in de kerk om te bidden, nog steeds niets. Op de derde dag besloot ik niet naar de kerk te gaan en niet te bidden. Ik was moe, en vond het niet aangenaam in de buurt van Jacob te zijn, die almaar wanhopiger, opvliegender en woedender werd. Ik bleef thuis. Ik luisterde naar de radio. Ik zette een zender op die niet christelijk was, wat zeer waarschijnlijk tot een pak slaag had geleid als Jacob het had geweten of wanneer hij was thuisgekomen en het had ontdekt. Ik luisterde naar een popzender, zoals een normaal meisje van mijn leeftijd zou doen, zoals alle normale meisjes van mijn leeftijd in heel New York City waarschijnlijk op precies hetzelfde moment deden. Ik hoorde liedjes over verliefd worden, over verliefd zijn, over naar feestjes gaan en dansen, over liefde verliezen en om liefde treuren. Ik hoorde liedjes over heerlijke kussen en liedjes over seks. Ik hoorde liedjes over grote dromen en mensen die daarvoor gingen en ze soms verloren en ze soms waarmaakten. Ik had nooit iets van deze dingen geweten. Ik had nooit iets dergelijks meegemaakt. Mijn leven had bestaan uit kerk, bidden, school aan huis en Bijbelstudie. De jongens die ik kende waren verboden terrein tot het huwelijk, en contacten tussen ons werden heel strikt in de gaten gehouden. Ik was nooit de deur van ons huis uit gelopen met het idee dat ik een jongen zou ontmoeten, een jongen die me misschien leuk zou vinden, die me misschien zou kussen, op wie ik misschien verliefd zou worden, met wie ik zou lachen en dansen, een jongen die me gelukkig zou maken. Ik vond de liedjes die ik hoorde mooi en ze lieten me glimlachen. En ze lieten me hopen. En ze lieten me dromen. Ik had dromen waarover ik alleen had gedroomd ze te krijgen. Misschien zou ik er op een dag iets waars in zien. Misschien zouden er op een dag een paar uitkomen. Na twee uur met liedjes, dromen, glimlachen en wat onbeholpen gedans, ging de telefoon. Jacob nam de telefoon op wanneer hij thuis was, en het was mijn taak om op te nemen als hij weg was, al belde er nooit iemand voor mij. Ik zette onmiddellijk de radio uit, in de veronderstelling dat het iemand voor Jacob was, en ik wist dat als ze de radio hoorden ik er later voor zou betalen. Ik nam op en zei hallo, en een man vroeg me of ik Ruth Avrohom kende. Ik vertelde hem dat ze mijn moeder was. Hij zei dat hij een maatschappelijk werker was in een ziekenhuis in Brooklyn, en dat mijn moeder daar was, en dat ze iemand nodig hadden om een paar formulieren te tekenen die met haar te maken hadden. Ik vroeg hem wat er was gebeurd en hij zei dat hij niet op bijzonderheden kon ingaan, maar dat hij het zou bespreken als ik naar het ziekenhuis kwam. Ik vroeg hem of het met haar ging, en hij zei dat haar toestand kritiek was. Ik kreeg het adres en hing op.

Zonder na te denken of zonder over de mogelijke repercussies na te denken, vertrok ik meteen. Ik nam de metro en kwam bij het ziekenhuis. Dat lag in een arm stuk van Brooklyn, en ik was er de enige blanke, bij de patiënten en bezoekers in elk geval. Ik vroeg een vrouw waar ik mijn moeder kon vinden. Ze stuurde me naar de intensive care. Toen ik daar arriveerde, moest ik met een andere vrouw praten. Die gaf me het kamernummer van mijn moeder, maar zei me dat ik moest wachten op een dokter die met me wilde praten. Ik ging zitten wachten.

Ik wachtte lang. Ik was heel bang. Mensen keken naar me of ik daar niet thuishoorde, in dat ziekenhuis, en zo dacht ik er ook over. Verder was niemand blank. Een heleboel van de mensen spraken geen Engels. Ik kende uit de kerk mensen die niet blank waren en niet al te goed Engels spraken, maar daar waren we allemaal verenigd door ons geloof in God. In het ziekenhuis waren we nergens door verenigd. Ik had geen idee wat zij geloofden. Ik vertrouwde hen niet. Ik kon uit de manier waarop ze naar me keken opmaken dat ze me niet vertrouwden. Eentje vroeg me of ik van de politie was. Een ander vroeg me of ik voor de staat werkte en er was om iemands kind weg te halen. De meesten staarden me alleen een minuut aan of gingen ergens zitten zodat ze niet te dicht bij me hoefden te zijn. Eindelijk kwam een dokter met me spreken. Hij vroeg me om mijn legitimatie en die liet ik hem zien. Hij liep met me naar een kamer verderop in de gang, waar mijn moeder op een bed lag. Haar gezicht was afschuwelijk opgezet en er zaten grote blauwe plekken op. Er gingen buisjes en slangetjes haar armen in en uit, er ging een buis haar mond in en overal zat ze in het verband. Haar ogen waren gesloten.

Ik wist niet wat ik moest doen, wat ik moest zeggen. Ik was bang om de kamer in te lopen. De dokter vertelde me dat ze was aangevallen bij een opvangcentrum voor daklozen. Er waren geen echte bijzonderheden over wat er precies was gebeurd, maar hij had gehoord dat er in het opvangcentrum een redetwist met een man over eten was geweest. De coördinator van het opvangcentrum had haar zien vertrekken, en een uur later werd ze twee straten verderop in een steegje gevonden. Ze was verkracht en geslagen. Haar neus en jukbeenderen waren gebroken, ook had ze een schedelfractuur. Ze was stabiel en zou waarschijnlijk blijven leven, maar ze was er slecht aan toe. De politie had proces-verbaal opgemaakt, maar er waren geen echte verdachten en ze verwachtten niet iemand te arresteren. Hij zei dat mijn moeder in de directe toekomst in het ziekenhuis kon blijven, maar dat ze vrij snel weg moest. Hij vroeg me of ik haar in huis kon nemen. Ik begon te huilen.

Ik bleef een paar uur bij haar. Ik zat naast de rand van haar bed en probeerde me bij haar te verontschuldigen. Ik wist dat ze me niet kon horen, maar ik deed het toch. Toen ik thuiskwam, wachtte Jacob me op. Ik probeerde hem te vertellen wat er was gebeurd, maar hij zei dat het hem niet interesseerde. Onze moeder was voor hem onze moeder niet meer. Ik probeerde er met hem over te praten en hij sloeg me en hij bleef me maar slaan. Toen hij ophield, ging ik naar mijn kamer en ik staarde naar het plafond tot ik Jacob naar bed hoorde gaan. Ik wachtte nadien nog een uur, ik stond op, kleedde me aan en vertrok.

Ik ging naar Manhattan. De metro was leeg. Het was midden in de nacht. Mijn plan was om terug te gaan naar alle mensen die ik had gesproken en hun nog eens te vragen of ze wisten waar ik Ben Zion kon vinden. Ik zou de omstandigheden uitleggen, waarom ik hem moest spreken, want ik geloofde dat als ik hem kon vinden en terugbracht Jacob zou toestaan dat onze moeder naar huis kwam, waar ik voor haar kon zorgen. Ik ging het station uit, de stad in. De trottoirs waren verlaten. De winkels waren allemaal dicht. Er waren geen auto's op straat. Het was rustig, stil en mooi. De lange, rechte straten die zich uitstrekten tot aan de horizonlijn. De gebouwen in schaduwen, in zwart. De elektrische borden op gevels van winkels straalden rood, geel, blauw. De straatlantaarns flikkerden. Het asfalt was verlaten. De dichtstbijzijnde locatie was het ziekenhuis, dus daar begon ik heen te lopen. Een kwartier lang zag ik niemand, al zag ik soms schaduwen bewegen achter verlichte ramen. Toen ik het ziekenhuis naderde, begon ik auto's te zien en een paar mensen. Ziekenhuizen horen tot de weinige plaatsen op aarde die nooit slapen, nooit stoppen, nooit een kans krijgen op adem te komen, alleen te zijn of kalm, verlaten te zijn. Hoe dichterbij ik kwam, hoe meer mensen ik zag, sommigen in operatiekleren of in witte jassen met van voren een naamplaatje, sommigen alleen verdrietig of verslagen, sommigen zagen er ziek en verloren uit. Ik ging naar de eerste hulp, waar de dokter werkte. Er zaten een paar mensen in de wachtkamer. Ze zagen er allemaal bang uit, bijna schuldig. Een jonge vrouw en een jonge man, allebei gekleed of ze naar iets chics waren geweest, wekten de indruk dat ze een geest hadden gezien. Een jongetje hield de hand van zijn vader vast. Een oude vrouw zat alleen en staarde naar de vloer. Een stel zat bij elkaar, de vrouw snikte op de schouder van de man. Toen ik naar de receptie liep, zag ik de dokter er in een kantoor achter staan. Ze was aan het telefoneren. Ze leek heel ernstig. De receptioniste vroeg of ze me kon helpen en ik vertelde haar dat ik de dokter moest spreken. Ze vroeg waarom en ik zei haar dat het over mijn broer ging. Ze vroeg of mijn broer een patiënt was in het ziekenhuis en ik zei wel geweest maar niet meer. Ik vroeg haar de dokter mijn naam te geven en haar te zeggen dat ik haar moest spreken. Ze zei dat ze het zou doen en ik ging zitten.

Ik wachtte een uur. Iedere keer dat er een arts of verpleegster binnenkwam, keek iedereen op, met een mengeling van veel angst en veel hoop op het gezicht, omdat ze wisten dat ze zo meteen zouden worden gered of ten onder zouden gaan. De vierde keer kwam de vrouwelijke arts naar binnen, ze keek naar me, glimlachte en ging naast me zitten. Ze zei dag en vroeg me wat er was gebeurd. Ze kon recente blauwe plekken op mijn armen en hals zien, en veronderstelde dat ik er was voor een of andere behandeling. Ik vertelde haar wat mijn moeder was overkomen, over de situatie thuis, maar toen ze vroeg of Jacob me had geslagen zei ik nee, en ik vertelde haar dat ik Ben Zion moest vinden en dat ik hem al een paar weken zocht, maar geen spoor van hem kon vinden en evenmin iemand die ook maar met me over hem wilde praten. Ze vroeg me of Ben Zion volgens mij enig gevaar zou lopen als ik hem vond, en ik zei nee, we zijn z'n familie, we hebben hem nodig, we houden van hem, we missen hem en we hebben hem nodig. Ze glimlachte en zei dat ze terug zou komen, en ze omhelsde me en liep weg. Ze kwam even later terug met een memobriefje in haar hand. Ze zei dat hij op een boerderij in het binnenland van de staat New York woonde, dat ze met de boerderij had gebeld en met hem had gesproken. Hij had haar gezegd me het adres te geven, dat ik hem moest komen opzoeken en dat hij van me hield. Ik nam het memobriefje aan, ze omhelsde me en ik vertrok.

Ik liep naar het busstation. Ik had genoeg geld om een kaartje te kopen voor het grootste deel van de route, maar niet voor heel de route. Het station was walgelijk. En angstaanjagend. Het was smerig, en er waren een heleboel daklozen en mannen die op iets of iemand stonden te wachten, en nooit leken te vertrekken. Er leken meer mensen naar de stad toe te komen dan die te verlaten. Toen ik hen uit hun bussen zag stappen, vroeg ik me af hoe velen van hen – misschien wel niet één – gelukkig zouden worden of zouden vinden dat ze een goed besluit hadden genomen. Ik zocht zo vlug als ik kon mijn bus op, stapte in en ging op de stoel pal achter de chauffeur zitten, zodat wanneer er iets gebeurde ik dicht bij iemand was die me kon helpen.

De rit duurde een paar uur. De bus was grotendeels leeg. Een oud stel zat bij elkaar, ze hielden elkaars handen vast. Drie meisjes met boodschappentassen. Een tienermeisje dat er moe en verdrietig uitzag. Een tienerjongen die eruitzag of hij ging ontploffen. Ik staarde uit het raam naar het groene waas en de eindeloze grijze lijn die zich voor ons uitstrekte. Drie uur later stapte ik uit in een plaatsje in het binnenland van de staat New York. Het leek of het er ergens in het verleden aardig was geweest. De huizen waren victoriaans met overnaadse planken, en vele ervan waren erg groot, al waren de meeste inmiddels bouwvallig. Er was een hoofdstraat met winkels, inmiddels bijna allemaal gesloten en dichtgespijkerd. Er waren drankwinkels en kerken. Drie wapenzaken. Een goedkope kledingzaak en een uitdragerij. Aan de rand van de plaats vervallen fabrieken en een zaak met tweedehands auto's vol pick-ups. De meeste mensen die ik te zien kreeg, zaten op hun veranda of op hun grasveld. Niemand leek te werken. Ik stopte bij een tankstation en vroeg hoe ik naar het stadje moest waar Ben Zion woonde. De man lachte me uit toen hij me vroeg hoe ik erheen ging en zei dat ik ging lopen, maar hij wees me toch de weg. Hij vertelde me dat het ruim honderd kilometer was. Ik begon de weg af te lopen. Het was een tweebaans provincieweg met afval en onkruid aan de zijkanten. Wanneer ik auto's zag, ging ik verder het onkruid in zodat niemand me zou zien, ook al wist ik dat ze me wél zagen. Ik was moe en mijn lichaam deed nog pijn vanwege Jacob, en ik schaamde me ervoor langs de kant van de weg te lopen. Ik had geen hardloopschoenen of wandelschoenen. Alleen mijn kerkschoenen, goedkope flatjes van zwart leer met plastic zolen. En ik droeg wat ik altijd droeg, een lange rok, een blouse met lange mouwen en lange kousen. Ik begon vrijwel meteen te zweten, en ik had al een hele tijd niets gegeten of gedronken. Ik liep een poos en ging dan zitten rusten. Ik kwam wel vooruit, maar honderd kilometer leken wel duizend kilometer. Ik kon me niet voorstellen dat ik de hele weg zou lopen. En ik wist dat ik op een gegeven moment moest gaan slapen en iets te eten moest hebben. Ik wist dat ik op een gegeven moment iets van onderdak nodig had.

Ik begon te bidden onder het lopen. Ik sprak met Jezus en de Heilige Vader, en vroeg hun om hulp en leiding. Ik vertelde hun dat ik bang was en hulp nodig had. Ik vertelde hun dat ik hen vereerde, in hen geloofde en alles zou doen wat ze van me vroegen als ze me hielpen. Ik smeekte hun om een teken, om me op een of andere manier te laten weten dat ze mijn gebeden konden horen. Ik vouwde onder het lopen mijn handen, boven mijn hart, en keek omhoog naar waar volgens mij de hemel was, en ik vroeg de engelen naar mij af te dalen. Ik geloofde, omdat ik in Gods woord zoals dat in de Bijbel wordt uitgedrukt geloofde en daarnaar leefde, en omdat ik een persoonlijke band met Christus had, dat er op een of andere manier hulp zou komen. Ik bad zo vurig. Ik bleef lopen, en ik bad zo vurig.

Ik weet niet hoe ver ik die eerste dag kwam, waarschijnlijk vijftien à vijfentwintig kilometer. Ik sliep in een park in een plaatsje dat sprekend op het eerste plaatsje leek. Ze leken allemaal op het eerste plaatsje. Ik werd wakker door de laars van een politieagent. Hij duwde ermee tegen me aan. Niet op een agressieve of kwaadaardige manier, maar genoeg om me wakker te maken. Hij vroeg me wie ik was en wat ik deed. Toen ik hem vertelde waar ik heen ging, lachte hij me uit, draaide zich om en liep weg. Ik kwam overeind en ging de weg weer op.

Het was een lange dag. De langste dag van mijn leven. Ik dronk water in de toiletten van tankstations. Ik at dingen uit vuilnisbakken. Ik liep uren en uren. Mijn voeten en mijn lichaam deden zeer. Ik bleef bidden. Ik bleef Jezus Christus en de Heilige Vader om hulp vragen. Twee keer stopte een auto en geloofde ik dat mijn gebeden waren verhoord. Allebei de keren boden mannen me een lift aan als ik dingen met hen zou doen, als ik me voor hen zou bezoedelen. Allebei de keren rende ik de weg af en het bos in, om me te verstoppen. Toen ze wegreden, kwam ik tevoorschijn, en ik bleef maar lopen.

Drie dagen nadat ik uit de bus was gestapt, bereikte ik de toegangsweg van de boerderij. Mijn voeten brandden, mijn keel brandde, en ik had het gevoel dat ik moest braken. Ik dankte God dat hij me de kracht had gegeven het vol te houden. Ik ging letterlijk op mijn knieën, keek naar waar de hemel geacht wordt te zijn, en dankte Jezus Christus en God. Ik dankte hen dat ze me hadden geleid, voor mijn veiligheid hadden gezorgd en me hadden laten zien waar ik kon slapen, waar ik water en eten kon vinden. Ik dankte hen dat ze me niet-christelijke roofdieren hadden laten herkennen en vermijden. Ik dankte hen dat ze me de dokter hadden laten vertellen waar Ben Zion was te vinden. Ik dankte hen voor Ben Zion zelf en voor het geschenk hem als broer te hebben. Ik bleef een uur op mijn knieën om te bidden en Jezus en de Hemelse Vader te danken. Ik bleef op mijn knieën tot de drang om te braken verdween en tot ik het gevoel had dat zij me mijn kracht hadden teruggegeven.

De wandeling over de oprit was niet zwaar. Het was een lange, rechte weg met bossen aan beide kanten. Het duurde ongeveer tien minuten. Toen ik het eind bereikte, waren er een grote witte boerderij, een loods en erachter enorme overwoekerde akkers. Er waren mensen. Sommigen waren in een tuin bezig, anderen zaten zomaar. Ze zagen er allemaal gelukkig uit. Een forse vrouw vroeg of ik hulp nodig had. Ik zei haar dat ik op zoek was naar Ben. Ze zei dat hij weg was en ze niet wist wanneer hij terug zou komen. Ik vroeg een glas water en dat haalde ze voor me. Ze probeerde met me te praten, maar ik vroeg haar me met rust te laten, en dat deed ze.

Ik keek naar de mensen op de boerderij. Er waren allerlei soorten mensen, met allerlei huidskleuren, uiteenlopende leeftijden. Sommigen van hen waren beslist vreemd, of wat Jacob abnormaal of geperverteerd zou noemen. Mannen hielden elkaars hand vast. Vrouwen hielden elkaars hand vast. Mij was mijn hele leven geleerd dat homoseksuelen slecht waren en gedoemd waren tot de hel. Dat ze ziekten verspreidden. Dat ze geestelijk ziek waren. Ik was bang voor hen. Ik wilde niet dat ze bij me in de buurt kwamen, en ook al had ik Ben Jeremiah zien kussen, ik meende dat dit eerder diende om Jacob kwaad te maken dan omdat hij hen of hun levenswijze accepteerde, en ik kon niet geloven dat hij bij hen woonde.

Ik zat ongeveer een uur op de veranda. Zodra ik niet meer in beweging was, sloeg mijn vermoeidheid toe. Het kostte me moeite mijn ogen open te houden. Het vergde veel inspanning om het glas naar mijn lippen te brengen, al was het water heerlijk toen het me lukte. Ik had het gevoel of mijn borstkas werd overladen, en elke ademtocht was inspannend, en bij elke ademtocht kon ik mijn kracht voelen verdwijnen. De vrouw die water voor me had gehaald, keek af en toe naar me. De andere mensen – en ze kwamen het huis in en uit, kwamen van de weg af met tassen die kennelijk vol eten en kleding zaten, mensen die naar de loods gingen – leken me niet op te merken, en wanneer ze me wel opmerkten, waren ze heel aardig en zo te zien normaal. Ten slotte kwam Ben de akkers uit lopen. Hij was met een stelletje, ze zagen er gelukkig uit en hij omhelsde hen allebei. Hij draaide zich mijn kant op, zag me en glimlachte. Hij zag er mager uit, zijn haar was langer, hij was nog steeds bleek, en zijn littekens zagen er erger uit dan ik me herinnerde of ze leken meer op te vallen. Hij liep mijn kant op en ik begon te glimlachen. Hij ging bij me zitten, pakte mijn hand, sloeg zijn armen om me heen en zei *dag*. Ik begon meteen op zijn schouder te huilen, te snikken. Ik kon niets uitbrengen, ik snikte alleen. En dat voelde heerlijk. Ik voelde me veilig en sterk. Ik was niet meer bang. Ik voelde me rustig en kalm. Ik voelde me zoals ik me wilde voelen als ik tot Jezus en de Heilige Vader bad. Ik voelde me bemind.

Hij nam me bij de hand en bracht me naar een kamer. Hij zei me dat ik moest gaan liggen, en het bed was groot en de lakens waren schoon, en ik was zo moe. Ik probeerde hem te vertellen wat er in New York was gebeurd, waarom ik er was, dat onze moeder hem nodig had, dat Jacob de kerk aan het verliezen was en dat dominee Luke was vertrokken. Hij glimlachte alleen en zei dat ik moest gaan slapen. Ik zei hem dat hij alleen voor een paar dagen terug hoefde te komen, dat hij dan weer weg kon om naar hier terug te keren of waar dan ook heen te gaan. Hij zei dat wanneer hij eenmaal vertrok hij nooit meer terug zou komen. Ik vroeg hem waarom en hij zei *omdat we allebei weten wat er gaat gebeuren wanneer ik terugkom in New York.* Ik zei hem dat we onze moeder naar huis zouden halen, dat hij met Jacob zou praten en alles in orde zou komen. Hij glimlachte, zei dat hij van me hield en me later zou komen halen, nadat ik had geslapen. Toen ging hij de kamer uit.

Ik viel bijna onmiddellijk in slaap. Ik werd wakker doordat Ben Zion naast mijn bed zat, zijn hand op mijn arm. Het was donker en er kwam geen licht door het raam. Hij glimlachte naar me en zei dat het tijd was om te gaan. Ik ging het bed uit. Hij had een paar schoenen voor me. Niet gloednieuw, maar iemand anders schoenen die er beter aan toe waren dan de mijne en waarmee je beter kon lopen. Ik vroeg hem waarom we midden in de nacht vertrokken en hij zei dat het lopen dan makkelijker ging omdat het koeler was, en dat er meer vrachtauto's op de weg waren, waardoor we meer kans hadden op een lift. Hij liep de deur uit en gebaarde me hem te volgen.

We liepen het huis door. Het was stil en donker. Toen we de trap af liepen, zag ik mensen in de woonkamer en de eetkamer. Er waren er vijf of zes in ieder vertrek. De meesten waren naakt en ze waren met elkaar verstrengeld. Ik zag twee van hen kussen en bewegen, en ik keek onmiddellijk weg. Ik geloofde dat wat ze ook aan het doen waren, het verkeerd was. Wat ze ook aan het doen waren, het ging tegen Gods wil in. Wat ze ook aan het doen waren, het was een zonde. Ben besteedde geen aandacht aan hen. We verlieten het huis.

In de tuin was het hetzelfde. Het was warm buiten en er sliepen mensen op dekens in het gras. Een paar waren nog wakker. De half-volle maan stond hoog aan de hemel, zodat ik hen beter kon zien, en ze deden dezelfde soort dingen, een paar maakten er geluiden bij. Ik zag twee kussende mannen, hun armen om elkaar heen, en ik keek weer weg. Ik moet zenuwachtig zijn geworden, want Ben pakte mijn hand en sprak.

*Je mag best kijken.*

Ik sprak.

Het is verkeerd.

*Waarom?*

Het is een zonde.

*Waarom?*

Het druist in tegen Gods woord zoals dat in de Bijbel wordt uitgedrukt.

*Twee mensen die elkaar gelukkig maken, is niet verkeerd.*

Het zijn allebei mannen.

*Het zijn allebei mensen.*

In Leviticus 18:22 staat: 'je zult niet naar bed gaan met iemand van het mannelijk geslacht, zoals je met een vrouw naar bed gaat: dat is walgelijk.'

*Ik zie dat ze gelukkig zijn, ze van elkaar houden en elkaar een goed gevoel bezorgen.*

Hun zielen zijn verdoemd.

*Je haat hen vanwege hun levenswijze?*

Ja.

*In die Bijbel van jou staat ook, in 1 Johannes 4:20:' wanneer iemand zegt "Ik houd van God" en zijn broeder haat, dan is hij een leugenaar. Want wie niet van zijn broeder houdt die hij heeft gezien, kan niet van God houden die hij niet heeft gezien.'*

In Gods ogen, zo is mij geleerd, zijn het vanwege wat ze zijn mijn broeders niet.

*Dan heb je het verkeerd geleerd. We zijn allemaal hetzelfde, ongeacht wie wij beminnen en hoe.*

Zo staat het niet in de Bijbel.

*De Bijbel is een boek. Boeken zijn er om verhalen te vertellen. Ze zijn er niet om mensen het recht te ontzeggen te leven zoals zij verkiezen. Leef volgens wat je voelt en wat goed voelt, niet volgens wat een of ander boek met verhalen je voorhoudt.*

Ik kan niet naar hen kijken.

*Je hoeft niet te kijken, maar er is geen verschil met een man en een vrouw die verliefd zijn, en dan zou je niet wegkijken.*

Wel als ze aan het zondigen waren.

*Er bestaat niet zoiets als zonde. Alleen dwang en schuldgevoel.*

We liepen van het huis vandaan, de oprit af. Hij bleef mijn hand vasthouden. We verlieten de oprit en begonnen de weg af te lopen. Ik vroeg hem waar we heen gingen en hij zei *de snelweg.* We liepen nog eens een halfuur. We spraken niet, maar het was niet penibel. Ben Zion zorgde dat ik kalm werd, me veilig voelde, dat mijn onzekerheden en angsten verdwenen. Hij hield alleen mijn hand vast en liep naast me. En hoe belachelijk het ook mag klinken, soms is voor ons allemaal het enige wat we in het leven nodig hebben iemand die onze hand vasthoudt en naast ons loopt.

We haalden de snelweg en begonnen ernaast te lopen. Er waren een heleboel vrachtauto's en heel weinig personenauto's. Ze reden langs ons en door de wind die ze veroorzaakten bewoog ik een beetje, en ik was bang omdat ze zo dichtbij waren. Ben liep gewoon en leek helemaal niet bang. Hij vertelde me dat hij dit een aantal keren had gedaan en dat er gewoonlijk iemand stopte om een lift te geven, al was het misschien lastiger omdat we met z'n tweeën waren. En ook al had ik even geslapen, ik was moe en kon me niet voorstellen heel de weg terug naar New York te gaan lopen.

Na een uur of zo stopte een vrachtauto. Het was een achttienwieler met het logo van een supermarkt op de zijkant. De chauffeur deed het raampje open en vroeg waar we heen gingen, Ben zei *New York.* Hij zei dat hij ons naar New Jersey kon brengen en we klommen de truck in. In de cabine van de truck was er achter de stoelen een hoekje met een matrasje en een deken. Ik ging daar achterin liggen.

Ik probeerde wakker te blijven om te horen waarover hij en Ben Zi-on spraken, want ik was nieuwsgierig wat de Messias zou zeggen te-gen iemand die hij net had leren kennen, maar vrijwel meteen toen we in beweging kwamen, viel ik in slaap. Toen ik wakker werd, wa-ren we in New Jersey.

De vrachtauto stond vast in het verkeer en we kwamen amper vooruit. Ben en de chauffeur vertelden elkaar grappen. Gekke mop-jes en kinderachtige grollen. Ze vertelden een grap en lachten en lachten en lachten. Ik snapte de grappen niet helemaal, en toen Ben me hoorde draaide hij zich om, hij zei *dag* en legde zijn hand op mijn hoofd. Hoewel ik nog een beetje slaperig was geweest, was ik meteen wakker en mijn hart sloeg heel snel, alsof ik net had gerend of zoiets, of zoals het naar ik me voorstelde moest zijn wanneer je aan de drugs bent. Alle zorgen, angsten en onzekerheden waren weg. Het gewicht dat ik heel mijn leven had gevoeld, dat volgens mij ieder mens voelt, het gewicht dat ons bestaan is, of onze ziel, of de slechte dingen die in onze ziel doordringen, ons besmetten en ons tot slechte dingen aanzetten, was weg. Ik wist niet wat ik moest zeggen, dus zei ik maar hai, Ben Zion lachte en vertelde me dat we bijna thuis waren. Ik glimlachte en zei mooi, en de chauffeur draai-de zich om, keek naar me en zei dag, en ik glimlachte maar wist niet goed wat ik moest zeggen. Ik sprak buiten de kerk zelden met man-nen. Hij zei me dat mijn broer een grappige vent was, goed reisge-zelschap, en ik glimlachte en zei ja. Hij vroeg me of ik verlegen was, en Ben Zion zei *ja, ze is verlegen, ze is een goed christelijk meisje, of dat was ze vroeger voor ik opdaagde.* Ze lachten allebei en ik was een beet-je in de war door wat Ben Zion bedoelde en waarom de chauffeur moest lachen. Toch voelde ik me anders, beter en lichter, ik voelde me net als wanneer ik ziek was geweest en beter wakker werd, of mijn koorts over was of zoiets, of ik niet ziek meer was. De chauffeur draaide zich weer terug, Ben Zion vertelde nog een grap, ze lachten weer en we bleven langzaam de kant van de stad op rijden. Zo ging het de volgende tien, vijftien minuten door. Ze vertelden meer grappen, de chauffeur belde met een andere chauffeur om naar het verkeer te vragen en hij belde met zijn bestemming om hun te vertellen hoe ver hij was. Hij ging een uitrit op en stopte aan de kant van de weg. Ik kon de skyline van New York in de verte zien. De zon kwam op tussen de wolkenkrabbers en er kwamen lichtstromen door de tussenruimtes heen. En ook al had ik er heel mijn leven gewoond, ik verafschuwde New York, ik was er bang voor en beschouwde het als een poel van zonde, een hedendaags Gomorra, een oord waar de duivel elke dag de zielen van onschuldigen greep. Deze ochtend was het prachtig. De gebouwen straalden helemaal. De Hudson was kalm en er bewogen langzaam ponten over, met een beetje kielwater erachter. Ik kon de George Washington Brug zien en auto's die er op beide niveaus overheen stroomden, vol mensen die naar hun werk gingen, vrienden gingen opzoeken, winkelen, de bezienswaardigheden bekijken of doen wat ze maar gingen doen, en ik was blij voor hen, of de stralend heldere prachtige plaats waar ze heen gingen hen op een of andere manier zou helpen, hen beter zou maken, hen gelukkig zou maken. En ik nam het hun niet kwalijk. Ik denk dat ik, door op te groeien in een milieu waar ik te horen kreeg dat iedereen fout was en wij goed waren, dat iedereen naar de hel ging en wij niet, tot op zekere hoogte angstig, boos en wrokkig was geworden jegens mensen die anders dachten dan ik of anders leefden dan ik. Maar om een of andere reden was het deze ochtend allemaal verdwenen, het was allemaal verdwenen.

We stapten de vrachtwagen uit, de chauffeur stapte ook uit, hij omhelsde Ben Zion innig en zei telkens weer dankjewel. Ben Zion zei *nee, jij bedankt dat we mee mochten rijden,* en de man begon te huilen. Ik weet niet waarom, maar het gebeurde, hij stond daar zomaar te huilen en Ben Zion hield hem tegen zijn schouder en liet hem begaan. De zon was achter hen nog steeds aan het opkomen. En het licht stroomde nog steeds. En de ponten en auto's bewogen nog steeds. En alle mensen in de stad en op weg naar de stad leefden en leidden hun levens en ik hield van hen allemaal. En ik weet niet waarom, maar het was zo. Ik weet dat het ook voor Ben Zion gold. En ik weet dat het ook voor die chauffeur gold. En ik weet niet waarom of wat Ben Zion had gedaan met mij of met die man toen ik sliep en voor ze elkaar dwaze grapjes vertelden en lachten, maar het heeft me nooit verlaten, en al was ik misschien voordien verbaasd, nadien niet. Nadien niet meer.

De chauffeur keek hoe wij wegliepen. Ben Zion nam mijn hand weer, hij glimlachte en we liepen naar de brug toe. Het duurde een uur of zo. Liepen over lege trottoirs naast wegen vol auto's. We staken de brug over, en hoe dichter we bij de stad kwamen hoe mooier die eruitzag, hoe stralender die leek. We waren de enige mensen die over de brug liepen, verder zat iedereen in auto's of vrachtauto's, en ze waren bijna allemaal alleen. Tienduizenden mensen, die allemaal naar dezelfde plek gingen, allemaal alleen. We gingen de brug af, de stad in. We waren in Upper Manhattan, waar je vooral lange straten hebt met flatgebouwen met een lage huur, lege fabrieksgebouwen en opslagplaatsen, en waar een paar metrotreinen over verhoogd spoor rijden. Ik vroeg Ben Zion waar we heen gingen, de metro zei hij. Ik zei hem dat ik geen geld had en hij zei me dat we geen geld nodig hadden. Hij leidde me een tunnel in waar een van de treinen uit de grond kwam, en het veranderde van stralend en prachtig in pikdonker en angstaanjagend. Ik zei hem dat ik bang was en hij zei *dat hoeft niet,* en ik vroeg hem of hij wist waar we heen gingen en hij zei *ja,* hij was vaak de brug over gelopen en dan deze tunnel in.

We liepen precies in het midden van de tunnel, in het stukje tussen de twee sporen. Soms was er een lamp boven ons, maar doorgaans was het zwart. Ik kon druppelend water en ratten horen, en een of twee keer hoorde ik iemand gillen. Wanneer de treinen langskwamen, hield ik mijn handen op mijn oren. De wind was heel sterk en de steunbalken die de tunnel overeind hielden, schudden een beetje. De treinen waren maar een meter van ons af, en de mensen erin waren een vlek. Ook al was Ben bij me, ik bleef bang. Ik had het gevoel dat we de hel in liepen en de treinen vol zaten met zielen van de verdoemden die naar eeuwig vuur en pijn raasden. En hoewel ik vroeger – nu ik gezien had wat ik met Ben Zion had gezien, ik Jacob niet had gehoorzaamd en mijn moeder in de steek had gelaten – gedacht zou hebben dat ik hen achterna zou gaan, dacht ik dat deze keer niet. Als ik de hel in liep, wist ik dat ik er ook uit kon lopen. Of als ik het gevoel had dat we de hel in liepen, geloofde ik toch niet dat zoiets bestond. Er is alleen het leven. Dit leven dat wij leven. Als het de hel is, komt dat omdat wij er een hel van maken.

Ik zag lichten voor ons, we bereikten een perron, klommen erop en wachtten op de volgende trein. Er waren nog een paar mensen op het perron, maar ze besteedden geen aandacht aan ons en leken er geen moeite mee te hebben dat wij de tunnel uit waren komen lopen. We stapten in een metro naar het centrum en stapten over op een metro naar Brooklyn. Niemand in de treinen zei niets of keek ook maar echt naar een ander. Ben hield mijn hand vast, sloot zijn ogen, leunde met zijn hoofd tegen het raam en ademde door zijn neus. Al leek het of hij sliep, volgens mij was dat niet zo. Op een gegeven moment stapte een magere blanke man in met een mooi kostuum en een aktetas, en Ben opende onmiddellijk zijn ogen. De man zat verderop tegenover ons, en Ben staarde naar hem. Hij wierp hem geen vuile of gemene blik toe, hij staarde alleen naar hem. Bij de volgende halte stapte de man uit.

Het duurde een uur of zo. We stapten uit en liepen naar het ziekenhuis. Toen we aankwamen, sliep onze moeder. Volgens de dokter ging het redelijk, maar niet goed. Ben Zion bracht me naar de wachtkamer en vertrok. Ik vroeg hem waar hij heen ging en hij zei *een eindje lopen*. Ik vroeg hem waarheen, hij glimlachte alleen en liep weg. Hij kwam drie uur later terug. Ik had geprobeerd om te bidden terwijl hij weg was, maar had er moeite mee gehad. Het leek raar om met iets te praten dat er niet was, waarvan ik niet wist of het er was, of waarvan ik geloofde dat het er was zonder er bewijs voor te hebben. En ik zag andere mensen in de wachtkamer die aan het bidden waren. Ik bekeek hen aandachtig. Twee van hen baden tot een christelijke God, ik wist dat omdat de een een bijbel bij zich had en de ander een kruis sloeg voor het bidden. Een ander was moslim en had een exemplaar van de Koran bij zich. Ze baden heel intens en waren heel geconcentreerd. Ik was eraan gewend met andere mensen erbij te bidden, soms veel andere mensen, vooral op Bijbelcongressen en bijeenkomsten met christelijke jeugd, dus daaraan lag het niet. Ik kon het gewoon niet op dat moment, en wilde het andere mensen zien doen, en wilde zien wat er gebeurde, als er al iets gebeurde. Er lagen tijdschriften in het vertrek, tijdschriften met filmsterren voorop, dwaze koppen en glanzende foto's van knappe mensen in elegante kleren. Ik pakte er eentje op en sloeg er een blik in. Intussen volgde ik de biddende mensen. Vanbuiten mochten de bladen dwaas lijken, vanbinnen waren ze erger. De artikelen gingen over mensen die zich erg druk maakten over hoe ze eruitzagen en waren gekleed, over hoeveel geld zij verdienden, en over de huizen waarin ze woonden. En al kon ik ergens begrijpen dat je tobde over deze dingen, ze leken ongelooflijk onbeduidend in een ziekenhuis, een oord waar mensen zwak en ziek en stervende waren, en waar de mensen die van hen hielden heen kwamen om hen te zien lijden. Tegelijk leek wat de biddende mensen deden even onbeduidend. Ze smeekten allemaal om hulp, om steun, om iets om hun lijden te verlichten en het lijden te verlichten van degene voor wie ze baden, ze smeekten bij personages uit boeken, personages die niemand ooit had ontmoet, gezien, gesproken, van wie niemand wist of ze ook maar bestonden. Ze baden tot de God of Heiland in wie ze geloofden om redding. Op dezelfde manier waarop sommige mensen de dwaze mensen uit de bladen vereren, mensen van wie we in elk geval weten dat ze echt zijn, aanbaden zij de mensen uit hun boeken, mensen over wie we niets weten. Ik zag een arts binnenkomen om met een van de christenen te spreken, en hij had een of ander slecht bericht, want de figuur begon onmiddellijk te snikken. Een familielid van de andere christen, of iemand die ik voor een familielid hield omdat ze sprekend op elkaar leken, kwam binnen om de figuur weg te halen, en het familielid had duidelijk gehuild. De man met de Koran zag wat ik zag, dat het gebed duidelijk niets had uitgehaald, maar toch bleef hij zijn boek vastklemmen en bidden. Ik vroeg me af, en vraag me nog steeds af, of wanneer ik hun boeken had vervangen door de dwaze bladen waarin ik een blik had geslagen en ze de dwaze mensen uit die bladen hadden vereerd, ze niet evenveel hadden bereikt.

Toen Ben Zion terugkwam, glimlachte hij en zei me met hem mee te komen. Ik stond op, we verlieten de wachtkamer en liepen naar de kamer van onze moeder. Toen we naar binnen gingen, was ze wakker en ze glimlachte naar me. De slangetjes waren haar mond uit, maar er zaten er nog in haar armen, en ze zat nog steeds onder het verband. Ik ging naast haar zitten, pakte haar hand en zei haar dat het me zo speet en dat ik van haar hield, toen begon ik te huilen. Ze trok me naar zich toe en hoewel ze te zwak was om het werkelijk te doen, begreep ik wat ze wilde. Ik stond op en sloeg mijn armen om haar heen. Ik bleef haar zeggen dat het me speet en dat ik van haar hield, en ze legde haar handen achter op mijn hoofd en hield mij tegen haar borst. Ben Zion stond een meter verderop naar ons te kijken. Na een minuut of wat liet onze moeder me los, ik liep weg en ging weer zitten, wel bleef ik haar hand vasthouden. Ben Zion kwam aanlopen en kuste mij op het voorhoofd, hij boog naar mijn moeder toe en fluisterde iets in haar oor, al kon ik niet horen wat. Ze glimlachte en kuste zijn wang, hij stapte opzij en kwam bij me zitten. Hij bleef tot zij in slaap viel, en toen het zover was, stond hij op en kuste haar voorhoofd. Hij draaide zich om en begon de kamer uit te lopen. Ik vroeg hem waar hij heen ging, hij hield halt, draaide zich om, keek naar me en sprak.

*Ik ga weg.*

Waarheen?

*Ik ga met Jacob praten.*

Niet doen.

*Ik ga zorgen dat je hem nooit meer hoeft te zien.*

Doe hem geen pijn.

*Ik doe niemand pijn.*

Waarom ga je dan?

*Ik wil dat jij vrij bent.*

Ik red me wel.

*Je redden is geen leven. Zorg voor ma.*

Je noemt haar ma?

*Toen ik klein was, noemde ik haar mammie. Toen ik ouder werd, was het ma. Alleen wanneer er niemand bij was. Het was ons geheimpje, weg van de regels en vormelijkheid bij ons thuis.*

Komt het wel goed met haar?

*Ik weet niet of zij nog wil leven. Ze heeft een lang en hard leven gehad.*

Ze heeft het niet verdiend.

*Niemand van ons verdient het.*

Hij draaide zich om en liep naar de deur.

Laat hem je geen pijn doen, Ben Zion.

*Ik hou van je, Esther.*

# Peter

Ik leerde Ben kennen toen zijn aanklacht werd voorgelezen. Dat was in het Queens County Criminal Courthouse. Hij was gearresteerd op verdenking van poging tot moord en brandstichting. Ik ben advocaat en werk op de afdeling strafzaken van de Legal Aid Society. In simpele lekentermen: ik ben piketadvocaat. Ik trok zijn dossier letterlijk uit een mand. Daardoor ben ik onherroepelijk veranderd. In vrijwel alle opzichten ten goede. Afgezien van de woede die ik voel wanneer ik bedenk wat hem is aangedaan.

Ik ben geworden wat ik ben door mijn vader. Hij was drugshandelaar. Hij was geen grote baas of iemand van belang in de drugshandel. Rappers hebben hem niet opgehemeld in hun liedjes. Schrijvers hebben geen boeken over hem geschreven. Hollywood heeft van zijn leven geen bekroond drama gemaakt. Hij handelde, zoals vele negers, vandaag de dag en in de jaren zeventig, toen hij actief was, op straatniveau in drugs. Hij stond letterlijk op een hoek drugs te verkopen. Dat deed hij omdat hij geloofde dat hij geen andere keuze had. Hij had geen goede opleiding. Hij kon geen baan krijgen. Hij had geen ouders die hem konden steunen of vooruit helpen. We woonden, en wonen, in Harlem. Hij en mijn moeder waren getrouwd, en zijn getrouwd, en ze kregen drie kinderen, ik en mijn tweelingzusters, een jaar jonger dan ik. We woonden in een flat op de vierde verdieping, zonder lift. Mijn moeder werkte als caissière in een supermarkt, maar verdiende heel weinig. Mijn vader zocht naar legaal werk, maar kon niets vinden. Hij deed wat hij moest doen. Hij nam de enige baan die hij kon krijgen.

Zoals ik zei, handelde hij op straatniveau. Hij stond op een hoek heroïne en cocaïne te verkopen. Zijn klanten waren vooral blanken uit de voorsteden en de economisch meer bevoorrechte delen van Manhattan, ook al waren er volop klanten uit de buurt. In 1973 werd door de staat New York een reeks bepalingen ingevoerd die bekendstaan als de Rockefeller-drugswetten. Het doel van de wetten was om het hoofd te bieden aan de toevloed van drugs in de staat door strenge straffen te stellen op de verkoop en verspreiding ervan. Wanneer je werd betrapt met meer dan zestig gram heroïne of cocaïne, en je van plan was die te verspreiden, kon je een minimumstraf van vijftien jaar tot levenslang tegemoetzien, en een maximumstraf van vijfentwintig jaar tot levenslang. Toen mijn vader werd gearresteerd na het verkopen van cocaïne aan een undercoveragent van de narcoticabrigade, was hij in het bezit van in totaal vijfenzeventig gram cocaïne. De cocaïne was tot crack verwerkt en in kleine flacons gestopt met hoeveelheden die hij verkocht voor tien, twintig, vijftig of honderd dollar. Het was 1984. Ik was drie, mijn zussen waren twee. Na een proces van twee dagen werd mijn vader schuldig bevonden en tot de maximumstraf veroordeeld. Ook al vergoelijk ik niet wat hij heeft gedaan, ik word doodziek van het idee dat hij een zwaardere straf kreeg dan menige moordenaar, dan vrijwel iedereen die kinderen mishandelt, dan de rijke witteboordencriminelen die dit land en de bevolking hebben uitgezogen, dan corrupte politici die onze steden kapotmaken. Mijn zussen en ik bleven zonder vader achter. Mijn moeder bleef zonder echtgenoot achter. Mijn vader werd naar een zwaar beveiligde gevangenis gestuurd waar hij nog steeds zit en waar hij denkt te zullen sterven. Mijn zussen en ik gingen de rest van onze kindertijd bij hem op bezoek op zijn verjaardag, met Kerstmis en op 4 juli, Independence Day. Pas toen ik ouder was, begreep ik de ironie van het bezoek in juli. 'Laat ons het leven vieren in het Land van de Vrije Mens en het Huis van de Dappere Mens.'

Nu ze mijn vader had verloren, was mijn moeder vastbesloten te voorkomen dat ik in zijn voetsporen zou treden. Ze nam een tweede baan, ook als caissière, in een tweede supermarkt. Ze schreef ons in voor de peuterklas in onze kerk. Ze wist ons in tweedehandskleren te steken die er nieuw uitzagen, en ze stampte er bij ons in dat het systeem, het systeem van kansen krijgen in Amerika en overal op de wereld, zo was opgezet dat wij er nadeel van hadden. Wij moesten twee keer zo hard werken om half zoveel te verdienen. We waren arm, zwart en woonden in een getto. De scholen waar we geacht werden heen te gaan, zouden ons geen opleiding geven die ons een perspectief bood. Er zouden geen deuren voor ons opengaan vanwege onze huidskleur of vanwege onze achternaam. We moesten ons twee keer zo netjes gedragen, twee keer zo hard werken, twee keer zoveel presteren. En als we dat konden, hadden we een kans. Als we het niet konden, zou het met ons net zo aflopen als met haar en met bijna alle vrouwen uit onze buurt (achttien uur per dag werken om haar gezin te onderhouden in een huis met één ouder) of als met onze vader en een groot aantal vaders van kinderen uit onze buurt (in de gevangenis omdat ze de enige baan namen die ze konden krijgen).

Ook al heb ik gelukkige herinneringen, het waren geen gelukkige kinderjaren. De meeste tijd ging op aan studeren. Ik werd bespot en geslagen door de andere jongens uit mijn buurt, jongens die waren voorbestemd om het pad van mijn vader te volgen. Ik begon op mijn veertiende parttime te werken in afwachting van de universiteit. Het was een baantje in een van de supermarkten waar mijn moeder werkte. Ik nam een weekendbaantje: vuil oprapen in Central Park. Ik was nummer drie in mijn eindexamenjaar op de middelbare school en kreeg een gedeeltelijke beurs voor een grote openbare universiteit. Ik werkte in de cafetaria daar om de beurs aan te vullen. Ik ging meteen door naar de rechtenfaculteit, in New York, ook op een gedeeltelijke beurs. 's Avonds werkte ik er in de bibliotheek en ik hervatte mijn weekendbaantje, vuil oprapen in het park. Zodra ik de rechtenstudie had afgerond, werd ik piketadvocaat. En hoewel het me niet altijd lukt om mensen als mijn vader te helpen, of vrouwen die mijn moeder hadden kunnen zijn of mijn zussen, die allebei arts werden door net zo te werk te gaan als ik, haal ik bij mijn strijd alles uit de kast. Ik schreeuw. Ik gil. Ik probeer alle trucs uit het boek, omdat ik weet dat de overheid alles zal aanwenden wat ze in huis hebben. Mijn vrije tijd gaat vooral op aan het bestuderen van rechtsgebieden die volgens mij mogelijk op mijn werk toepasbaar zijn. Ik ga op experts op andere terreinen af die misschien bruikbare kennis voor me hebben. Ik neem niet de moeite met jongelui te gaan praten en hen te waarschuwen voor de kwade kanten van de drugshandel of criminaliteit. Ze kennen de kwade kanten en ze kennen de mogelijke gevolgen. Ze weten vanaf het moment van hun geboorte dat het systeem helemaal tegen hen is gericht. Ze weten dat de wereld tegen hen is gericht. Als je niet met een zilveren lepel in je mond bent geboren, kon je ongeacht je ras, religie of seksuele geaardheid, evengoed in ketenen zijn geboren. Ik ben er niet verbitterd over. Ik aanvaard het zoals het is. Maar bij mijn strijd haal ik alles uit de kast.

Zoals ik zei, leerde ik Ben kennen in het Queens County Criminal Courthouse, waar ik iedere dag ga werken. Nadat een persoon is gearresteerd, gaat hij of zij naar een hechteniscel in een politiebureau. Van daaruit kijkt een officier van justitie op het intakebureau van het OM naar de zaak en komt met een aanklacht. De verdachte wordt ingeschreven, en wordt na het afnemen van vingerafdrukken naar de centrale registratie gestuurd. Het criminele verleden, ook wel bekend als strafblad, wordt opgevraagd en het Criminal Justice Agency kijkt naar de aanklacht en het criminele verleden, en komt met een voorstel voor borgtocht. Dan worden alle drie in een dossier bij elkaar gestopt. De dossiers worden in een mand gestopt wanneer de persoon naar de rechtbank wordt gebracht voor de lezing van de aanklacht. Wij, de piketadvocaten, trekken de dossiers uit de mand, en de persoon wiens dossier ik trek wordt mijn cliënt. Ik spreek met hen in een praathokje achter de rechtszaal. Het praathokje is in feite een doos van plexiglas, waarin ik door een afscheiding met mijn cliënt communiceer. Na een korte beoordeling van hun dossier bespreek ik hun mogelijkheden voor borgtocht. In het beste geval is er een kans dat ik hen eruit kan krijgen. In het ergste geval kan ik niets doen.

Na een blik op Bens dossier wist ik dat hij nergens heen zou gaan. Hij was aangeklaagd wegens poging tot moord op zijn broer. De aanklager stelde dat hij ook een kerk in brand had gestoken en had hem wegens brandstichting aangeklaagd. Hij had zijn borgtocht verbroken bij een lange lijst federale aanklachten. Ik herinnerde me in de kranten over de federale zaak te hebben gelezen. Een of andere zwaarbewapende apocalyptische sekte in de metrotunnels. Een groot aantal arrestaties. De leider van de sekte was omgekomen in de gevangenis waar hij zijn proces afwachtte, nadat hij zogezegd een bewaker had aangevallen. Rond zijn dood was er een aantal vragen, onder meer of hij werkelijk iemand had aangevallen, en mocht hij dat wel hebben gedaan of het geweld dat was gebruikt om hem in bedwang te krijgen en waaraan hij was overleden, gerechtvaardigd was geweest. Ben kon zowel in de nieuwe als in de oude zaken tot levenslang worden veroordeeld. Hij werd als gewelddadig gezien en er was een grote kans dat hij zou vluchten. In het dossier was sprake van mogelijke geestelijke instabiliteit. Hij was in Queens ingeschreven, maar voor een behandeling van drie dagen overgebracht naar een ziekenhuis in de buurt met een beveiligde afdeling. Hij was in hechtenis genomen met ernstige zwellingen op zijn gezicht, diverse verwondingen aan zijn gezicht, negen gebroken ribben, een ingeklapte long en een gebroken arm. Normaal gesproken zou ik hebben aangenomen dat de politie over de vechtpartij had gerapporteerd. Maar in het dossier stond dat hij in die toestand in hechtenis was genomen en dat hij was verwond door getuigen die probeerden hem in bedwang te houden na de daden waarvan hij werd beschuldigd. Ik zag hem toen ik naar de gespreksruimte liep. Uiteraard zag hij er schrikbarend uit. Hij zat in ziekenhuiskleding, aan een stoel geketend. Hij zat volkomen roerloos, bewoog niet. En hij was er kennelijk slecht aan toe. Een gehechte snee over een van zijn wangen. Zwarte ogen. Een neus die duidelijk was gebroken. Een arm in het gips. En als hij niet onlangs op zijn donder had gehad, had hij er nog steeds schrikbarend uitgezien. Hij had gitzwart haar en een marmerwitte huid. Hij was overdekt met de ergste littekens die ik ooit had gezien, en ik had er een heleboel gezien. Hij was extreem mager, al zag hij er niet ongezond uit. Integendeel eerlijk gezegd, ondanks zijn verwondingen. Het leek of hij straalde, zoals mensen soms over zwangere vrouwen zeggen dat ze stralen. Hij staarde recht voor zich uit. Reageerde op niets of niemand om hem heen. Toen ik dichterbij kwam, begon hij me te volgen met zijn ogen, maar verder bewoog hij in het geheel niet. Je raakte erdoor van je stuk. Of je door een beeld werd aangestaard tot je je ogen neersloeg. Ik ging tegenover hem zitten. Ik legde het geopende dossier op mijn schoot. Ik nam het woord.

Dag.

Hij glimlachte.

*Dag.*

Ik ben aan u toegewezen als piketadvocaat.

*Bedankt.*

U wordt beschuldigd van poging tot moord, mishandeling en geweldpleging, en er zijn vijf aanklachten wegens brandstichting. Begrijpt u deze beschuldigingen?

*Ja.*

Wilt u me vertellen wat er is gebeurd?

*Dat doet er niet toe.*

Wel als u wilt proberen uit de gevangenis te blijven.

*Wat mij op dit moment overkomt, gaat alles wat u kunt doen te boven.*

U kunt levenslang verwachten. Ik zou graag proberen u te helpen dat te vermijden.

*Weet u waarom ik hier eigenlijk ben?*

Ik weet alleen wat in dit dossier staat, erg elementaire informatie, en het gaat om een paar ernstige beschuldigingen.

*Wat er allemaal in dat dossier mag staan, zegt mij niets. En het heeft in feite niets met mij te maken.*

Het heeft er zonder meer alles mee te maken waarom u vandaag voor de rechter staat.

*Ik erken niet dat deze rechter enig gezag over mij heeft.*

Helaas zult u wel moeten.

*Nee hoor.*

U moet met me meewerken, mijnheer Avrohom.

Hij reageerde niet. Hij zat daar maar recht voor zich uit te staren. Het is niet ongebruikelijk een cliënt te hebben die niet wil spreken. Of een cliënt die geen respect heeft voor het rechtssysteem. Er zijn momenten, heel wat momenten, dat ook ik geen enkel respect heb voor het systeem, een van de redenen dat ik dit werk doe. Maar anders dan andere verdachten met wie ik te maken heb gehad en die niets zeiden of agressief konden worden, had hij geen criminele blik. Bij een criminele blik probeert een verdachte sterk, intimiderend over te komen, onbevreesd voor de aanklachten, voor het systeem dat tegen hen is gericht, een systeem dat hen vaak verwoest. Er zit altijd angst in een criminele blik. Dat is eigenlijk alles. Angst. Een poging om angst te beheersen. Zijn blik was totaal anders. Zacht, bijna teder. Als ik hem ergens anders had zien zitten dan nu, had ik gedacht dat hij net goed nieuws had gekregen. Hij leek gelukkig. En kalm. Opmerkelijk rustig. In hem en in zijn uitdrukking zat echt geen enkele angst. Ik geloofde toen en ik geloof nu dat als ik een wapen in zijn gezicht had geduwd, hij zich niet zou hebben verroerd. Als ik hem had verteld dat er een elektrische stoel in het vertrek naast ons stond en die voor hem werd klaargemaakt, zou hij zich niet hebben verroerd. Als ik hem had verteld dat hij op de brandstapel zou gaan of zou worden gekruisigd, had hij zich niet verroerd. Hij stond daar boven. Hij was de eerste en enige mens die ik ooit heb gezien of gesproken die werkelijk de angst voorbij was. Ik wist letterlijk niet wat ik moest zeggen.

We zaten daar een minuut. Twee minuten misschien. We hadden niet veel tijd. We hadden moeten praten. Maar ik wist dat wat ik ook zei hij niet met me mee zou werken. Hij glimlachte naar me, hief zijn hand, legde die op de glazen afscheiding en hield hem daar. Hij staarde me aan. Keek recht in mijn ogen en hield zijn hand op de afscheiding. Hoewel ik niet wist of ik het wel wilde, deed ik mijn hand omhoog en legde die recht tegenover de zijne. En ik weet niet hoe het kwam, maar ik wist absoluut zeker dat hij onschuldig was. Nooit in mijn leven had ik iets zekerder geweten.

Je hebt het niet gedaan.

*Doet dat ertoe?*

Wat is er gebeurd?

*Ik ben hierheen gebracht.*

Ik denk niet dat ik borgtocht voor je kan bedingen.

*Ik heb geen borgtocht nodig.*

Je wordt waarschijnlijk naar Rikers gestuurd.

*Ik ben daar veilig.*

Niemand is daar veilig.

*Ze willen me niet in de gevangenis.*

Waarover heb je het?

*Doe wat je kunt om ze tegen te houden.*

Hij deed zijn hand omlaag. Zijn naam werd geroepen en we gingen de rechtszaal in. Het was er een enorme toestand. Heel druk. Mensen maakten zich, met recht, zorgen over zichzelf. Ze besteedden zelden of nooit aandacht aan iemand anders. Ben bracht de zaal tot zwijgen toen hij naar binnen liep. Iedereen draaide zich om en staarde. Het stralen dat ik tijdens het gesprek had gezien leek feller, echter. Zijn huid was witter. Zijn littekens zichtbaarder. En zijn verschijning. De verschijning die het lichamelijke ontsteeg. Zoiets heb ik nooit gezien. Voordien niet en nadien niet. Geharde advocaten, geharde criminelen, gerechtsdienaren en smerissen. Ze waren allemaal tot zwijgen gebracht. Door zijn kalmte en rust. Door hoe hij straalde.

Toen de rechter binnenkwam, weigerde Ben op te staan. Hij weigerde op enige manier op het hof te reageren. Hij staarde alleen recht voor zich uit en glimlachte. De rechter dreigde hem met 'minachting van het hof'. Hij bleef gewoon glimlachen. Een zuivere, simpele glimlach. Mond dicht en de kaken op elkaar. Staarde haar recht aan. Ze vroeg hem nog eens op te staan. Hij schudde langzaam en kalm zijn hoofd. Normaal gesproken zou ze hem onmiddellijk van 'minachting van het hof' hebben beschuldigd, maar dat deed ze niet. Ze draaide zich naar mij toe en vroeg of ik bereid was het voorlezen van de rechten en de beschuldigingen te laten vervallen, en ik zei ja. Ze draaide zich naar de officier die om een jury vroeg, wat inhield dat hij de zaak voor een veroordeling aan een jury wilde voorleggen, zoals de wet in New York voorschrijft. De officier vroeg vervolgens borgtocht af te wijzen, wegens de ernst van het misdrijf en de achtergrond van de beklaagde. Ik vroeg een borgtocht van tienduizend dollar. Ze keek weer naar Ben. Hij staarde haar nog steeds aan en ze was duidelijk van haar stuk gebracht. De meeste verdachten zijn eerbiedig tegenover de rechter of juist agressief tegenover haar. Hij staarde alleen en glimlachte. Ze vroeg hem nog een keer op te staan. Hij bewoog niet. Ze wees borgtocht af. Toen de gerechtsdienaar naar hem toe kwam, stond Ben op en liet zichzelf wegvoeren.

Ik had een volle dag, met een aantal andere zaken. Ik nam Bens dossier mee toen ik vertrok. Ik begon het in de metro naar huis te lezen. Het leek betrekkelijk eenvoudig. Zijn broer was voorganger bij een kerk in Queens. Toen Ben werd vastgezet wegens de federale aanklachten, had zijn broer zijn huis en zijn kerk in onderpand gegeven voor Bens borgtocht. Ben was kort na te zijn vrijgelaten verdwenen, maar het was onbekend hoe hij zijn enkelband onklaar had gemaakt. Zeven maanden had niemand van hem gehoord. Vier avonden eerder was hij weer verschenen bij het huis van zijn broer. Hij had een rabbijn bij zich. Ze aten samen en gingen de volgende ochtend naar een dienst in de kerk van de broer. De broer beweerde dat ze naar de dienst gingen zodat Ben berouw kon betuigen voor hij zich weer aan de federale autoriteiten overleverde. Er was een of andere twist in de kerk geweest. Ben werd geslagen en naar het kantoor van de kerk gebracht. Hij werd daar in afwachting van de politie opgesloten. Terwijl hij in het kantoor zat, had hij het in brand gestoken. Toen Jacob, zijn broer, naar het kantoor ging nadat hij rook opsnoof, had Ben hem aangevallen en gezegd dat hij hem ging vermoorden. Ben werd nog eens geslagen en in bedwang gehouden, en kort nadien werd hij gearresteerd.

Niets wees erop dat de zaak niet deugde. Hij leek waterdicht. Diverse getuigen. Fysiek bewijs. De agenten ter plaatse volgden de juiste procedure. In het begin wanneer ik een zaak krijg, kijk ik altijd of er gaten in zitten. Kijk of er ruimte is voor twijfel waar ik in kan om openingen te maken. Kijk naar scheurtjes die ik in enorme ravijnen kan veranderen. In Bens dossier zaten er geen. In de verste verte niet. Toegegeven, het kost soms tijd om ze te vinden. Soms veranderen getuigen hun verhaal. Of het bewijs blijkt iets anders te zijn dan wat het aanvankelijk leek. Maar Ben leek aan te geven, om welke reden dan ook, dat dit deze keer niet zou gebeuren. En gezien hoe ik me door hem voelde en wat ik me door hem voelde, geloofde ik hem.

Hoe verging het hem in Rikers? Ik vroeg me af wat hij doormaakte. Een magere blanke in zijn omstandigheden. Hij was de ziekenboeg uit, zat bij de gewone gevangenen. Voor de meest geharde mannen zijn de omstandigheden beestachtig. Je hebt er geweld en verkrachting. Er zijn bendes, bijna altijd verdeeld naar ras, en als je niet bij zo'n bende hoort ben je een mikpunt. Mensen komen erin als kleine criminelen en gaan eruit als kwaadaardige roofdieren. Ik betwijfelde of hij het lang zou volhouden. En anders zou hij worden geslagen en verkracht. In wezen tot slaaf worden gemaakt. Ik bleef op met het dossier. Las het weer en weer tot mijn ogen pijn deden. Tot ik letterlijk in slaap viel met het dossier in mijn armen.

Ik werd wakker. Kleedde me aan. Ging weer naar de rechtbank, waar ik een aantal zittingen had. Ik bleef maar aan Ben denken. Aan Rikers. Aan wat er in mijn verbeelding daar gebeurde. Halverwege de ochtend ging mijn telefoon. Op de nummerherkenning zag ik het telefoonnummer van de gevangenis. Ik nam op, verwachtte slecht nieuws. Het was de gevangenisdirecteur. Ik schrok. Ik had nooit met hem gesproken of enig contact met hem gehad. Het was heel vreemd rechtstreeks van hem te horen. Hij vertelde me dat er een probleem was. Vroeg of ik met hem kon komen praten. Ik vroeg wat het probleem was en hij zei dat hij het met me zou bespreken wanneer ik daar was.

Ik nam de metro naar de bus en stak de Rikers Island Bridge over. Ik ging de beveiliging door, naar het bureau. De directeur wachtte me op. Ik ging tegenover hem zitten. Hij nam het woord.

Wat weet u over uw cliënt?

Alleen wat in het dossier staat.

Ooit van Yahya gehoord?

Van gehoord, dat wel.

Weet je iets over hem?

Heel weinig.

Hij was een moordenaar. Vermoordde zijn pleegvader toen hij

een joch was. Verdween dertig jaar. Begon een of andere religieuze groepering in de metrotunnels. Preekte over het kwaad van de overheid en georganiseerde religie. Echt van die maffe praat. Voorzag zijn volgelingen van littekens, het waren vooral drugsverslaafden en kleine criminelen. Zei dat de littekens hen bevrijdden van de maatschappij, en van de bijbehorende wetten en verplichtingen. Ze hadden hun eigen wereldje daarbeneden. Elektriciteit, water. Ze gebruikten drugs en hadden orgieën. Echt een zooitje. Toen het bijna met hen gedaan was, bouwden ze een enorme geheime voorraad wapens op. Yahya zei dat de apocalyps naderde. Dat de Messias zou komen om het einde van de wereld aan te kondigen. En wanneer het zover was, zouden hij en zijn volgelingen veilig in de metro zitten. Dat is me allemaal bekend, min of meer. Ze werden allemaal gearresteerd. Ze werden allemaal vastgehouden in het MCC. Yahya weigerde het gezag van de rechtbank te erkennen. Probeerde in de gevangenis zijn volgelingen te hergroeperen. Werd naar de isoleercel gestuurd. Ging in hongerstaking. Het OM kreeg toestemming hem kunstmatig te voeden. Toen de bewakers zijn cel openmaakten, viel hij hen aan. Terwijl ze probeerden hem in bedwang te krijgen, sloeg hij met zijn hoofd tegen de grond. Hij kreeg een hersenbloeding en hij stierf. Zijn volgelingen raakten door het dolle en ze belandden allemaal in de isoleercel. Sommigen werden naar andere instellingen gestuurd, onder meer deze. Overal waar ze heen gingen, predikten ze het evangelie van Yahya. En ze predikten het evangelie van Yahya's Messias, die daadwerkelijk was gekomen. Hij was het enige lid van zijn groep dat borgtocht kreeg, om onmiddellijk te verdwijnen.

Mijn cliënt.

Ja.

Hij is de Messias.

Hij is een idioot die denkt dat hij de Messias is, en dat een paar andere idioten denken dat hij de Messias is.

Is er wat gebeurd sinds zijn komst?

Toen hij in onze ziekenboeg belandde, duurde het een dag of zo eer de mensen achterhaalden wie hij was. Meteen begonnen de gevangenen te praten. We hadden hem geïsoleerd om problemen te voorkomen, al probeerden we naar het geklets te luisteren. Toen hij gisteren terugkwam, lieten we hem bij de gewone gevangenen. Ik keek toen hij naar de binnenplaats ging, waar een groep gevangenen hem opwachtte, wat gewoonlijk inhoudt dat iemand in de problemen raakt. Toen hij naar buiten liep, staarden ze allemaal naar hem. Niemand verroerde zich. Degenen die hem niet opwachtten, stopten met hun bezigheden en draaiden zich naar hem toe. Hij liep regelrecht naar het midden van de binnenplaats en ging zitten. De eersten die naar hem toe gingen waren de lui die zichzelf net als Yahya littekens hadden bezorgd. Er zijn er vier of vijf van. Ze hebben een paar volgelingen, en die hoorden allemaal bij het oorspronkelijke groepje dat hem opwachtte. Ook zij gingen naar hem toe. En toen liep iedereen op de binnenplaats, zwart, blank, Hispanic, Blood, Crip, Latin King, DDP, Trinitario, klote Hells Angels en bendeleden, naar hem toe en ze gingen om hem heen zitten. Ik heb de binnenplaats nooit zo rustig, zo stil gezien. Wanneer het rustig wordt, betekent dat gewoonlijk dat er een kloteoorlog gaat uitbreken. Het is de kalmte die neerdaalt voor het moorden begint. Maar dit keer niet. Op een of andere manier wist hij mannen die letterlijk hun tijd vooral besteden aan proberen te verzinnen hoe ze elkaar om zeep kunnen helpen zover te krijgen dat ze in een grote kring gingen zitten. Hij begon te praten. We wisten niet wat hij zei, en niemand zal het ons vertellen. We wilden de binnenplaats op en ze ermee laten ophouden, maar ze overtraden onze regels helemaal niet, dus we konden niets doen. Hij sprak tien, vijftien minuten. Nadien stond hij op, liep rond en legde zijn hand op de hoofden van mensen. Zei geen woord. Legde alleen zijn hand op hun voorhoofden en glimlachte. Hij liep terug naar waar hij vandaan was gekomen en ging weer zitten. Vrijwel onmiddellijk kreeg hij een soort toeval. Een klotetoeval met een lichaam dat schudde, spugen, ogen die in zijn kop rolden. Normaal gesproken zouden we onmiddellijk de binnenplaats opgaan, de gevangene oppakken en hem terugbrengen naar de ziekenboeg. Dat was deze keer godverdomme uitgesloten. Ik was er absoluut zeker van, zonder een zweempje twijfel, dat er een rel was ontstaan als we het hadden geprobeerd. En aan beide kanten zouden er doden zijn gevallen, en deze gevangenis zou godverdomme zijn ontploft. We lieten hem dus daar, lieten ze allemaal daar en lieten hem zijn toeval krijgen. En wachtten tot het voorbij was. Na tien minuten ging het nog steeds door. Twintig minuten. Veertig minuten. De toeval bleef maar doorgaan. En de mannen stonden op en begonnen zich met elkaar te vermengen. Overal op de binnenplaats waren mannen die een paar uur eerder aartsvijanden waren geweest aan het praten, lachen, handen schudden. En Avrohom lag nog steeds midden op de binnenplaats met zijn toeval. En ook al had iedereen hem ogenschijnlijk in de steek gelaten, je kreeg de indruk dat ze allemaal nog steeds naar hem keken, naar alles keken wat hij deed en wachtten tot het voorbij was. Het tijdstip dat we normaal gesproken iedereen naar binnen hadden gebracht ging voorbij. We wisten niet wat we moesten doen, dus lieten we hen maar buiten. Twee uur later stopte de toeval. Zo vlug als de toeval was begonnen, stopte die gewoon. Een minuut of twee was hij roerloos, hij leek dood. Toen stond hij op en liep naar de poort om weer naar binnen te gaan. We maakten de poort open en hij kwam naar binnen en alle anderen volgden hem. Hij ging terug naar zijn cel en daar zit hij nu.

Zijn er camera's op de binnenplaats?

Natuurlijk.

Kan ik de banden zien?

Gelooft u me niet?

Ik wil het zien.

Prima.

We gingen naar de controlekamer waar alle bewakingsbeelden binnenkomen en worden gevolgd. Hij liet me de banden zien, waarop min of meer hetzelfde te zien was als wat hij had beschreven. Toen ze stopten, toen de laatste gevangenen terug waren in de gevangenis, nam hij het woord.

Ik kan hem hier niet hebben.

Hij heeft niets verkeerds gedaan.

Als hij hiertoe in staat is, is hij een enorme bedreiging voor de veiligheid van deze instelling en voor de mensen die hier werken.

Het leek mij eerder dat hij jullie zou kunnen helpen.

Ik weet niet wat hij daarbuiten godverdomme heeft gedaan, maar vroeger of later slaat het om.

Hoe weet u dat?

Omdat ik het grootste deel van mijn leven in gevangenissen heb gewerkt en in de verste verte nooit zoiets heb gezien als ik wat ik eerder vandaag zag.

U kunt hem niet straffen als hij niets verkeerds heeft gedaan.

We gaan aanbevelen dat de aanklager hem onbekwaam laat verklaren en hem naar een zwaar beveiligde psychiatrische inrichting laat sturen.

Wat een rotstreek. Dat laat ik niet gebeuren.

De meeste advocaten zouden blij zijn hun cliënten hier uit te krijgen.

Ik ga u bestrijden.

Waarom?

Hij hoort niet thuis in een psychiatrische instelling.

Hij denkt dat hij de Messias is.

Zegt hij dat?

Genoeg andere mensen wel.

U kunt niet dingen die hij niet heeft gedaan tegen hem gebruiken, en u kunt geen verklaringen die hij niet heeft afgelegd tegen hem gebruiken.

Hij is godverdomme gevaarlijk en ik wil hem hier weg hebben.

Hij stond op en schudde me de hand. Ik vroeg hem of ik met Ben kon spreken, en hij zei nee. Ik vertrok en ging terug naar mijn kantoor. Toen ik aankwam, had ik bericht gekregen dat de officier van justitie met een artikel 730 was gekomen, een verzoekschrift om Ben onbekwaam te laten verklaren voor het proces en hem op geestesziekten te laten onderzoeken. Normaal gesproken was artikel 730 iets wat door de verdediging werd gebruikt. Als ze hun cliënt onbekwaam konden laten verklaren, konden ze een proces vermijden, hun cliënt zou dan voor behandeling naar een psychiatrische instelling worden gestuurd in plaats van naar de gevangenis te moeten, en dat is duidelijk een beter resultaat voor iemand die geestesziek is. Ik had nooit eerder gehoord dat een officier van justitie het gebruikte. Normaal gesproken willen ze dat er een veroordeling komt en dat de verdachte in de gevangenis moet blijven. De procedure was dat Ben door twee psychiaters zou worden onderzocht. Die zouden rapporten schrijven. Wij hadden het recht hem door onze eigen psychiaters te laten onderzoeken. Die zouden rapporten schrijven. Alle rapporten zouden worden overgelegd en de rechter zou een beslissing nemen. Als hij bekwaam werd geacht, zou hij in de gevangenis blijven en een proces krijgen. Zo niet, dan zou hij naar een psychiatrische instelling worden gestuurd.

Ik kon mijn andere cliënten niet negeren of afschuiven, dus ging ik terug naar de rechtbank. In de loop van de dag kreeg ik te horen dat Ben naar de isolatiecel was overgebracht. De volgende ochtend had hij weer een toeval en hij werd naar de beveiligde ziekenboeg overgebracht. In de volgende paar dagen leek hij de ene na de andere toeval te krijgen. Niet een van de medicijnen die hij kreeg, kon de toevallen stoppen. Ze stopten een paar minuten, begonnen weer. Hij had geen eten gehad en geen slaap. Er werden psychiatrische onderzoeken gepland en geannuleerd. Al mijn vrije tijd ging op aan pogingen een middel te vinden om de 730 te stoppen, maar er leek geen middel te zijn. Ik had een ontmoeting met zijn moeder en sprak met haar. Ze lag nog in het ziekenhuis. Ze vertelde me over de omstandigheden van zijn geboorte. Over zijn onmiddellijke herkenning als de mogelijke Messias. Over de druk die het op haar had gelegd, haar echtgenoot, haar gezin. Over zijn kindertijd, toen hij normaal had geleken terwijl dat allesbehalve van hem werd verwacht, en hoe die verwachtingen op iedereen in het gezin hadden gewogen. Ik had een ontmoeting met zijn zus en sprak met haar. Ze vertelde me over de relatie tussen hem en zijn broer. Hoe zijn broer hem haatte en vreesde. Zijn rancune jegens hem. Zijn jaloerse gevoelens jegens hem. Ze vertelde me over de boerderij en het leven dat hij daar kennelijk leidde. Ik had een ontmoeting met zijn rabbijn. Hij vertelde me over het ongeval, hoe hij het had overleefd, de kwaal die hij eraan had overgehouden en de gave van die kwaal. Hij vertelde me over de onwerkelijke hoeveelheid kennis die Ben bezat, de talen die hij sprak, de boeken die hij woord voor woord kende. Hij vertelde me dat Ben dat alles nooit door studie of scholing had kunnen opdoen, daar had je vijf levens voor nodig, misschien wel tien. Ik had ontmoetingen met zijn arts, een van zijn geliefden, drie mensen die bij hem woonden op het platteland, en sprak met hen. Ik had ontmoetingen met de man van de FBI die hem had gearresteerd, een voormalige prediker die de kerk had verlaten na hem te hebben leren kennen, en sprak met hen. Ze zeiden allemaal hetzelfde: Ben had hun leven veranderd. Hij kon wonderen verrichten. Ze geloofden dat hij de Messias was.

Normaal gesproken zou ik de dingen die deze mensen me vertellen weglachen. Als ik hem niet had ontmoet. Als ik niet had gezien wat ik had gezien en niet had gevoeld wat ik had gevoeld. Ik zou hen hebben weggelachen. Hen als idioten hebben afgedaan. Maar het waren geen idioten. Geen van allen. Het waren redelijke mensen. Ze geloofden. En hij vroeg hun nergens om. Hij wilde niet dat mensen hem vereerden, tot zijn God baden, de regels van een boek volgden of hem iets gaven. Hij had geen grote kerk. Of een wekelijkse televisieshow. Hij wilde geen publiciteit. Hij vertelde hun dat hij van hen hield. En dat ze van elkaar moesten houden. En dat verder niets ertoe deed. Dat God iets was dat ons begrip te boven ging. Dat we onze levens moesten leiden op een manier waarvan we gelukkig werden. En geen regels moesten volgen alleen omdat ons was verteld die te volgen. Of een God te vereren die niemand ooit heeft gezien of enig contact mee heeft gehad. Hij vertelde hun dingen die we allemaal weten. We kunnen worden verlost door liefde. Laat geen fantasiefiguren dicteren hoe we ons leven moeten leiden. Binnen de context van de religie zijn deze gedachten verwrongen. Gemanipuleerd. Verknold. En hij liet hun dat zien.

Ik ging ongeveer ieder uur zijn status na. Belde de gevangenis om te achterhalen of er enige verandering was. Na drie dagen stopten de toevallen. Nadien sliep hij vierentwintig uur. Toen hij een dag stabiel was geweest, plande de rechtbank zijn onderzoeken. Het verliep veel sneller dan normaal. Ik probeerde het tegen te houden, te vertragen, maar vergeefs. De rechtbank en de officier werden onder druk gezet door de gevangenis. De directeur dacht dat Ben een gevaar vormde voor zichzelf én voor andere gevangenen. Hij zei ook dat het ziekenhuis van de gevangenis er niet op was toegerust zijn epilepsie te behandelen, de bron van zijn geesteziekte. Bens broer steunde de actie. Hij zei de officier dat naar zijn mening Ben, op zijn allerminst, zwaar geestesziek was; op zijn ergst een maniak die in staat was tot moord en zelfmoord. De situatie in de gevangenis werd gespannen. Andere gevangenen eisten dat hij weer in de normale afdeling werd geplaatst. Degenen die hem in de ziekenboeg zagen, liepen allemaal naar buiten met het verhaal dat hij hen had veranderd. Dat hij mensen kon genezen. Hun woede kon wegnemen. Hun verslavingen kon wegnemen. Hun vrede geven. Wat normaal gesproken maanden zou kosten, gebeurde nu in dagen. En ik had geen verweer. Ben weigerde met me over de zaak te spreken of me van enige informatie te voorzien waarbij hij baat zou hebben. En de getuigen met wie ik had gesproken, zouden in zijn nadeel werken. Ze zouden het idee hebben ondersteund dat hij met God kon spreken. Dat hij de Messias was. Dat hij op een of andere manier de wereld zou veranderen en/of vernietigen.

De onderzoeken vonden plaats in de gevangenis. Ik mocht erbij aanwezig zijn, maar op geen enkele manier meedoen of tussenbeide komen. Ik zat achter in het vertrek. Ben was aan een stoel geketend. Hij weigerde vragen te beantwoorden. Hij reageerde op geen enkele manier op de psychiaters. Hij zat hen daar maar aan te staren. Ze stelden simpele vragen. Begrijp je waarom je hier bent? Begrijp je de aanklachten tegen je? Weet je wie je advocaat is? Weet je in welke staat je bent? Ze kregen niets. Tussen de sessies door vertelde ik hem dat als hij de vragen niet beantwoordde hij onbekwaam zou worden verklaard. Hij vertelde me dat het niet uitmaakte wat hij zei. Dat hij niet geloofde dat de rechtbank enige zeggenschap over hem had. Dat hij door de vragen te beantwoorden zou erkennen dat de rechtbank dit wél had. Dat het systeem was opgezet om te doen wat het deed. Dat het hem zou doden zoals het miljoenen anderen had gedood of aan het doden was. Ik kwam ook met een psychiater voor een onderzoek. Ik hoopte dat Ben op een of andere manier tot rede zou komen. Hij wilde ook niet met mijn psychiater spreken. Ik bleef hem vragen naar rede te luisteren, redelijk te zijn, zich redelijk te gedragen. Hij glimlachte en vertelde me dat hij, met zijn verzet, de enige redelijke persoon in heel het verhaal was. Dat niemand met enig benul zich zou onderwerpen aan de rechtbank of het gezag zou erkennen van het strafrechtsysteem.

De zitting zelf verliep snel en meedogenloos. Het OM kwam met drie getuigen: de twee psychiaters en Bens broer. De psychiaters zeiden allebei hetzelfde. Ben wilde niet tegen hen spreken en weigerde op de aanklachten tegen hem te reageren. Ze stelden allebei dat hij naar hun mening onbekwaam was en niet in staat een proces te ondergaan. Zijn broer sprak over Bens leven. Zei dat er een lange voorgeschiedenis was met verslaving, waanideeën, seksuele perversiteit.

Hij zei dat Ben het grootste deel van zijn leven had geloofd dat hij de Messias was. Dat Ben geloofde dat hij krachten had. Dat Ben geloofde dat hij wonderen kon verrichten. Hij zei dat hij als voorganger was gekwetst door Bens overtuigingen. Dat hij God had gehekeld. En in vrije liefde en orgieën geloofde. Hij zei dat hij als mens medelijden met hem voelde. Dat hij jaren had geprobeerd hulp voor Ben te krijgen. Dat hij had gebeden voor Ben en had geprobeerd hem in de armen van God, Christus te krijgen. Ben had al hun inspanningen versmaad. Hij vond dat hij beter was dan God. Boven God stond. Hij dacht dat hij God was. Een uur na het begin werd Ben onbekwaam verklaard een proces te ondergaan. De rechter was een christen die onder een Amerikaanse vlag zat en mensen de eed op een bijbel af liet leggen. Hij bepaalde dat Ben zou worden overgeplaatst naar Bellevue, waar hij gezien en behandeld zou worden. Hij bepaalde ook dat zijn broer, Jacob, de voogdij over hem kreeg en verantwoordelijk zou zijn voor beslissingen die verband hielden met Bens behandeling.

Toen Ben werd weggeleid, keek hij naar me en zei *dankjewel.* Dat waren de enige woorden die hij die dag zei. Achter in de surveillancewagen begon, toen ze hem naar het ziekenhuis vervoerden, een toeval die zeven dagen aanhield. Zeven dagen ging het onophoudelijk door. Toen het ophield, weigerde hij ieder gesprek en ieder contact met mensen die voor de instelling werkten. Hij werd bij een groep andere patiënten ondergebracht. Ze leken kalm van hem te worden en men zag dat hij tegen hen fluisterde. Omdat ze net zo'n probleem vreesden als in de gevangenis, werd hij door het ziekenhuispersoneel in afzondering geplaatst. Een vertrek van rubber in feite. De diagnose was dat hij een paranoïde schizofreen was met messianistische waanbeelden. Hij kreeg enorme hoeveelheden psychotrope medicijnen, maar die leken geen van alle enig effect op hem te hebben. De toevallen begonnen weer en hij kreeg enorme hoeveelheden medicijnen om ze tegen te gaan, maar die leken geen van alle enig effect op hem te hebben. Hij moest in afzondering blijven en werd gedwongen elektroshocktherapie te ondergaan. Het had geen effect op hem. Na drie weken kwamen de dokters in het ziekenhuis met de aanbeveling bij hem een resectie van de temporaalkwab uit te voeren, een vrij gebruikelijke ingreep en binnen het bestek van de hersenchirurgie niet bijster gevaarlijk. Ze geloofden dat ze door een deel van zijn hersenen weg te snijden de toevallen zouden kunnen stoppen. Hij werd weer vastgebonden. Hij werd naar een operatiekamer gereden. Hij kreeg narcosemiddelen. Hij kreeg een extreem grote dosis omdat hij voor eerdere behandelingen met medicijnen ongevoelig was geweest. Toen hij een uur op de operatietafel lag en een van de chirurgen met de resectie zou beginnen, deed Ben zijn ogen open. Zijn schedel was opengemaakt en lag letterlijk op de tafel naast zijn hoofd. Zijn hersenen lagen bloot. De chirurg had een scalpel in haar hand. De scalpel bevond zich net boven het oppervlak van zijn frontaalkwab. Afgaande op haar beschrijving van het incident keek hij haar recht in de ogen en sprak hij.

*Het is volbracht.*

# III *Mariaangeles*

Ben had het regelmatig over onze zielen. Zei dat het idee dat wij zielen hadden een dwaasheid was. Belachelijk. Net iets wat een kind zou verzinnen. Zei dat mensen gek waren die geloofden dat we deze geesten in ons hadden die na onze dood voort zouden leven. Dat mensen hun leven leidden voor iets wat we niet eens hebben. Iets wat niet eens kon. Hij zei regelmatig dat wij hersenen hadden. Het zat allemaal in onze hersenen. En meer en meer en meer gingen artsen, wetenschappers en mensen die in de echte wereld leefden, begrijpen dat alles wat wij zijn, alles wat wij voelen, alles wat wij weten en ervaren, iedere emotie die wij hebben en iedere gedachte die wij hebben, alle pijn die wij hebben en alle liefde die wij hebben, allemaal uit onze hersenen afkomstig zijn. Dat er niet zoiets bestaat als een ziel. Als je in die onzin gelooft, ben je gewoon stom.

Ik weet niet precies wat er gebeurd is. Artsen hebben geprobeerd het me uit te leggen, maar niemand was er eerlijk over. Ze zaten er allemaal over in, niemand wilde de schuld op zich nemen, niemand wilde gewoon toegeven gebeurd is gebeurd. Zo gaat dat tegenwoordig in Amerika. Iedereen geeft de schuld aan een ander. Zelfs de klotepresident doet het. Daar hield vroeger het zwartepieten op. Nu ligt het altijd aan iemand anders, geef mij niet de schuld, ik pak je geld en besodemieter je, maar het ligt niet aan mij. Ik ken alleen het eindresultaat. Een van hen heeft Ben vermoord. Ze sneden in zijn hersenen, ze konden het bloeden niet stoppen, en toen het wel lukte was het al verknold. Zo ver verknold dat er geen helpen aan was. Verder verknold dan wat ook. Zoals hij zei, leven we niet omdat we een ziel hebben, we leven omdat we hersenen hebben.

Toen ze klaar waren met die operatie was hij weg, maar er was zoveel van zijn hersenen over dat hij bleef ademhalen. Het was het kloterigste wat ik ooit heb gezien. Deze prachtige man, deze man die dingen wist die duizenden jaren geen mens had geweten, deze man die je leven kon veranderen en de klotewereld kon veranderen: hij was weg, maar zijn lichaam werkte nog. Ze legden hem in een bed neer en hij staarde naar het plafond. Je zette hem in een stoel neer en dan staarde hij recht voor zich uit. Je draaide hem op zijn zij en dan staarde hij naar de klotemuur. Hij bewoog niet. Hij kon niet bewegen. Hij knipperde met zijn ogen, maar dat was alles. Ze deden alle testen bij hem. Testten zijn reflexen en of hij pijn voelde, of hij iemand kon horen of begrijpen wat ze zeiden. Allemaal negatief. Hij was een huls. Een lichaam dat kon ademen en in leven zijn, maar dat was alles.

Ze haalden hem weg uit Bellevue. Zeiden dat ze meer ruimte nodig hadden voor meer van de gekke klootzakken die echt gek waren. Stuurden hem naar een of ander tehuis in Brooklyn waar hij kon worden verzorgd. Verzorgd wilde zeggen zorgen dat zijn buisje voor de voeding aangesloten was en dat zijn luiers werden verschoond. Het was nauwelijks meer dan dat. Soms zetten ze de tv die in de kamer stond op een andere zender. Soms verplaatsten ze hem een klein beetje zodat zijn doorligwonden niet ontstoken raakten. In de kamer lagen hij en twee andere mannen. Een van hen was net als Ben een plant. Was uit een autowrak gekomen. Een of andere dronkenlap had hem geraakt. Zijn vrouw kwam iedere dag, hield zijn hand vast en praatte tegen hem. Ze las hem voor uit de Bijbel of ze dacht dat hij daar godverdomme baat bij zou hebben. Ze ging op haar knieën om voor hem te bidden. De andere man had evengoed een plant kunnen zijn. Hij was een homo, in elkaar geslagen omdat hij homo was. Niemand kwam hem ooit opzoeken. Meestal staarde hij ook, maar nu en dan begon hij te kreunen, te proberen te bewegen. Het was bijna nog treuriger omdat hij een vaag idee had dat hij was gemold. Een vaag idee dat hij alleen was en hij de rest van zijn verknolde ellendige leven alleen zou blijven. Op de meeste dagen stelden de zaalhulpen hen enkel met z'n drieën voor de tv op. Ze poepten in hun broek en piesten op zichzelf. Als ze geluk hadden, zette iemand een andere zender op. In sommige opzichten verschilde het niet zoveel van hoe de helft van de mensen op deze kloteaarde leeft. En of ze het nu geloofden of niet, geen van hen had een keus, Ben niet, de andere twee niet, alle andere klootzakken op aarde niet.

Ik kwam twee keer in de week. Ik was teruggegaan naar de Bronx. Teruggegaan naar dezelfde flat. Nadat iedereen had gehoord wat er was gebeurd, gingen we weg van de boerderij. Misschien bleven een paar mensen, maar de meesten van ons gingen zich weer wijden aan wat we deden voor we daarheen gingen. Ons geloof in wat Ben ons had geleerd bleef, net als hoe we met hem leefden, we verspreidden ons alleen weer. Besloten het mee terug te nemen naar de echte wereld. Zo is het altijd begonnen. Er was één iemand. Eén iemand die het begreep. Die het kon zien. Die het wist. En die deelde wat ze hadden, en dan verspreidde het zich gewoon omdat iedereen die door zo iemand was aangeraakt het deelde. In Bens geval waren we met genoeg. Genoeg om elkaar te helpen en misschien een paar anderen. Genoeg om te weten wat het betekende ware liefde te voelen. Ware liefde te zien. Met ware liefde te leven. Ware liefde te delen. Liefde waarbij het niet draaide om haten, oordelen, waar je vandaan kwam, welke kleur je had, waar je was opgegroeid of van wie je hield. Er waren er genoeg van ons die waren veranderd om een paar anderen te kunnen veranderen. Hen veranderen voor heel deze zooi met een kloteknal ontploft.

Er waren volop mensen die bijsprongen met Mercedes. Ze werd zo'n aardig meisje. Ze vroeg altijd of ze bij Ben op bezoek kon, want ze miste hem zo erg. Ik kuste haar gedag en zei haar een ander keertje. Ik nam de metro, ging bij hem zitten en hield zijn hand vast. Ik wist dat hij het niet kon voelen, maar ik deed het toch. En ik praatte tegen hem. Niet al dat gelul over God waarover de vrouw van de andere man het had. Alleen wat er in mijn leven gebeurde. Ik werkte in een kledingzaak. Ik ging 's avonds naar school om staatsexamen te kunnen doen. Ik was met Mercedes met cijfers en letters begonnen zodat ik haar op een betere school kon krijgen. En ik was in verwachting. Ik was in verwachting van Bens baby. Ik snapte dat hij het niet zou snappen, maar ik vertelde het hem toch. Ik zou een baby'tje van hem krijgen.

Het was niet de eerste keer dat ik van hem in verwachting was. De eerste keer was toen we op de boerderij zaten. Ik wist het meteen nadat we daar aankwamen. Ben en ik bespraken wat er moest gebeuren en hij zei dat het mijn keuze was. Ik vroeg wat God er tegen hem over zou zeggen. Hij lachte en zei dat God geen keuzes maakte over wat vrouwen met hun lichamen deden. Vrouwen hadden dat recht. Alleen vrouwen hadden dat recht. Mannen niet, God niet, helemaal niemand. En hij zei dat als ik de baby niet wilde hij met me mee zou gaan, mijn hand zou vasthouden, van me zou houden en zou zorgen dat ik het redde als het voorbij was. En we gingen, en hij deed wat hij had gezegd te doen, en het was het moeilijkste moment van mijn leven, maar soms moet je moeilijke keuzes maken. En in die tijd, toen ik aan het zwerven was, geen geld had en geen idee had over wat de toekomst zou brengen, kon ik die baby niet hebben. Ik herinner me dat we naar binnen liepen. Al die mensen hadden borden over God en dat wij moordenaars waren en ze schreeuwden naar ons. Ze hadden verzen uit de Bijbel op hun t-shirts. Ben glimlachte alleen naar hen. En dat maakte ze echt kwaad, nog kwader, en hij bleef gewoon glimlachen. Een van hen kwam heel dichtbij, noemde hem een moordenaar en zei dat hij in de hel zou branden. Ben nam de hand van de man en kuste die, kuste die heel zacht en lang, en het leek of de man zou sterven en al zijn vrienden schrokken. Ben liet zijn hand los, fluisterde iets in zijn oor, de man glimlachte, omhelsde Ben en wandelde weg. Ik heb geen idee wat hij zei, alleen wat ik zag. Ben die van een andere man hield. Er is niets mis met een man die van een andere man houdt. Het is allemaal eender. Het is liefde.

Maar deze baby hield ik. Ik verwachtte niet dat het een Messias zou zijn, helemaal niet. Het enige wat ik wilde was een gezond baby'tje. Een gezond kindje dat voor een deel mij en voor een deel Ben was, deze man van wie ik met heel mijn hart hield en deze man die van mij hield, van iedereen hield die hij kende. Ik vertelde Ben hoe ik me voelde, wat ik voelde, wat ik at, de namen waaraan ik dacht, had er een paar voor als het een jongen was en een paar voor als het een meisje was. Ik vertelde hem over mijn dromen, dat we misschien teruggingen naar de boerderij na mijn staatsexamen, dat ik hoopte op een dag misschien weer eens verliefd te worden. Ik vertelde hem dat zich nog steeds soms mensen bij de flat meldden die op zoek naar hem waren en dat mensen in het getto en in de gevangenis nog steeds over hem spraken. Als ik verdrietig werd, en ik werd altijd verdrietig als ik naar de huls keek waar vroeger een knappe man was geweest, als ik keek naar de plant waar vroeger de man was geweest van wie ik hield, vertelde ik hem hoe erg ik hem miste, hoeveel ik van hem hield en hoezeer ik hoopte dat hij bij me terug zou komen. Ik vroeg hem een van zijn wonderen op zichzelf toe te passen, zichzelf beter te maken, zichzelf te genezen zodat hij kon opstaan en weer lopen, weer praten, weer glimlachen, mijn hand weer vasthouden, me weer kussen, mijn naam weer zeggen, ik wilde hem nog één keertje mijn naam horen zeggen, en ik wilde dat hij weer van me hield en weer zorgde dat ik me perfect, prachtig, vredig en veilig voelde. Ik vroeg het hem en zei doe het Ben, doe het alsjeblieft voor mij, maar hij deed niets. En ook al had hij het gekund, ik wist dat hij het niet zou doen. Het probleem met hem, waardoor hij was wat en wie hij was, was dat als hij nog één wonder in zijn achterzak verborgen hield, er nog één in petto had, hij het voor iemand anders zou gebruiken. Als hij er twee had, zou hij ze allebei voor andere mensen gebruiken. Als hij er drie had, zouden er drie gelukkige klootzakken rondlopen. Hij zou nooit iets voor zichzelf doen. Hij zou altijd geven voor hij nam. Hij gaf tot het allemaal was genomen.

Na een paar maanden werd mijn buik heel dik. De mensen in het tehuis kenden me zo goed dat ze me soms Ben naar buiten lieten brengen. Ze zetten hem dan in een rolstoel en bonden hem stevig vast zodat hij er niet uit viel, al zou dat geen verschil maken. Ik nam een deken mee om onder hem te leggen voor zijn doorligwonden, waaruit bloed en pus zouden sijpelen en die eruitzagen of ze veel pijn deden, ook al wist ik dat hij niets kon voelen. Ik duwde hem maar wat rond door de buurt. Vertelde hem wat ik zag, rook en hoorde. Verzon verhaaltjes en zo over de mensen die we passeerden. De instelling lag niet ver van het water en soms ging ik naar de boulevard langs de oceaan. Ik ging dan op een bankje zitten en zette Bens rolstoel naast me, ik hield zijn hand vast en keek hoe de golven kwamen, de ene na de andere. En ze bleven komen, de ene na de andere, precies zoals ze dat al miljarden jaren hebben gedaan voor er mensen op deze planeet waren, en precies zoals ze dat miljarden jaren zullen doen nadat wij elkaar hebben uitgemoord en zijn verdwenen. Het effect was dat ik me klein voelde, door naar deze golven te kijken besefte ik hoe weinig invloed we hebben op deze wereld, en dat wij maar één planeetje zijn in een zo groot universum dat we het niet kunnen begrijpen, en dat het leven dat we kregen maar zo kort duurt, en dat we het moeten aanvaarden en het zo goed mogelijk moeten gebruiken. Dat we alleen moeten liefhebben, zoals ik Ben liefhad door zijn hand vast te houden en hij mij had liefgehad door mijn leven te veranderen.

Zomer werd herfst werd winter. Ik was bijna zover dat ik onze baby kreeg. Mercedes bleef naar Ben vragen, dus besloot ik haar op een dag mee te nemen. Ik had ook foto's van onze baby die nog in me zat, echobeelden die ik aan Ben wilde laten zien en aan de muur achter zijn bed op wilde hangen. We kwamen bij het ziekenhuis en ze hadden hem helemaal klaar voor vertrek. Ik had gevraagd of we hem naar de boulevard konden brengen, ook al was het koud en had het de vorige avond een beetje gesneeuwd. Hij droeg een winterjas, een leuk hoedje en handschoenen die wel versleten waren maar zijn handen toch warm zouden houden. Mercedes was helemaal opgewonden en een beetje in de war doordat Ben er hetzelfde uitzag maar niet kon bewegen, praten of iets doen. Ik bedacht wat ik haar moest vertellen, maar ze was niet toe aan het verhaal, aan het hele verhaal, aan het verhaal van Bens leven, en wie hij was en wat hij deed en wat hij betekende en waarom ze hem vermoordden, hun rechtbanken, hun bevelen en hun chirurgen met hun scalpels. Waarom ze hem vermoordden, met hun idiote wetten en godsdiensten. Ik bedacht wat ik haar moest vertellen, maar ze was er niet aan toe, dus zei ik haar dat Ben alleen een poosje stil was en liet het daarbij. We gingen naar het water. De golven braken nog steeds. Er lag over alles een paar centimeter sneeuw. We waren de enigen die een spoor trokken. Er waaide een krant langs ons heen en ik kon zien dat er alleen slecht nieuws in stond. Mensen die stierven, mensen die moordden, regeringen die logen en oorlogen begonnen, bedrijven die roofden en stalen. Precies zoals het nieuws altijd was geweest, precies zoals het altijd zou zijn. We gingen naar een strekdam die de oceaan in stak, en het was een beetje winderig en een beetje koud en de golven klonken luider, ze braken pal onder ons, precies zoals ze dat al vier of vijf miljard jaar hadden gedaan, en precies zoals ze dat nog vier of vijf miljard jaar zouden doen. Al die golven, de ene na de andere, de ene na de andere, die maar langs rolden, naar de kust rolden. We bereikten het eind van de dam en stopten. Ik wilde omdraaien, maar mijn telefoon ging. Het was iemand die belde over een baan waarnaar ik had gesolliciteerd en ze wilden een datum voor een gesprek. Ik nam het telefoontje aan. Ik hield met één hand de telefoon vast en met de andere Mercedes. Ik dacht niet dat Ben ergens heen zou gaan. Hij had geen hersenen meer. Hij kon niet lopen, praten, bewegen, denken, voelen of iets doen. Ik dacht nergens aan. Ik draaide me om en nam op. Het duurde een minuut of zo. Het stelde niks voor, gewoon gelul over plaats en tijd, dingen waarmee we allemaal te maken hebben en die we belangrijk vinden maar helemaal niet belangrijk zijn. Toen ik me weer omdraaide, was Ben weg. Zijn stoel was leeg en de kleren lagen erop en hij was weg. Het leuke hoedje was er wel, de handschoenen ook. Maar hij was weg. Ik wist niet wat ik moest doen, of ik moest schreeuwen, huilen, lachen of wat ook. Het was uitgesloten dat wat er gebeurde kon gebeuren. Ik had geen plons gehoord en er waren nergens sporen, afgezien van die van mij en van Mercedes, en die van de rolstoel. En later, nadat de smerissen kwamen en ze naar de videobanden keken die door de veiligheidscamera's waren gemaakt, was er niets te zien. De ene seconde zat Ben er. De volgende seconde niet. En ik wist niet of ik moest huilen, schreeuwen, lachen of iets, maar ik voelde liefde, ik voelde dezelfde soort liefde als ik had gevoeld toen hij bij me was, toen hij leefde, het zat nog in me en ik pakte de hoed op, nog warm van waar die op zijn hoofd had gezeten, en ik keek uit over de oceaan, en ik keek uit over de hemel, en ik nam de hand van mijn dochter van wie ik zoveel houd, en ik ademde een grote teug in van de koude winterlucht die vanaf zee kwam, en de zon scheen warm op mijn gezicht, en ik glimlachte en ik dacht aan hem, en heel zachtjes zei ik het, en niet alleen tegen hem, maar tegen iedereen, tegen iedereen overal, want daar gaat het eigenlijk om, gaat het eigenlijk allemaal om.

Ik hou van jou.

Ik hou van jou.

Ik hou van jou.

# Woord van dank

Bedankt Ben Zion Avrohom voor je leven. Bedankt Mariaangeles Hernández, Mercedes Hernández en Ben Zion Hernández. Bedankt Charles Kelly Jr. Bedankt dr. Alexis Donnelly. Bedankt Esther Avrohom. Bedankt Ruth Avrohom. Bedankt Jeremiah Henry. Bedankt rabbijn Adam Schiff. Bedankt Matthew Harper. Bedankt John Dodson. Bedankt Luke Gordon. Bedankt Mark Egorov. Bedankt Judith Cooper. Bedankt Peter Wade. Bedankt David Krintzman. Bedankt Eric Simonoff. Bedankt Jenny Meyer. Bedankt Courtney Kivowitz. Bedankt Ari Emanuel, Christian Muirhead, Alicia Gordon. Bedankt David Goldin. Bedankt Andisheh Avini. Bedankt Richard Prince. Bedankt Ed Ruscha. Bedankt Richard Phillips. Bedankt Dan Colen. Bedankt Terry Richardson. Bedankt Gregory Crewdson. Bedankt Larry Gagosian. Bedankt Jessica Almon, Britton Schey en Aaron Rich. Bedankt Roland Philipps. Bedankt Olivia De Dieuleveult en Patrice Hoffman, Sabine Schultz, Claudio Lopez de la Madrid, Job Lisman. Bedankt Melissa Lazarov, Alison McDonald, Nicole Heck, Sam Orlofsky, Jessica Arisohn, Rose Dergan, Kara Vander Weg, Darlina Goldak, Andres Hecker, Paul Neale, Julie Van Severen, Jennifer Knox White, Sarah Lazar. Bedankt Carter Burden III. Bedankt dr. Alexis Halperin. Bedankt Mariana Hogan. Bedankt rabbijn Adam Mintz, bedankt, bedankt.

# Van de vertaler

De Nederlandse weergaven van teksten uit de evangeliën zijn ontleend aan *Het Evangelie volgens Markus, Mattheus, Lukas en Johannes*. *In de vertaling van Hans Warren en Mario Molegraaf,* Amsterdam, 1996.

De overige Bijbelteksten zijn door mij uit het Hebreeuws en Grieks vertaald.

Ecclesiasticus 26:25 is door mij vertaald naar de Septuaginta, de bekende Griekse weergave van het Oude Testament. Ecclesiasticus, ook bekend als Ben Sira of Sofia Sira, is weliswaar in het Hebreeuws geschreven, maar alleen in de Griekse versie volledig overgeleverd.

MM

# Inhoud